君よ知るや五月の森　下

古谷清刀

溪水社

君よ知るや五月の森　下

目次

君よ知るや五月の森　下

Ⅲ

爽籟《さうらい》の章

二学期

五八　葡萄木立《ぶだうこだち》

二学期が始まって最初の土曜日に私は満十六才になった。クラスメイトには誕生日のことは何も知らせていなかったのに、青木《おうぎ》くんが寮の部屋までカスタード・シュークリームを十六個届けてくれたので驚いた。

「予定では二十個のはずじゃったんじゃけど、どうしてもふくれてこんのがあってのう。二個はキラの奴が味見していきょうったし。ま、ちょうど年の数でええかのうと思うて」

私は心から感謝の辞を述べた。

夕食は祖父母と一緒に外でとった。待ち合わせの時刻より少し早めにグランドホテルのロビーへ入って行くと、老夫婦は私より更に早く来て、棕櫚竹《しゅろちく》の陰の肘掛に向かい合って座り、静かなくぐもった調子で何か語り合っていた。祖母はいつもどおり和服姿であったが、祖父は何と洋装であった。文明開化の頃にでも誂《あつら》えたのかと思われるソフトグレイの三つ揃いに真っ白な固いカラーを着け、ほとんど黒に近いくすんだ臙脂《えんじ》色のタイを締めている。コートと中折れ帽はやや色調の淡いやはりグレイで、猫柳を思わせる風合いの生地の表面《おもて》に、光線の具合によって細かな杉綾模様《ヘリンボーン》の柄が浮き上がる。石突《いしづき》に銀を被《き》せた黒檀《こくたん》のステッキを突いてしゃっきり立ち上がったところは、和装の時より身長が二、三センチ伸びたように思われた。物は古いが案外様《サマ》になっているので、食事の合間に祖母にそっとそのことを言うと、祖母はくすくす笑いながら、

「横浜におりんさった時は本牧《ほんもく》テーラーのおとくいさんじゃったそうなよ。二十歳《はたち》になるかならんかで中学校の校長先生に抜擢されてあっちへ行きんさったんじゃけど、新橋の芸者衆にも、はぁ、よう騒がれたもんじゃったそうな」

と、私に囁き返した。

「それ、おばあさまと結婚する前のこと？」

祖母は頷いた。

「喉は佳《え》えし、三絃《しゃみせん》は上手に弾いてじゃったし、O村の若い女子《おなご》の憧れの的じゃったんよ」

私は向かいの席の祖父が、銀白の口髭からミモザサラダの卵の屑をうるさそうに払い落とすのを眺めながら、昔日の村のヒーローを思い描いてみた。本牧テーラーの常連がいつから座禅を組み竹刀《しない》を振り、盆栽を育てて水墨画を嗜むようになったのだろう？

「おじいさまもカトリックだったの？」

「いいや。うちは、はぁ、臨済宗《りんざいしゅう》」

「じゃあ、お父さんが洗礼を受けた時も喧嘩になった？」

「さあ、どうじゃったかねえ？　あの子は小さい時からおとなしゅうてねえ。おるのやらおらんのやら、わからんぐらいじゃった。それでも、はぁ、やっぱりどこやら頑固なとこもあったんかいねえ、自分でこうしょうと思うたら、親にもあんまり相談せずに一人でしてしまうような子供じゃったけぇ。受洗した時も、まあ、はぁ、知らん間に耶蘇《ヤソ》になっとったようなことで……おじいさまは、はぁ、もう、怒るより先に呆れとってじゃった」

メロンと葡萄を食べ終えた祖母は、フィンガーボールに指先をちょっと浸してナプキンで拭った。祖父はボールに浮かべた一輪の蘭の花をつまみ上げ、フンと鼻を鳴らしてまた水に落とした。

「葡萄が好きじゃったねえ？　おじいさまのも早よもらいんさい」

祖母が、既にマスカットに手を伸ばしながら目顔で尋ねると、祖父は厳《いかめ》しくこちらへ頷いた。

「銀《しろがね》も大好物じゃったんよ。食べんでも、置いといて見るだけでも好きじゃいうてねえ、ちょうど今頃の時期になると、はぁ、夢にまで見ることがある言ようった。葡萄の木がいっぱい生えとる森の中みたいなとこを散歩する夢……」

「わしゃあ、はぁ、時々病気やないか思いょうった」

祖父が口髭の下から唸った。

「上京して所帯を持ってからは、ちとましになっとってんじゃろうか？　緑さん、どうじゃ？」

「そうですね……僕は父さんが変だと思ったことはありませんでしたけど」

「まだ小さかったけぇ無理もないのう」

九月になってみると葡萄木立の夢を見ることがそれほど偏狂な行為であるとは、ついぞ思い及ばなかった。してみると私はやはり、エキセントリックな父親の影響下に育ったから知らぬ間にエキセントリシティをノーマルと信じ、異端《ヘテロドクシー》を正統《オーソドクシー》と思い込んでいるだけなのだろうか？　そんなことを考えていると、夢の中で父が逍遥《しょうよう》したという神話めいた葡萄の森は、ますます倒錯の森の象徴であるように思えてくる。迷い込んだら最後、容易に脱け出せない。

「わしらがいっとうしまいに喧嘩したんは、あれが結婚する言うた折じゃったのう」

「おじいさま、はぁ、もう、そんな昔のことを——」

祖母のもの柔らかな制止を無視して、祖父は話を続けた。語り口はむしろ淡泊であった。

「嫁はわしが選ぼう思うとったけえ、初めはそれで腹が立ったんじゃが、息子が、はぁ、そこまで思うとる人じゃったら、はぁ、まあ、許してやってもええかのうと気持ちが変わってきた。それでまあ、ダメ押しのつもりであれに訊いてみたんじゃ。『ほんまに好きなんか？』いうて——ほれ、ばあさまも覚えとるじゃろう？　それで『はい』と言うたら、もう何も言わん気でおったんじゃが。そしたらあのロクデナシは——」

叙事的な口調が突然カッと怒気を帯びた。祖母は困った顔で私に目配せをした。「気にしたらいけんよ」と言う顔だ。祖父は砂糖を三杯すくってコーヒーにぶち込み、デミタス用の華奢《きゃしゃ》な匙でぐいぐいかき混ぜた。

「いや、つい、喋りすぎてしもうた。すまんのう、緑さん」

佳境に入ったところで話が頓挫《とんざ》するのは、出かけたくしゃみが途中で引っ込むのに似て、私の欲求不満を大いにかき立てる。たとえ最悪のことでも、ここまで聞いたら最後まで知りたいのが人情だ。私は熱心に身を乗り出して祖父を促した。

「――ロクデナシめはこうぬかしおったのじゃ。『秘蹟《サクラメント》を完うするためです。そのことは彼女も承知しています』いうて」

「秘蹟って――カトリックの？」

祖父は怒り眉をいっそう逆立てて、またブルルと唸った。

「洗礼から始まって聖体やら終油やらなんやらかんやら七つある言ょうった。その中の一つが婚姻じゃそうな。心底惚れてもない女子《おなご》とそがいな理由で結婚するか思うたら、わしゃあ、はぁ、自分の息子ながら、もう情けのうて情けのうて。それにのう、その情けない男とそれを承知で結婚しょういう女も、一体まあどがいな了見をしとるんかと思うと、また無性に腹が立ってきてのう……」

「『惚れてもない』いうのは、緑さん、嘘じゃけぇ」

祖母が静かに割って入った。

「おじいさまが勝手にそう思うとるだけよね。お父さんは、はぁ、頑固なだけに正直にできとってじゃった。好きでもない人と一緒になるはずはありません」

私を慰めようとする瞳は、一人息子への無批判な愛情と、信頼と、そして何より、詮索することに倦んだ老いの優しさに濡れていた。

「何というても、はぁ、緑さんが生まれとってんじゃけぇ」

これにて一件落着、と言わんばかりに祖母が明るくつけ加えたので、苦虫を噛みつぶしたような祖父の顔もようやく和んだ。前世紀の遺物的なその出で立ちは、祖父を映画のスクリーンの上の人物のように、意思の疎通が不可能な存在に見せていた。微笑は理解を意味しているわけではない。私たちは互いに外国語を喋り合っているようなものだ。祖母の善意のスーパーインポーズは、哀しいことに、どうしようもなく間違いだらけの字幕だった。

グランドホテルを出ると、小雨がぱらついてきた。

「緑さん、きょうはうちへは帰らんの?」

タクシーを待つ間に、祖母が尋ねた。

「帰るつもりだったんですけど、ちょっと用事ができて。寮の方に戻ります」

「ほいじゃあ、学院まで送ろうわい」

私は坂の手前で降ろしてもらった。車が見えなくなるまで手を振ってから、鶴江三丁目の方角へ歩きだした。私の誕生日を知っているもう一人の人との約束があったのである。

五九　雨夜《あまよ》の品定《しなさだ》め〈中国 vs. チェコ vs. ＵＳＡ〉

野瀬さんはその日、一人で家にいるはずだった。祝日との連休を利用して、長田先生一家が家族旅行に出かけていたのである。夏中コリーのお守りをした幸《みゆき》さんのリクエストで、箱根のＦホテルに二泊して、月曜日の夜遅く帰宅することになっていた。野瀬さんが幸さんと交替に、留守番を買って出たのは言うまでもない。

三丁目のバス停の角を曲がって〈オサダ医院〉の門燈が見えてくる頃、にわかに雨足が激しくなってきた。私は祖父母から贈られた誕生祝の包みと一万円分の図書券の他に、例の小冊子（第一期生の卒業文集）を携えていた。借りた本だから濡らしてはいけないと思って、足を早めた。

自宅の門には錠が下りていた。呼び鈴《ドアフォン》のボタンを押してみたが、応答がない。途方に暮れていると、家の裏手の方から犬が一頭——たぶん牡の方だと思うが——勇ましく吠えながら駆けつけてきた。練鉄の門をはさんでしばらく睨み合った末、更に威嚇効果を高めるべく牙をむき出したところを、ダンディ！と私が叱ると、打って変わって愛想よく尻尾を振り始めた。これでは番犬失格である。

　背後から駈け足の音が近づいてきた。野瀬さんが、小さなポリ袋を抱えて飛ぶように走ってくる。しきりに伸び上がってお手をするダンディと握手しながら門前で立ち往生している私に気づくと、ちょっと自動販売機に用があったから、と謝りながら、素早く門を開けて私を中へ押し入れた。犬が今度は歓迎のために吠えだしたのを、"Quiet《クワイアット》, Dandy《ダンディ》!"（「シズカニ！」）と、きれいな発音で制して、私をせき立てながらさっさとポーチへ入って行った。犬はしばらくもの哀しい鼻声で不服を訴えていたが、玄関のドアが閉まるとおとなしく自分の住家へ戻って行ったようだった。野瀬さんが電灯のスイッチを入れた途端に、上がり框《かまち》に並んだスリッパの中の一つが、いきなり大口を開けて伸びをした。びっくりしてよく目を凝らすと、白黒オレンジのだんだら模様のペルシャ猫だった。

「ずぶ濡れだな。それに……あーあ、ダンディの奴！」

　野瀬さんはいかにも情けなさそうな目つきで私のシャツを見た。今朝替えたばかりの制服の胸から腹にかけて一面に泥足の跡がついている。野瀬さんは深い溜息をついて、

「仕方ないな。シャワーを浴びてる間に洗っといてやるよ」

と、肩をすくめた。

「え、でも、そんな……迷惑でしょうから……」

恐れ入っていると、汚れた服で書斎へ入られる方がよっぽど迷惑だと言いながら、二階の突き当たりの浴室へ私を連れて行って、追《お》い剥《は》ぎのように手際よくシャツを奪い取った。

「そう恐縮しないでくれ。川へ洗濯に行くわけじゃないんだから。僕のやることは洗剤を入れてスイッチを押すだけだよ。タオルはその棚。バスローブはそのへんに掛かってるのをどれでも適当に。僕は下のシャワーを使うから、遠慮しないでゆっくり浴びておいで」

事務的と言っていい口調でキビキビと指図をして、野瀬さんは階下へ去った。

「ゆっくり」と言った主人《ホスト》役の言葉に甘えて、私は実際かなり長いこと心地よい湯に打たれていた。よその家の浴室だというのに何となくほっとするのは、恐らくラベンダーのボディ・ソープのせいであろう。鶴島に来て気がついたのだが、父も母も私も使っていたヤードレイの石鹸は、祖父母の御用達でもあった。本牧テーラー時代を偲ばせる愛用品の一つであるらしい。バスローブを物色して、赤やピンクや派手な格子縞を避け、一番片隅に掛かっていたロイヤル・ブルーを借りることにした。階段を降りて行くと、途中の段にさっきのペルシャ猫が腹を見せて長々と寝そべっていた。私がまたぎ越そうとすると銅色の目をギロリとむいて足に爪を立てたが、本気ではないらしく、すぐに引っ込めて起き直り、香箱を作った。

　野瀬さんはとっくにシャワーを終えて、階段の上がり口から右手へ入って行く居間らしい部屋で、金色に泡立つ液体の入った細長いグラスを傾けていた。バスローブではなく、チャコール・グレイのジーンズに、目が痛くなるほど真っ白なリネンのシャツを引っかけている。そんなには着古した様子もないのに、どことなくくたびれた風情があるのは、デニムの地のあちこちに傷跡のような縦の筋が歴然として、糸がほつれ放題になっているせいだろう。犬の散歩の他、猫の爪とぎが管轄であるようだ。

　飲物の冷蔵庫はそっち、何でも好きなものをどうぞと言われ、私は——アルコールが入ると後の行動に責任が持てなくなるので——ライム風味のペリエを一本取った。

「缶ビールというのはどうも味気ないね」

　野瀬さんは二つめの缶を開けながら言った。

「壜の方がおいしいんですか？」

「というわけでもない。やっぱり、栓《タップ》からじかに注《つ》いだやつが一番うまい。壜詰めでもなかなかイケると思ったのは、青島《チンタオ》ビールくらいかなあ？」

「チンタオビール？」

「中国のビール。醸造法がドイツ式なんだって。ムラオカ商店にも時々入ってるよ」

「バドワイザーっていうのは、ドイツのビールですか？」

「違うよ。チェコスロバキアにBudweis《ブートヴァイス》という所があるけど、そこで作っていたのが元祖ブートヴァイザー、つまりアメリカで言うバドワイザー。味はもちろん比べものにならないけど」

野瀬さんはビアグラスの縁越しに私を見て微笑した。

「ビール談義をしに来たんじゃないだろう？」

私は赤面した。サイドボードの上に、図書券の入った封筒など私の持ち物がまとめてあるのが目に入った。私はそこから文集を取り上げて野瀬さんに渡した。

「これ――どうもありがとうございました」

「感想を訊いてもいい？」

私はちょっと迷ったが、正直に言うことにした。

「羨ましかったです」

「何が？」

「あんな風に、その……友達でいられるっていうことが」

野瀬さんは、本の初めから終わりまでパラパラとめくって、また閉じた。グラスに残っていたビールを一息に乾《ほ》して、書斎へ行こう、と立ち上がった。

「これを返しておかなきゃ」

「長田先生はご存じないんですか?」

「文集を持ち出したことを? いや、知らないよ。気づいてもいないと思うな」

飲みかけのペリエを置いて、私は野瀬さんの後を追った。

六〇 紫《むらさき》匂《にほ》ふ

書斎は中庭をはさんで居間の真向かいにある部屋だった。中央がからりと開けた中庭は、天気がよければ直接そこを横断して行けるのだがと野瀬さんは言った。甃《いしだたみ》をしとしと濡らす雨をガラス越しに見ながら、私たちは廊下をぐるりと迂回した。

革と煙草《たばこ》と書物から成る書斎特有の匂いは、苔むした寺院などと同じく間違えようがない。時節柄、暖炉にはまだ火を焚いた跡はなかった。書架は天井まで作り付けで、花鳥風月の衝立《ついたて》の陰に観音開きのキャビネットがあった。野瀬さんが取手《とって》を引くと難なく開いた。

「暖炉の上を見てごらん。知ってる顔があるはずだから」

最上段の本の間に文集を戻しながら、野瀬さんは振り向かずに言った。

そうだ。写真のことをすっかり忘れていた。思い出すと同時に早鐘を打つように胸がドキドキしてきた。父の写真は私も数葉持っているが、全て成人して後、剰え、私の誕生以後に撮られた焦点の甘いスナップばかりである。インドネシアから送られてきた一枚は、大物猟人《ビッグゲームハンター》のようなサファリ帽をかぶり、広げたバナナの葉からじかに海老煎餅《えびせんべい》だかドライカレーだかを食べている場面だ。比較的ピントが合ってはいるものの、象のような現地美人とやはり恰幅のいい白衣の同僚が印画紙の大半を占領しているため、父の姿は約半分しか見えない。

祭壇に近づく犠牲《いけにえ》のように、私は恐る恐るマントルピースに近づいた。最前列には家族の写真ばかり並べてあった。前から二列めは長田先生の大学時代と思われる。三列めの先生は更に若く、姿勢や、頭部のちょっとした傾け方など、野瀬さんによく似ている。（野瀬さんは、顔はどちらかというとお母さん似であるらしい。）開学以来寸分違《たが》わぬ制服や体操服のおかげで、一瞬、同時代の学院生の写真を見ているような気になった。だが、見直せばそれらはやはり、背景がセピアに霞み、白いフラノに照り返す日差しも朧《おぼ》ろに褪《あ》せた、過去の青春グラフィティなのであった。

写真から判断する限り、長田先生は随分人気者または目立ちたがり屋だったようだ。ナザレのイエスのようにいつも群衆の中心にいて、何か耳目をひくようなことを言ったりしたりしていたことが察せられる写真ばかりだ。いつかルカ寮の自室で野瀬さんが私に言った言葉から、教科書やラケットを抱えた父が常時長田先生の脇にひたとくっついているような想像をしていたのだが、周囲にこんなに人がいるのではとても……おびただしい数の写真立ての一つに近々と目を凝らした刹那《せつな》、心臓が動悸を一つ飛ばして打った。集団の中に、紛れもない自分の顔——即ち、父の顔——を発見したのである。

それはたぶんテニスの試合の祝賀会でもあろうか。トロフィーを持つ長田先生を真中に十余名の選抜隊が打ち揃い、カメラに向かって一様に勝利の喜びを放射している。ただ一つ、カメラとは全く縁のない方角を向いて団体行動を乱している顔があるが、それが私の父なのであった。その顔は、記念写真の意義などまるっきり眼中にない顔である。写真屋が鳩を出そうが「チーズ」をねだろうが、我関《ワレカン》セズ、自分の向きたい方だけを向いている。前髪は明らかに伸びすぎており、私とあまり変わらないくらいだから、私の床屋嫌いは親譲りであることがわかる。その長い髪が額から片方の目の上にはらりとかかっている図は、頼もしいとも逞《たくま》しいとも到底言えない。せいぜい贔屓目《ひいきめ》に見たところで、女々しい男の子というよりは、ちょっと凛《りり》々しい女の子といった感じだ。世が世なら小姓のポストくらいは世話してもらえたことであろう。

父が写真屋の合図を無視している原因は長田先生であった。先生は、高々と掲げた銀杯の下に誇らかな笑みを湛《たた》えてカメラを正視している。父はその様子を大変生真面目《きまじめ》な目つきで見守っているのである。生真面目と言ってもコムズカシイ顔をしているわけではない。哲学者が思索に耽る時の透徹した表情でもない。私は自分で身に覚えがあるのでよくわかるのだが、あれは健ボー症患者に特有の恍惚顔貌なのである。一見茫洋として定まらぬ視線には実は確たる目的物《オブジェクト》がある。ただし心情的には、『物見る力眼を離れて、幻影《まぼろし》のながきつらなり開《あ》け亙《わた》る』という状態なのだ。

私は隣の写真に目を移した。父の顔はすぐに見つかった。一旦見分けると後はやたら目につくようになる。修学旅行だろうか、華厳の滝を背に紅葉《もみじ》降る巌《いわお》の上に立ってちゃんと正面を向いているが、このたびカメラマンに非協力的なのは長田先生だ。間に立つ二人の朋輩をものともせず、父の方に顔を向けているため、ほとんど横顔で写っていた。更にその隣の写真に移動した途端、私はもう右にも左にも視線を動かせなくなった。野瀬さんが鶴島へ来た当時、毎日見て暮らしたというポートレートとは、これに違いない。

学院生の父は、外観こそ確かに私に似てはいるが、内容はかなり老成していたような感がある。健ボー症の顔ですら、息子の顔に比べるとはるかに間の抜けたところが少ない。男子たるもの、精神的に、今日よりずっと早く成熟することを期待されていた時代だ。何をするにも、心から真剣に取り組んだことだろう。甘い草いきれに酔いながら、日盛りの緑蔭で真・善・美を語る快楽《けらく》の日々が、永遠には続かないということを、私などよりも更に切実に受けとめていたかもしれない。けれど、このポートレートに関する限り、フレームの中から微笑みかけているのは、無常にも諦観にも縁のない顔だった。万物の流転への詠嘆はヘラクレイトスや芭蕉に一時任せておいて、僕はもう少し楽園の森の小径《こみち》を散歩して行きます、と言っているようだ。『幸福です』という微笑――『君が好きです』という微笑――鏡に向かって笑い顔を作る習慣がないため、自分でこんな表情をすることがあるのかどうか知る術もないけれど、野瀬さんが「天使的《セラフィック》」と形容した意味が、私にもようやくわかったような気がした。

「似てるだろう?」

野瀬さんが背後《うしろ》に来て、肩越しに写真を覗き込んだ。しかし私が振り返ると、一歩下がってちょっと首をかしげ、

「似てるけど――違うね、やっぱり。並べて見ると」

と、面白そうに言った。

私は一期生の卒業アルバムを見せてもらった。こちらの方には確かに、二人で並んでいる写真が相当数掲載されていた。(アルバム委員たちは一体何を考えていたのだ?)

「何でも一緒にやっていたみたいだね。テニスや宿題のことだけ言ってるんじゃないよ」

「僕が生まれたことも、その一環なんでしょうか――」

「どういう意味?」

私は野瀬さんに、母から聞いた自分の出生の経緯《いきさつ》を話した。誕生祝の晩餐の席で祖父がした話も、つけ加えた。

「サクラメントにＡＩＤね……」

野瀬さんは革張りのソファに深々と沈み込んだ。

「母はそれで、父のことが大嫌いだと言ってました。女の人の——機能を利用されただけのような気がするって。マリア様みたいに」

「違う！」

薄い氷が張ったように、野瀬さんの表情が蒼く硬《こわ》ばった。

「利用するなんて……子供が欲しいと思っておられたのは、お母さんも同じだろう？　遠野先生は何とかして、奥さんの望みを叶えてあげたかったんだよ。もちろん、先生ご自身の望みでもある。僕は、君みたいに望まれて生まれた子を知らない。先生はいつだって君のことを——」

信仰厚い人がキリストの像を見るような目で、野瀬さんはマントルピースの上を眺めた。唇には、風に揺らめく炎のような、消えそうで消えない微笑がちらついた。

「両親のうち女親しか妊娠できないというのは、たしかに不便だよね。もし、お母さんなしでも赤ん坊が作れるのなら、機能を利用したとかされたとか、言わなくてすむのに」

微笑は段々明るくなり、いつもの野瀬さんの顔に戻った。私はほっとする反面、自分でもどうしようもない苦悩を内緒の病気のように抱えている母を思い、野瀬さんがこの問題をあまり茶化さないでいてくれるといいが、と願った。野瀬さんはテーブル越しに手を伸ばして、犬の頭でも撫でるように私の手の甲を軽く叩いた。

「ごめん。僕はすぐ考えが飛んでしまうんだ。遠野先生は奥さんを愛しておられたと思うよ。七つのサクラメントの一つだからなんて、そんな理由だけで結婚されたわけじゃないと思う」

家のどこかでピーピーという信号音が鳴った。

「あ、洗濯完了だ」

野瀬さんは立ち上がった。後からついて行こうとすると、戸口でいきなりくるりと振り向き、

「言っとくけど、きょうは乾燥機が休みの日なんだ」

私は後ろ手に閉めたドアを背に、面食らってその顔を見上げた。

「電気屋へ行った時、土日祝日は休みという条件で買った。だから、今夜中にはとても乾かないよ」

明らかに冗談なのだが、適当な応酬が思い浮かばない。野瀬さんはじっと見下ろしている。軽く反《そ》った睫毛の端に、新手の悪戯《いたずら》を考えついた子供のような笑みが見え隠れした。私は視線をそらして、野瀬さんの白い衣服《きもの》の胸のあたりを見ていた。

「きょう、うちへ来ると言ったのは、文集を返すため？」

私は頷いた。我ながら頼りない頷き方だ。もっと断固として肯定すべきである。真実そうなのだから。

「それだけ?」

断固として首を縦に振る代わりに、私はますますうなだれてしまった。そこはかとなきラベンダーの薫り。一息吸うごとに、目に沁《し》みる純白の胸元に優しい青紫《あお》い翳《かげ》が深まる。清く仄かに思えた香気は、やがて私の精神に、阿片《あへん》の如く強《したた》かに纏《まつ》わってきた。どこかでラヴェルのプレリュードが聞こえる。私の心が勝手に流しているのかもしれない。離陸《テイクオフ》前の機内音楽のように。

背中の、ちょうど肩胛骨《けんこうこつ》のあたりに、翼でも生えてくるような不思議な戦慄を感じた。飛び立つ先には夜があった。最後の合図《キュー》を出す前に、同じ質問が繰返された。

「本当に、それだけ?」

「――それだけです」

やっとの思いで私は呟いた。

「嘘つき」

ダンディを窘《たしな》める時のように、ピシリと短かい語調でそう言ったかと思うと、野瀬さんは私の鼻の上に啄《ついば》むような接吻をした。

六一　明烏《あけがらす》

鍋墨《なべずみ》をこそげるような嗄《しわが》れ声が眠りを中断した。室内はなお暗い。眠い目をこすりながら寝返りを打つと、ぴったり閉じたカーテンの裾に、やっと震えるような薄明が滲《にじ》んでいるばかりだ。月明かりなのか黎明《れいめい》の静かな青さであるのか、私にはわからなかった。

「雲雀《ひばり》じゃないよ……」

　傍らでまだ半分夢を見ている声が囁く。

「かと言って、ナイチンゲールでもない——鴉《からす》だよ」

（〝That's right!《そのとおり》〟と言わんばかりに、グワァオ！と、もう一声。）

「夜が明けるとすぐ餌をねだりに来るんだ。図々しいったら——」

（〝That's right!《グワァオ》 Right!《ワァオ》 Right!《ワァオ》 Right!《ワァオ》〟）

　野瀬さんは不承々々起き出して窓際へ行き、窓枠に取り付けたレバーを操作した。何か仕掛けがあるらしく、穀粒を床にぶちまけるような音がした。

「これでおとなしくなるだろう。ああ、起きなくていいよ。そのまま――」

と言いながら、私の隣へするりともぐり込む。

「まだ雨が降ってる。霧雨だけど……」

眠そうに呟いて私の耳の下に鼻をすり寄せると、その位置でまた寝入ってしまった。温かく規則正しい呼吸を首筋に感じながら、私は犬や猫の子が寄り添って眠るわけがわかるような気がした。互いに守り守られているという思いが、眠りを安らかにする。(生まれたての時、兄弟から一匹だけ離れて寝るのは病気の証拠だと父から聞いた。)魂と肉体が同じ温度に融け合い、その優しいほとぼりに包まれて現《うつつ》も夢も分かち合う刻々は、それ自体愛《いとお》しい。私は少し姿勢を変え、眠っている人の鼻に自分の鼻先をくっつけてみた。野瀬さんは眠りながら微笑み、私の上唇に軽く弾《はじ》くようなキスをして、そっぽを向いた。私はまた、とろとろと微睡《まどろ》んだ。

次に目が覚めた時、ベッドに寝ているのは私一人だった。カーテンが両側に引かれ、雨は上がっていた。私は昨夜の猫のように思い切り伸びをして、毛布をはねのけた。マリリン・モンローが、寝る時に何を身につけるかと訊かれて〝Chanel No.5《シャネルのごばん》〟と答えた話は有名である(という話を津々浦くんから聞いた)。芳香《アロマ》セラピーによる熟眠効果という見地からも興味深く聞ける逸話《アネクドート》だ。私もこの朝、ラベンダー石鹸の余香の他に何もつけないで寝《やす》むと、目覚めが大変爽快であるという事実を発見した一人であった。鴉の妨害にもかかわらず、久しぶりに熟睡できた。

野瀬さんが衣類を一山抱えて入ってきた。

「おはよう。制服は今乾燥中だ。乾くまでこの中から合うのを着てて」

私は言われた通り適当に服を選んだが、着る前に寝室に隣合った洗面所へ行って顔を洗った。鏡に映る自分の顔を正視するのが何となく面映ゆいので、視線をあちこち移動させているうちに、アフターシェイブ・ローションの壜が二本、目に止まった。蓋を取って香りを比較した結果、〈TABAC《タバック》〉（made《メイド》 in《イン》 Germany《ジャーマニー》）は程よくワイルドな上質カジュアル路線、〈GENTLEMAN《ジェントルマン》〉（made《メイド》 in《イン》 France《フランス》）は、シックだけれども一滴でも余計に使うとドツボにはまるであろうという印象を受けた。野瀬さんも髭を剃るのかなと思うと不思議な気がした。ラベンダーの夜に幾度となく触れ合ったのは、温かく引き締まったなめらかな皮膚であった。私は若干期待して自分の顎を撫でてみたけれど、いつもの朝の通り、退屈なツルリとした手ざわりしかなかった。

コーヒーの香りが階段の途中まで漂ってきた。それを頼りに廊下を進んで行くと、やがて広々とした明るいキッチンに辿り着いた。床には段差があって、低い部分は大理石張りのサンルームのように設《しつら》えてある。四方にはプランターから勢いよく溢れ出た植物が繁茂しており、ガラス天井の一部にまで蔓草がはびこっている。レースのような透かし模様をくぐって日光は金緑色に降り注いできた。

野瀬さんは石の床にしゃがんで水槽のような四角いケースを覗き込んでいた。近寄ってよく見ると、やはり水槽だった。ただし水は入っていない。代わりに土と砂利が敷き詰めてある。

「幸《みゆき》のペットなんだ。今朝はちょっと元気がない」

と言われて初めて、野瀬さんがゼニガメにレタスを差し出しているところなのに気がついた。

「いろんな動物がいるんですね」

「うん。全員に餌をやるだけでも大仕事だよ。普段は全部富美子さんが面倒みてくれるから、僕は犬の散歩だけでいいんだけど」

「大変ですね。赤ちゃんの世話もあるのに」

「赤ちゃん？」

「蔦ノ橋産婦人科で――」

「富美子さん、子宮筋腫の疑いで入院してたんだぜ」

「え――？　でも、僕、荷物持ちをした時、確か紙おむつとミルクを……」

「きっと隣の奥さんに頼まれたんだよ。まあ、間違えるのも無理はない。しかし富美子さんの腹はあれで普通なんだ。五つ子でも入ってるように見えるけどさ」

朝食の後、私たちは果物鉢からてんでに林檎を取って、犬の運動をさせるために近くの川の堤へ出かけた。真紅の小さな林檎は実が固く締まり、酸味も果汁も豊かで、噛《か》るたびに野生の花茨《ばら》を嗅ぐような香気が口いっぱいに広がる。各自三つずつもポケットに入れてきたというのに、あっという間になくなってしまった。私より先に食べ終えた野瀬さんが横目で狙っているので、奪《と》られないうちにと、急いで最後の一個を噛って腹に納めた。残念でした。

野瀬さんは、意地きたない奴だなあ、と言いながら私の手を取り、べとべとする甘酸っぱい指を片端からなめてゆく。どっちが！と思ったが、好きにさせておいた。

野瀬さんは犬たちの首輪から革紐《リーシュ》を外して勝手に駈け回らせた。柳の木蔭のベンチに座っていると、ダンディはしょっちゅう戻って来てクンクンと甘ったれ声で何事か報告した。レイディの方が警戒心が強いらしく、私が撫でようとすると、さっと首を下げて牙を見せた。

「大丈夫。噛みつかないよ」

野瀬さんが笑った。

「おどかしてるだけ。ほら、シッポ振ってるだろう？　こいつら兄妹《きょうだい》なんだ。でも、レイディの方が利口なんだよ」

「夫婦かと思いました」

「どっちもニュートラルにしてある。ブルーマール同士の交配はタブーなんだ」

父もそんなことを言っていたような気がする。ある時、避妊処置をしてなかったブルーマールの牡と、ほとんど白に近い淡黄の毛色をした牝の間に間違いがあって仔犬が生まれたが、二頭のうち一頭は死産で、もう一頭の弱々しい盲目の白子も結局育たなかった。

「それならどうやって同じタイプの犬を作り続けるんですか？」

「ブルーマールは、トライカラーの犬同士を交配させて作るんだよ。ただしどっちかに優位のマール因子が必要だけど。毛色については稀釈遺伝子《ダイリュート》というのがあって、これが同型接合すると雑種第二世代にブルーマールが発現する。つまり劣性遺伝。メンデルの分離の法則だ」

野瀬さんは足元に寝そべったレイディの首毛を指で梳《す》きながら、夢見るように語った。

「遺伝子の研究も面白いだろうね。やっぱり北大へ行くことにしようか――」

「遺伝学が盛んなんですか？」

「オオバナノエンレイソウの宝庫だからな。エンレイソウは染色体が少なくて大きいから研究用にちょうどいいんだ。北海道へ行ったことある？」

「いえ、まだ」

「一度行ってごらん。気に入ると思う」

熊と馬鈴薯《ばれいしょ》のイメージしかなかった土地に、突然〈エンレイソウ〉というまだ見ぬ花が咲き乱れた。

「父から聞いたんだけど――君の名前はね、遠野先生が学会か何かで北海道へいらしてた時に思いつかれたそうだよ。手紙に書いたかな？　札幌に北大の農学部付属植物園があるんだ。そこの樹木園を散歩している最中にふっと浮かんできたんだって。その夜、父に電話をかけてこられてね、『子供が生まれたらぜひつけたい名前がある!』って……夜中の三時だぜ」

野瀬さんは可笑《おか》しそうに笑った。

「父が、『女の子だったら〈みどり〉にするのか?』と訊いたら、『女の子にはまた違う名前を考える。〈緑《りょく》〉は男にしかつけない』と言われたそうだ」

樹木園。午下《ひる》がり。木洩れ日の黄金《きん》の斑《ふ》が撒かれた曲がり径《みち》――季節は五月であるような気がした。

「いつも君のことを考えていらしたんだ――生まれる前から。君を〈宝物《たからもの》〉だと言っておられた。僕にもね、『洌《きよい》くん、いつか私たちの宝物を見せてあげよう。もう少し大きくなったら』って」

「私たち」というのは父と――母のことだろうか? それともAIDの長田先生? 犬の方へ屈んでいた野瀬さんが、しなやかに体を起こして、雨上がりの光の風味を味わうように顔を上向けた。私には何だかひどくそれが眩しかった。目が両方とも、少しでも触れたら中身が溢れてしまう盃のようになった。

「今は僕の宝物……」

独り言のように空へ呟かれた言葉は、私よりも野瀬さんをいっそう羞《はにか》ませたのか、レイディを撫でていた手が、今度はダンディの耳の飾り毛を弄び始めた。くすぐったいのと嬉しいのとで犬は盛んに頭を振る。私は瞬《まばた》きした。盃は溢れて、目の前の川景色にも、犬たちの青絹のような背中にも、金剛石《ダイアモンド》の虹が懸かった。

かつて深く愛されたという記憶は、何と豊かな慰めだろう。現在の欠乏の半ばはそれだけで償われる。そして残りの半分は、今傍らにいる人との出会いによっておのずと満たされていた。沃《よく》野《や》へ種子を蒔くように、私たちの交わす言葉や眼差しの一つ一つは、いつかまた思い出に熟し、避けられない未来の寂寥《せきりょう》を癒す糧となる。だが、未来について思いわずらうのは嫌だった。絵本を開いたように晴れやかな日曜日、私はただ幸福でありたかった。私を宝物と呼ぶ人の側で、考えも喋りもせずに、指には微かな野ばらの香りをさせて。

レイディが、ほっそりとがった鼻面を上げて、柳並木の向こうを窺《うかが》った。若いお巡《まわ》りさんが自転車でやって来て、ベンチの後ろを通過する時、わざとらしい、だが悪気のない咳払いをした。

六二　君《きみ》に捧《ささ》ぐI
〈Dedication《デディケイション》〉

三年A組　遠野《とおの》　銀《しろがね》

僕の友人に大変健気《けなげ》な男がいる。彼は元旦に初詣に行った際、長々と願を掛けて二十円の賽銭《さいせん》をはずんだ。僕は一応キリスト信者なので、帰りに善哉《ぜんざい》をおごらせるという条件で鳥居の前迄一緒に行くには行ったが、願掛けは固《もと》より賽銭にも無論つき合わなかった。帰り道、「あんなに長いこと何を頼んでいたのだ?」と訊いてみると、厳粛な顔をして「今年こそ童貞を捨てる事が出来ますようにってさ」と云う。「そんな事で二十円も使ったのか?」僕は真剣に呆れた。すると、「十円は君の分だ」と彼も真剣である。余計なお世話だと云いかけて、考え直した。同年代の殆どの者が己の大学合格のみ祈願して、恰も裏口入学の下稽古の如く賽銭をばら撒く時節に、他人である僕の身の上を思いやってくれるのは彼くらいのものだ。有難いと思いこそすれ、迷惑がるのは筋違いであろう。感謝の印に善哉の代金は割勘にしようとしたが、約束は約束だからと全部彼が払った。本当に、律儀で、健気で、誠実な男だ。

彼と僕とはクラスこそ時々離れたが、不思議に六年間仲良くつきあってきた。お互い、考えている事は大旨わかっている積りだったのに、初詣の祈願内容は僕の想像を遥かに凌駕するものであった。人間はやはり異性を知らなければ完全になれぬ存在なのだろうか？ キリストは生涯童貞を守った。「守った」のか、守る必要もない程異性に縁遠い生活を送っていたのか、何《いず》れかだ。（変人で、床屋に行かず、滅多に風呂にも入らなかったような男が、身嗜みの良い女性達から敬遠されても不思議はない。）イエスに倣《なら》えと云い乍《なが》ら、キリスト教では信者に結婚を奨励している。イエス自身が婚姻には賛成であった。尤も、妥協案として。自分でした事もないものを他人に奨励しても説得力はない。

だが、子孫を残す事は重要であると思う。人間の義務であり、責任であり、絶対的必要である。そして多分、喜びでもあろう。入試もすまないのに子孫を殖やす算段をするのは時期尚早であるが、何故か最近頓《とみ》にこの事を考える。理想を云えば、聖母の無原罪の宿りのように、純潔なまま、心から愛している人と、互いの存在の最良の部分だけを抽出してspiritual《スピリチュアル》 child《チャイルド》を作る事が出来れば、素晴らしいと思う。我が親友には、どうかこの基本精神を肝に銘じて、有意義な童貞喪失を完遂せられん事を祈る。

（鶴島学院第一期生卒業文集より）

六三　君《きみ》に捧《ささ》ぐII
〈Dedication《デディケイション》〉

三年D組　長田《おさだ》　光《ひかる》

僕の友人に大変冷淡な男がいる。平常は良い奴なのだが、肝腎な時に厭になる程冷たい。頭に来るのは、こちらが冷遇されている最中にも相変わらず友達だと思わずにはおれないことである。

正月にはこいつと一緒に神社まで初詣に行った。奴はChristian《クリスチャン》だ。神社へ連れ出すには多少手管を弄さねばならぬ。善哉で釣ってまんまと誘い出し、僕が願を掛け賽銭を投入する間、鳥居の前で待たせておいた。何を祈願したのかと奴から質問され、デマカセを云った。即ち、「童貞喪失」と答えたのである。（本当は全く別の事を願ったのだが。）

奴の反応は典型的に冷淡であった。「そんな事か」と云う。「そんな事で二十円も。」癪《しゃく》にさわったから、君のと合せて二人分の喪失料だと云ってやった。奴は意外にも礼を述べた。そんなにして貰ったのだから善哉までおごらせるわけには行かないと云って勘定を自分で払おうとさえした。これが年来の友人に対してとる態度であろうか？　本当に冷たくて鈍感で水臭い奴だ。誰が払わせてやるものか。僕は伝票を引ったくってregister《レジスター》へ直行した。

この男には又ちと妙な癖があって、時々Gethsemane《ゲッセマネ》のJesus《ジーザス》 Christ《クライスト》のような孤独に苛《さいな》まれる事があるらしい。往来などを歩いていて突如「あ、来た来た」と云う。バスでも来たのかと見回すが、一台も見ない。「何が来たのだ？」と尋ねると、寔《まこと》に寂しそうな顔をして「ゲッセマネが」と答える。一緒に音楽を聴いている時にも「来た来た」と云う事がある。激しく孤独になった場合に限り、「すまないが」と初めに必ず断ってから「ちょっと隣へ来てくれないか」と人を呼ぶ。隣に座ると、「ほんの少時《しばらく》」と云いながら、遠慮しいしい肩に倚《よ》り掛る。どうして「ほんの少時」なんだ？　明日までだって、来年までだってこうしていてやるのに。おまえがいいと云うまで――と当方は思って止まぬにも拘《かかわ》らず、ものの五分と経たぬ内に相手はゲッセマネの孤独を克服して起立し、「どうも有難う」と礼を述べて何処《いずこ》ともなくスタスタ去って行くのである。

時々人間ではないような気もする。その故《せい》か、目が離せない。思えば六年間、目が離せなかった。この先何年、離さないでいられることやら。卒業式の日には僕の家に来て、戦後誰も音を出した事のないpiano《ピアノ》 forte《フォルテ》で一曲弾いてくれるそうだが、Chopin《ショパン》なんか演奏したら、指の上に蓋を落としてやるからそう思え。

（終りに本音を。）童貞など何遍なくしても構わないが、こいつとの友情だけは失いたくない。二十円分の願掛けの内容は実はこれである。

（鶴島学院第一期生卒業文集より）

六四　二羽《には》の鶴《つる》

現国の時間に漱石の『夢十夜』を読んだ。その晩早速、こんな夢を見た。
明治の末期から大正時代にかけてを彷彿とさせる和漢洋折衷の間《ま》の中央に、真っ黒な羊羹《ようかん》のように光るグランドピアノがずっしりと鎮座している。濃紺の詰襟を着た少年が楽譜を小脇に抱えて入ってくる。（襟元には鶴丸《つるのまる》の校章。）少年はピアノの蓋を開け、徐々《しずしず》と弾き始める。ショパンのエチュードだ。彼が入ってきた西洋式のドアの他、隣室との境であるらしい襖《ふすま》も、舞良戸《まいらど》も付《つけ》書院《しょいん》の明障子《あかりしょうじ》も閉まっているが、縁側を隔てた奥庭の築山《つきやま》には氏神様の小さな社《やしろ》があって、また釣鐘形の書院窓の向こう側には、薄紅梅《うすこうばい》が匂やかに咲いていることが、なぜか見ないでも察せられる。部屋は十畳程の広さで、全体としてはハーコート式十燭ペンタン灯六個分ほどの明るさしかないのに、ピアノを弾く少年の手元やうつむきかげんの横顔にだけ、雪明かりに照らされたような幽光《かぎろい》が仄かに絡みついている。

いつの間にか室内にはもう一人誰かいる。明文机《あかりふづくえ》に腰をかけて膝頭に頬杖をつき、演奏に聴き入っている。やはり紺サージの海軍士官のような制服に身を包み、凛《りん》と締まった眉目に俊敏な器量の窺《うかが》われる、こちらも少年である。彼がいきなりまっすぐ起立したところを見ると、思ったより背が高い。違棚《ちがいだな》に載せた巻子本《かんすぼん》の脇に帙簀《ちす》が解いたなり放置してある。背高《せいたか》少年はそれをくるくると巻いて棚の蝦束《えびづか》をコンコン叩きながら、むつかしい顔をする。

「三番は弾くなと言っただろう」

ピアノの音が途切れる。

「ショパンのエチュードは二十七曲もあるっていうのに、どうしてみんな寄ってたかって三番ばかり弾くのだ？」

曲目が変わる。（Polonaise《ポロネーズ》『軍隊』。）

「ああ、いいね。この方がずっといい。勇ましくて」

言葉とは裏腹に彼の懊悩はいっそう深まったのか、再び座りこんで今度は酷《ひど》い頭痛でもするかのように両手で顔を覆ってしまった。ピアノがまた中断される。演奏者は立ち上がり、金色の花文字で書かれたピアノの銘柄の〈S〉の字を人差指で押して「Satie《サティ》」と言うと、楽器は引き続き〈Six《むっつの》 Gnossiennes《グノシエンヌ》〉の独演を開始した。

先の少年は、顔を隠している友人の正面に来て跪《ひざまづ》き、

「氏神様に頼んでも駄目かな？」

と、独り言のように呟きながら、彼の肩に手をかける。

「駄目に決まっている」

と、友人。

「でも、たぶん、紅梅の枝とアブラゲをお供えしてお願いすれば――」

「アブラゲを買う金なんかないよ。みんな賽銭箱に入れてしまったから」

「じゃあ、やっぱり駄目だね」

跪いた少年はぽそりと儚《はかな》い吐息をつく。肩にかかった双手《もろて》が力なくすべり落ちようとした刹那、友人はやにわにその手首をしかと握って切迫した声音で囁いた。

「一線を越えよう」

「でも――」

「越えた後で後悔する方が越えないで後悔するよりもずっとましだ」

「あ……『十日物語《デカメロン》』を読んだね？　せっかく本箱に入れて鍵をかけといたのに」

「スピリチュアルだろうとなかろうと、一線を越えずにどうして何かを生み出すことができる？　人類の絶対的必要だろう？」

「だけど、そしたら僕は変節者になるんだ。天国への道はそれでなくとも険しいんだよ」

「『天国へ行くのに最も有効な方法は、地獄へ行く道を熟知することである』と、ボッカチオも言ってるじゃないか？」

「マキアヴェリだよ。あれも読んだのか」

「イスラム教に改宗すればいい。そうすれば永遠にゲッセマネの園から脱出できる」

と言われて、ピアニストは哀しげにかぶりを振った。

「そんなわけにはゆかない。あれだって人類の絶対的必要なんだから。第一、ゲッセマネがなければ僕はどうやって、こんなに君を好きだということが自分にわかるんだ？」

握った手に代わるがわる接吻しながら、のっぽの少年はやるせない様子で尋ねた。

「もう会えない？」

「会えるよ」

「いつ？」

「僕がマリア様を見つけたら、すぐ」

「マリア様が君のことを嫌いだって言ったら？」

「――散髪に行ってみるよ」

「床屋が顔をあたる頃には、梅の花はもう終わっているね」

「うん」

「梅だけじゃない。チューリップもマドンナ・リリーも花梔子《はなくちなし》もラベンダーも……」

「大丈夫。オオバナノエンレイソウが咲いているから」

ピアニストは友人の肩から首へ腕を回しながら、安心させるように微笑んだ。

「一線を越えた後にエンレイソウの花束を拵《こしら》えてお見舞いに行くと、必ず天使遺伝子《エンジェル》を持った子孫が生まれるんだって。Angel《エンジェル》の"a"は小文字で書くんだよ。劣性遺伝だから。忘れないで。F1《エフワン》世代では無理だけど、F2《エフツー》世代にはきっと……」

書院窓のあちらでごうごうと風の鳴る音がした。梅の花片《はなびら》がしとどな泪《なみだ》のようにこぼれ、羽撃《はばた》きと嘲笑を交えた嗄《しわが》れ声が、"Never《グワァ》! Never《グワァ》! Never《グワァ》!"と旋風《つむじかぜ》に乗って繰返していった。二人の少年は固く身を寄せ合って息をひそめた。

「バンシーかしら？」

「いいや――氏神様だよ」

暗転。射干玉《ぬばたま》の春の闇の中でピアノはなおサティを奏で続ける。

六五　白夜舞《びゃくやのまひ》

恐ろしい寮祭が近づいてきた。『ロミオとジュリエット』が本当になるのではないかと、私にとっては戦々兢々の毎日が続いた。夕食はたいてい花小路くんと一緒に食べることになっているのだが、藤井さんに遭遇しないように時間を見はからうのが大変である。下級生にでも協力を頼んで皆がバラバラに違うテーブルに座り、モグラ叩きの要領で藤井のレーダーを攪乱《かくらん》すれば？と、野瀬さんは提案してくれたが……

私は花小路くんに渡すべき手紙を一通持っていた。その朝、寮へ届いたのである。速達小包の表書きを見て絶句した。『鶴島県鶴島市鶴島学院／高一／遠野緑殿』とは大胆な。郵便屋がよく配達してくれたものだ。開けてみると更に、厚さ五センチほどの紙包みが出てきた。『申し訳ないが渚のパーティの晩に浴衣《ゆかた》を着ていた人に渡して下さい』とのメモが添付してある。差出人は伊集院源氏《いじゅういんげんじ》。毛筆で黒々と認《したた》められた宛名は『宵待草あるいは月見草の君へ』。

月見草の君は今宵コロッケ定食と番茶をご所望であった。包みを取り出す私の手許をまろまろ

と目を瞠《みひら》いてご覧になっていたが、これ手紙なんだけど、と謹んで申し上げると、

「便箋十冊分くらいあるね」

と無邪気に感心なさった。いと、らうたし。

「誰に出すの？」

「出すんじゃなくて来たんだよ」

「遠野くんも文通してたとは知らなかった」

「君に来たんだよ――伊集院さんから」

「あなうたて！」

――とは由理也くんは言わなかったが、顔はまずそんな表情を浮かべていた。

「嘘だろ？」

残念だが本当である。私は包みを手渡しながら、このたびは、と、お悔みでも言うべきであるような気がした。同室の藤井さんに何かと構われる上に伊集院さんにまで慕われては、由理也くんもたまるまい。どちらも常識や肘鉄砲が通用しない相手である。強硬手段に訴えて撤退させるにしろ、ミサイルでも投入しないことには勝ち目はないだろう。

「寮祭のこと、藤井さんから何か聞いてる？」

「具体的にはまだ何も。今度の木曜日のチャペルアワーで、各寮の実行委員が集まって会合を開

くらしいよ。その時に決まるんじゃないかな」

寮祭は体育祭のオープニング・アクトとして行われる前座的な行事である。そのためか、例年真剣に取り組む者はあまりいなかった。もっと「カルチャー」に重点を置いた催しとしては、体育祭の後に学院祭が控えている。生徒間における〈culture《カルチャー》〉の定義は至極曖昧であったが、要するに「文化部が中心となって行うおさらい会乃至《ないし》学芸会」ということで概ね見解が一致していたようだ。その中に料理研究会が主催する各国料理の屋台デモンストレーションが含まれているのは、期せずして正鵠を得た「文化」の一解釈であると言えよう。寮祭でも、たとえば鍋島さんと青木くんが所属するヨハネ寮の出し物は、何らかの形で〈食〉に関係のあるイベントになる公算が大であった。

ところで、ヨハネ寮には青木くんがおり、パウロ寮には弓削くんが住んでいるので何かと往来することも多かったのだが、ペテロ寮とは私にとって、鶴島学院転入以来、未踏の地であった。二学期になってからそこへ転校生が一人入ってきたというニュースが風の便りにルカ寮まで伝わってきた。私と同じパターンで、兄弟校である亀甲学院から無試験の推薦入学だそうだ。

この転校生については、色々な噂が学院内に流布していた。元々は鶴島県人であったが父親の転勤に伴ってK市へ引っ越し、ところが大のおばあさん子であるため病床のおばあさんのたっての頼みで再び鶴島へ戻ってきたとか、おばあさんは白血病で鶴大付属病院に入院中だとか、寮の歓迎会の罰ゲームで〈白兎のぬいぐるみを着て鳶ノ橋商店街のラーメン屋のおばさんを口説く〉というのが当たって転校生が本当に実行したとか……学年は高二、クラスはB組に編入され、苗字はサカタとかアガタとかいった。寮祭の実行委員会にペテロ寮代表として出席したのが、このサカタまたはアガタさんであった。転入早々実行委員を買って出る侠気《おとこぎ》に、象牙の塔の住人めいた秀才の群居するというペテロ寮では、どっぷりと甘えきっていた。寮長の溝口さんから全権大使として派遣されたのだが、自分が一体どんな人物に全権を委任したのであるか、溝口さんはつゆほどもご存じなかったようである。

実行委員会には委員以外の寮生も傍聴人として参加することが奨励された。私は当日、花小路くんや弓削くんと連れ立って傍聴席についた。出席率は三割強というところだろうか。その週のチャペルアワーではペン先生が『創世記《ジェネシス》』に関する講話をすることになっていたから、動員力で負けるのはまあ仕方がない。青木くんなど、昼休みが終わるや否や、神父さんへの捧げ物である手作りジンジャーブレッドをレースペーパーに包んでリボンをかけ、チャペルへ直行していた。

実行委員長が入場する際、必要以上に目に止まることがないように、私たちは最後列に席を取った。寮の掲示板には『清涼飲料水持ち込み可』と告知してあったので、私はメロンサワーを、花小路くんはピーチジュースを、弓削くんは厳密に言えば禁制品である宇治金時のカップアイスを持参していた。委員の顔ぶれを見渡すと、パウロ寮、戸井《とい》さん、木原さん、ヨハネ寮、鍋島さん、皿本さん、ルカ寮は周知の如く実行委員長を兼任する藤井さんと、憐れにもその右腕の役を仰せつかったブラバンのサックス奏者、新川《しんかわ》さん、そしてペテロ寮が例の転校生ただ一名であった。

この最後の人が「永多です」と自己紹介をした時、私はその顔を見て、奇妙に懐かしい思いを禁じ得なかった。鼈甲《べっこう》縁の丸眼鏡にも、右にも左にも木の実をいっぱい蓄えることができそうな包容力満点のほっぺたにも、確かに見覚えがある。すると弓削くんが、

「あれ？　乗馬センターの競技会でウズシオ号に乗ってた人じゃないか！」

と言ったので、然りと納得した。背番号《ゼッケン》十一番、永多甲子之《ながたきねゆき》選手である。鶴島県の産であるとは知らなかった。そのせいでたぶん、転校生につきものの含羞とか緊張が、身の回りに一切感じられないのであろう。文字通り古巣に帰ってくつろいでいることは、テニス部きっての洒落者《ダンディ》と自他共に認める美男の木原夏彦さんの隣で、釦《ボタン》が一個ずれたままのシャツを堂々と着て、貧乏ゆすりなどしながら『卒業写真』を鼻歌で歌っている泰平楽な様子にもよく表われている。木原さんは眉間に霞のような縦じわを寄せて耐えられるだけ耐えていたようだったが、藤井さんが開会の合図をしようと木槌《きづち》代わりのチョークの箱を取り上げる寸前、さっと起立して、

「委員長、永多くんの隣はいやです！」

と宣言した。委員長は永多さんの姿をちらと見て、速やかに席を移動することを許可した。

木原さんが永多さんからなるべく遠い席に落ち着くと、藤井さんは自分用にわざわざ作って届けさせたカルピスで喉を潤し、これより寮祭の実行委員会を開きます、まず各寮の実行委員は、自分の寮の催し物予定を発表して下さい、と述べた。新川さんが発表内容を要領よくまとめ、きれいな字で黒板に書き出していく。(従って藤井さんはウンウンと重々しく頷くだけだ。)ヨハネ寮の出し物はやはり〈食〉がテーマであった。縄文時代の採食生活から現代の新婚家庭の食卓に至るまでの代表的家庭料理を、各時代のテーブル・セッティングとサービスで客に味わってもらう〈日本家庭料理の歴史展〉というアイデアに、出席者一同から思わず賛嘆の溜息が洩れた。これに比べると、ルカ寮の〈仮装大会〉、パウロ寮の〈カラオケ喫茶〉等の提案は、いかにも凡庸かつ通俗的で肩身が狭い。残るはペテロ寮である。永多さんが徐ろに立ち上がった。

「ニュイブランシュドラダンス」

よどみなく動いていた新川さんのチョークが、ハタと停止した。もう一度、という眼差しで永多さんを振り返るが、怪訝な顔は隠せない。

「わかりませんか? じゃあ今度はひらがなで言うてみましょう。にゅいぶらんしゅどらだんす」

新川さんは途方に暮れて藤井さんの方を見た。日本語で言うてくれ、と実行委員長に注意され、永多さんはセシボン、と答えた。卒論はロラン・バルトについて書くというお姉さんから、休み中さんざんフランス語の知識をひけらかされた弓削くんが、もしや〝nuit《ニュイ》 blanche《ブランシュ》 de《ド》 la《ラ》 dance《ダンス》〟ではなかろうかと、ここでやっと見当をつけた。和訳する前に、永多さんは眼鏡の奥でフッと微笑《わら》った。

「仮に――そうですね。『白夜の競演』とでも訳しておきましょうか……ちょっとちょっと、お兄さん、その『狂宴』じゃないがね、競い演じるの『競演』じゃあ！」

　新川さんは黒板消しで『狂宴』を消して言われた通りに訂正した。永多さんは自分の前の机に両手をつき、実行委員長の方へ身を乗り出した。

「えー、わたくし、思いますのに、寮祭とは体育祭にも学院祭にも従属すべきでなく、寮生が寮に生活する者ならではの個性を赤裸々に発揮して、自宅通学者並びに外部からお越しになる一般の皆様特に女子学生の皆様方に己の存在をアピールすべき、独立した祭典であるべきではなかろうかと、かように思っておるのであります」

（ペプシを一口。）

「そのためには、各寮が脈絡もなくその場しのぎの出し物を提供して体育祭までの間を持たせるという従来のパターンでは、インパクト薄弱であることは必至であります。それよりも、四つの寮が合同で、一丸となり、総力を結集して、一つの出し物に専念する方が、寮祭の名に恥じぬ有意義な体験を他にも与え、我も得ることができるのではありますまいか？　ハウエバー！」

（ドン！と拳で机を叩く。）

「However……〈日本家庭料理の歴史〉《トハイウモノノ》、これはお見事、これはユニーク、これはもう文句のつけようのないあっぱれな苦肉の策――やないわい、世紀のグッドアイデアであります。わたくしはこれを全面的に支持する。しかしながら、他の二寮の出し物につきましては、今しばらく考慮の余地、否、撤回の余地があるのではと、わたくし、僭越ながらそう考える次第であります」

ルカ寮、パウロ寮の代表団は不安気に顔を見合わせた。ある意味では至極もっともな指摘であるから、誰も率先して反駁することはできないのである。実行委員長が永多さんに質問した。

「ほいじゃあ君は、パウロ、ペテロ、ルカの三寮合同で何かしょういうて提案しとるわけか？」

「ピンポーン！」

と、正解のお報せがあった。

六六　活人画《タブロー・ヴィヴァン》

永多さんの意見によると、寮祭に披露する出し物はクラブの部活内容と重複すべきではない。

（料理研究会は例外。）また、体育祭にも学院祭にも決して登場しない演目でなければならない。文化部は学院祭という檜舞台で覇を競う謂わばプロである。そのプロに、アマが十日や二十日何を練習したところで太刀打ちできるものではない。恥をさらすのがオチである。体育系のクラブに所属する連中は、言うまでもなく体育祭でその機能をフルに発揮する。寮生とて種々のクラブに籍を置いていることに変わりはないが、〈寮祭〉というからにはクラブへの忠誠は二の次にして、何はさておきまず寮の住人たる自覚を優先させてもらわなければ困る。

「要するに、何をしたらええ言ょうるんじゃ？」

　実行委員長がしびれを切らした。

「学院の公認クラブ活動と内容が重複せず、体育祭及び学院祭のプログラムに含まれておらず、各寮の生徒が一丸となって参加できる、いうたら何じゃ？　じらさずに早よう言わんかい」

「それは、バレエです」

　永多さんは真顔で断言した。

「バァレェエェェ？」

　藤井さんの胴間声が、会合の場として使われている音楽室いっぱいに響き渡る。

「馬鹿も休み休み言うてくれ！　バレエのテクニックが一朝一夕でマスターできるわけがないじゃろう？　それこそアカッパジかくのがオチじゃぃや！」

「トロカデロ・バレエ団のおっちゃんダンサーですら三十二回のグラン・フェッテをこなしょうるんです。無限の可能性を秘めた僕ら若人にできんはずはありません」

「しかし——学院祭では毎年ミュージカルをやりょうるんで。踊ったら重複するんやないか？」

「ご心配なく。実際はそう動かんでもええんです。バレエ名場面集みたいなのをやれば。つまり人間紙芝居。タブロォヴィヴァ〜ン」

理解不能のざわめきが教室の隅々にまで広がっていった。花小路くんと私が頼むように見遣《や》ると、弓削くんは、〈活人画《タブロー・ヴィヴァン》〉かな？と、心もとない返答をした。

「ほれ、ビデオ見ょうる時でも、一時停止さして見直しとうなるとこが必ずあるでしょう？『眠りの森の美女』とか『シンデレラ』とか、名作のクライマックスだけ集めちゃってもええしねぇ——」

永多さんは一人で悦に入って目を細めた。

「コール・ド・バレエもつけたら寮生全員参加できるし、何というても、はぁ、衣装がきれいですよ。女の子に受けること間違いなしじゃあ！」

バレエとは、情操や音感や演劇的才能以前に体力と運動神経を必要とする舞台芸術である。陸上と水泳と球技と器械体操の苦手な藤井さんが、いくら紙芝居でも、こんな案を採択するわけがない、と私たちは内心タカをくくっていた。ところが永多さんが「衣装がきれい」と言った瞬間、実行委員長の目には異様な光が宿ったのである。花小路くんから聞いたのだが、ルカ寮の出し物〈仮装大会〉を強硬に推したのは藤井さんその人であった。体育祭の余興に〈仮装行列〉、学院祭の余興に〈ファッション・ショー〉が予定されているにもかかわらずである。仮装に対する藤井さんの執着は常軌を逸しており、「きれいな衣装」を身につけるためなら大抵の妥協は喜んでする性格なのだ。何事につけ直情型の藤井御代輝は、ここでもやはり一途であった。

「衣装の手配はどうするんじゃ？」

と永多さんに尋ねる顔には、不信というよりも期待の色が濃い。

「任せんさい！」

永多さんは胸を叩いて請け合った。

「うちの親父はバレエ専門のレンタル・ブティックを経営しょうるんです。デジレ王子だろうがオーロラ姫だろうが、必ずやお望みの衣装を揃えてご覧に入れます！」

「よっしゃ！　ほいじゃあ、ルカ寮は全面的に協力を惜しまんけぇ。もちろんパウロ寮も——」

パウロ寮の実行委員たちは憤然と席を蹴って立ち上がった。

「お断りします！」

戸井獅子男《といししお》さんが怒髪天《どはつてん》を衝《つ》く勢いで拒絶を表明する。戸井さんは応援部の部長である。学院生の気質が年々軟弱化していくことを、常日頃、人一倍痛感し、慨嘆している人だ。

「やるに事欠いてババ、バレエだなどと——ルカ寮が協力されるのは勝手だが、パウロ寮は絶対に、協力しません。僕たちはヨハネ寮と一緒に〈家庭料理の歴史展〉に参加します。オーロラ姫になるくらいなら、三ケ日原人《みっかびげんじん》の扮装をして、竪穴《たてあな》式住居で給仕を務める方がましですっ！」

　固く握りしめた両拳がわなわなと震えだした。木原さんがすかさず「抑えろ」というような仕草をしたが、目に入ったかどうか怪しいものだ。足を前方へ投げ出し、釦のずれたシャツの腹に手を組んでふんぞり返っていた永多さんは、そんな戸井さんと木原さんを横目で眺めながら、『卒業写真』の二番を歌い始めた。

六七　遠眼鏡《とほめがね》

「それで——結局、『白夜の競演』をすることになったの？」

　片方の眉を心持ちつり上げながら、野瀬さんは尋ねた。同情？　好奇心？　いや、完全に面白がっている顔だ。神妙な声音は笑いを隠す見え透いた手である。その裏では事態の滑稽さを心から愉しんでいる。こんな時の野瀬さんはちょっぴり憎らしかった。

「君は何の役？」

「ジンジャーブレッドの兵隊です――『胡桃《くるみ》割り人形』の」

私は実は、自ら志願した義勇兵であった。タブローは、音楽がチャイコフスキーの作曲になる三大バレエ、『白鳥の湖』、『眠りの森の美女』、『胡桃割り人形』、及び『ジゼル』、『ラ・フィユ・マル・ガルデ』という人口に膾炙《かいしゃ》する作品から有名な場面を選んで実行することに決まった。決定が発表されるが早いか、私は上月くん宅へ押しかけて燁《よう》さんのバレエ・ビデオの中から上記の作品を次々に見せてもらった。その結果、大勢いるジンジャーブレッドの兵隊の一員になって顔を茶色に塗りたくっておけば、あまり目立って恥ずかしい思いをすることもなかろうと思ったのだ。同様な理由で花小路くんは鼠の王様の家来の中に混ざることにした。こちらは鼠のマスクをかぶるから、更に安全である。

「上月をゲストに呼んで踊ってもらえば？　女の子には確実に受けるよ」

「そういう野瀬さんはどうなんですか？」

「僕にとって踊りとはあくまでも見物するものなんだ。幸《みゆき》が時々ビデオを買ってくるけど、イギリスのロイヤル・バレエはなかなかいいね。マクミランの作品なんか優秀だと思うよ。でも個人的好みで言えば、『リーズの結婚』に出てくる雄鶏《おんどり》だな」

「それ、『ラ・フィユ・マル・ガルデ』のことですね？　永多さんがロイヤルのアシュトン版でいく、と言ってました」

「そう？　もし雄鶏の役をやらせてくれるのなら、賛助出演してもいいけどなあ」

「雄鶏は永多さんが自分でやるそうです」

「ふうん……」

時は土曜日の午後二時であった。私たちは幸運にも掃除したての鐘楼に上って望遠鏡を覗いていた。望遠鏡というよりは遠眼鏡《とおめがね》である。『宝島』の海賊どもが使用しているのと同じ旧式な代物で、入れ子式三段階に伸び縮みする。骨董品かと思ったら何と、新品であるという。野瀬さんのお母さんの里帰り土産だ。

お母さんの従姉妹で、ベルリンの壁ができて以来、東側に住んでいる人がいるのだそうだ。お母さんは帰国するたびに会いに行くのだが、東のマルクは国外持ち出し禁止なので滞在期間中に何が何でも使いきって帰らなければならない。（「西側へ持って帰ったところで三文の値打ちもないんだから、すき好んで持ち出す奴なんか誰もいないのに、わざわざそんな規則を作るところがDDR《ひがしドイツ》だ」と野瀬さんは言う。）旅行者はビザが切れる日の閉店時間までに気違いのように買物をして、それでも余った小銭は〈チェックポイント・チャーリー〉ことフリードリヒシュトラーセの検問所付近にたむろしている市民に進呈する。遠眼鏡は、買物パニックに陥ったお母さんが熱に浮かされたように買い漁った用途や行き先の曖昧な品々の一つであった。この他、練習用ブロックフレーテ、目覚まし時計、粗悪な陶器の七人の小人（一体は日本へ戻る飛行機の中で割れたから五人になった）、バイオリンの弓、サッカーボール等々を買ってきた、と聞く。夏休みに函館へ行き、お母さんから、好きなのを何でも選びなさいと言われて野瀬さんは困った。が、一応ツァイスのレンズがついているということに免じて、望遠鏡を貰ったのだった。

「残りは赤ん坊にでもやるだろう」

「赤ん坊って？」

「弟がいるんだ」

無造作な告白だった。告白とも言えない、単に一つの事実に対して言及しただけだ。それなのに、私はなぜか胸がドキリとして、傍らに立つ野瀬さんの顔を素早く盗み見た。

「もちろん、異父兄弟だよ。もうすぐ四つになるのにまだおむつカバーをしてる。それでも年を訊かれると、生意気に『さんさい』なんて答えるんだぜ」

野瀬さんは望遠鏡の焦点を合わせるのに忙しい。私の瞬時の動揺には気づかなかったようだ。自分でも、ここでなぜ心乱されのたかよくわからない。たぶん、野瀬さんにそんなに幼い肉親があるという可能性を、一度も考えてみたことがなかったせいだろう。

普段の野瀬さんは両親のことを、醒めているというのともまた違うけれど、要するに少し距離を置いて対等な視点から眺めている風である。恰も人生という芝居《ドラマ》に役を振り当てられた俳優が、同じ舞台を踏む同僚の演技を善し悪しに関らず冷静に観察しているかのように。そのせいか実父の長田先生とですら血縁という感じは稀薄で、本人は全く親を煩わさず、落雷で真二つに裂けた木の幹から生まれた、と想像してもおかしくないようなところがある。だから、人間の親があることさえ改めて考えてみると意外な気がする。そこへ持ってきて両親とは、自然の順序に従えば子より先にこの世から消えてしまう人たちだ。野瀬さんの後に生まれた、そしてこれも万事が自然に運べば野瀬さんの没後にもまだ生きているであろう、謂わば過去ではなく未来方向に属する血縁が、弟という甚だ身近な形で存在するというのが、妙に信じ難いことに思われたのだ。

「なかなかクリアー。さすがツァイスだな。聖母マリア学園の塀の煉瓦の一つ一つまではっきり見える。生徒たちが下校中だ。うむ、絶景――おおっ、あれは幸の無二の親友、岩戸日見子《いわとひみこ》さんじゃないか！」

と叫ぶなり、野瀬さんは鐘楼の窓から上半身を乗り出して、しばらく一心にレンズを覗き込んでいた。イワトヒミコさんとはどんな人だろうかと、あれこれ想像していると、野瀬さんは望遠鏡を目に当てたまま、つかぬことを尋ねた。

「その永多という生徒には頬袋がある、と言ったね？」

「ええ」

「そして鼈甲縁《べっこうぶち》の眼鏡をかけている？」

「そうです」

「頭は？　坊主頭、それとも長髪？」

「長髪です」

「前から見るとちょっと——ナスビのヘタのような感じ？」

「はあ、言われてみれば……」

「で、シャツの釦《ボタン》が一個ずれている、と。間違いない。あいつだ。ちょっと来て覗いてごらん」

　私は言われる通りにした。まず視界に入ってきたのは聖母マリア学園の鐘楼の風見鶏だった。そこから蔦《つた》の絡まるチャペルの屋根、壁、窓、花畑、鶏小屋、自転車置場、ペンギンの行進、元へ、尼僧《シスター》の行列、等々を経てやっと校門付近に辿り着くと、出し抜けに、喜色満面の永多さんの顔がレンズいっぱいに飛び込んできた。声は無論聞こえないが、何事か熱心に喋っている模様である。時々頷いたり首をかしげたりしながら話を聞いているのは、私が未だかつて夢想だにしたことがないほど厳かな容貌の人であった。ぬけるように色白で、ふくよかな頬一面に血の色が透けて見える。（私は咄嗟《とっさ》に〈博多名産、鶴の子〉を思い浮かべた。）鼻や顎の所在は今一つ不明だが、小さく結んだおちょぼ口を目印に、大体あのへんだろうと見当がつく。眉などは柔毛《にこげ》のように薄《うっす》らと優しく、心なしか八の字にひそんでいて、額で一直線に切り揃えた艶やかなおさげ髪や、笑うと線になって行方知れずになる目などと共に、大変雅びた風情を醸し出している。神々しいと同時に、いみじううつくしき顔である。清少納言だったら、縁側へ呼び寄せて、西瓜《すいくわ》や柑子《かうじ》や八種《やくさ》の唐菓子《からぐわし》を食わせるかも知れない。体重と横幅は、私の倍もあろうか？

永多さんは、話しながらしばしば感に耐えない様子で、岩戸さんの両手をとってブンブン上下に振っている。及ばずながら読唇術を試みると、「アリガトウ！」と繰返しているらしい。デートの申し込みでもしてOKを貰ったのだろうか？　岩戸さんは目元を薄桃色に染めて、羞じらいながらそっと手を引っ込めようとする。それを見た永多さんの台詞――「エエイロニナッテキチヤッタネエ！」――は、ひょっとすると私の読み違いだったかも知れない。

「これは……面倒なことになるぞ」

確かに永多さんですという保証と一緒に望遠鏡を返すと、野瀬さんは思案顔で腕組みをした。

「どうしてですか？」

「岩戸さんは上月の意中の人なんだ」

「上月――燁さんの？」

「うん。もう告白したかどうか知らないが、去年の今頃からずっと思い続けているのは事実だ」

それはちょうど一年前、野瀬さんが鶴島へ来て二度目の秋たけなわの、学祭シーズンの出来事だった。学園祭で模擬店をするという幸さんから、おでん、お汁粉、おはぎ、安倍川《あべかわ》の食券を前売りで五枚ずつ買わされた野瀬さんは、最後の一枚を上月さんに売りつけることに成功した。

「君のとこにはどうせ招待状や優待券が山ほど来るだろうから、食券を買うまでもないかもしれない。しかしまあ人助けと思って——」

と頼んだところ、招待状は毎年貰うけれど実はまだ一度も向かいの丘へは上ったことがない、という意外な返事が返ってきた。

「ほんとかい？　僕でさえもう三回も行ってるんだよ！　学園祭と音楽会と弁論大会と」

「本当だよ」

「女子校には興味がないのか？」

「ないわけではないけど、いつも何かしら用事ができてね」

社会見学と思って一度は覗いとくもんだ、と野瀬さんに促されて、二人はその年、連れ立ってマリアの学園祭に赴いた。着いてみると運動場の真中にお神楽《かぐら》の舞台のような物があり、そこでただ一人の踊り手がダンスを披露していた。神代《かみよ》の装束をして榊《さかき》の枝をかざし、髪をおどろに振り乱して裸足の足で烈しいステップを踏んでいるから、恐らくアメノウズメノミコトかイサドラ・ダンカンのつもりであろうと野瀬さんは見当をつけた。その情熱的なダンサーこそ、岩戸日見子さんであった。燁さんは一目で恋に落ちたのである。

六八　恋《こひ》すてふ

『十月＊日午後五時より体育館にてドレス・リハーサル。時間厳守のこと！』という通達が寮の各部屋に回ってきた。太刀掛さんがそれを見て、気の毒に、という顔をする。三年生は寮祭には任意参加なのだ。（太刀掛さんは従って無論パスである。）それでもルカ寮では、実行委員長の藤井さんに説得ないし脅迫されて、国立組を含む相当数の受験生がチュチュを着ることになった。ペテロ寮の事情はどうかと言えば……

例によって様々な流言が飛び交っていた。永多さんの報告を聞いているうちに溝口さんが貧血で倒れて面会謝絶中であるとか、いやあれは、永多さんを全権大使として派遣した責任を問われて吊るし上げを食うことを恐れての防御策であるとか。『白夜の競演』の発起人は、至って健康である。寮の同居人たちから苦情を言われようが、罵倒されようが、シャアシャアとして鼻歌を歌いだすだけだそうだ。弁解もしなければ答弁もしない。ひたすら、「もう決まったんじゃけぇ、やりんさいやね」と繰返すばかり。なかなか気骨《ホネ》のある男じゃないか、と密かに感心していたのは、野瀬さんくらいのものだった。

野瀬さんは、永多さんと岩戸さんの親密な光景を偶然目撃して以来、目立って永多さんの挙動に注意を払い始めた。上月さんの一目惚れの現場に居合わせた責任上、友人の恋の浮沈、望むらくは成就を、最後まで見届けてやりたいという気持ちがひょっとしたらあるのかもしれないが、野瀬さんには元来そうした仲人気質が備わっているとも思えないから、やはり単なる野次馬根性であろう。受験勉強もいよいよ佳境を迎える二学期、色々な三年生がいるものだ。

いつの間にか、日曜の朝、野瀬さんと犬たちの散歩につきあうのが恒例になっていた。ドレス・リハーサルが予定されている週の日曜日、学院の坂を下って川へ向かう途中、私は鶴江の電停で人待ち顔に行ったり来たりしている永多さんを見かけて、ちょっと驚いた。ちょうどやって来た電車から降り立つ乗客の中に岩戸日見子さんを見つけた時は益々吃驚した。永多さんは歓迎の辞を述べつついそいそと馳せ参じ、岩戸さんの荷物をさっと肩代わりして、二人仲睦まじく談笑しながら坂を上って行った。このことは無論野瀬さんに報告した。すると野瀬さんはくすくす笑って、ミス・マープルの主張する通り、ゴシップはやはり人間の本性の一部なんだねと言った。

私は少々気分を害した。

「他の人だったら話しません」

「どうして僕だと話すの？」

「永多さんと岩戸さんの関係に興味があるんでしょう？」

「ないよ。でも、上月がどう対処するか、そっちには大いに興味がある。言ったろう？　あいつは救いがたい善人だって。どんなに欲しい物があっても進んで他人に譲る、そこに満足を見出す性分なんだ。執着することがないから当然悩みも少ない。どんな時でも気分は至って平静でいられる。だが今度はどうかな？　今まで葛藤に身を曝《さら》したことのない奴だけど、恋愛においても果たして従来の行動を反復するものかどうか――」

「受験の科目に行動心理学も入ってるとは知りませんでした」

野瀬さんはベンチの背に凭れたまま、手を伸ばして私の髪を引っ張った。

「日曜日の午前中に皮肉はお断りだ。もっとかわいらしいことを言いたまえ。なんなら、歌ってくれてもいい」

「僕は音痴なんです」

「ああ――だからサティがうまく弾けたんだね」

誕生日の翌日、散歩から帰って一服した後、私は長田先生宅でピアノを弾かされた。文集の中に出てくるのと同一物の、真っ黒な羊羹《ようかん》のようなピアノ・フォルテだ。幸《みゆき》さんが週に二度レッスンを受けているそうで、弦は新しく調律もきちんとしてあった。夏休みの間、徒然なるままに竜宮城でも時々弾いていたから、指はそれほどなまっていなかったのだが、野瀬さんの応援というよりは妨害によって、結果は惨憺たるものになった。

　野瀬さんはピアノも上手だった。浮き浮きと滑るように鍵盤を上り下りする弾き方は、やや軽すぎる感じもしたが、サティのワルツだからそれでよかったのかもしれない。私のピアノの先生もサティが好きだったらしく時たま弾いて聞かせてもらったものだが、当時の私にはプーランクやドビュッシーの作品と区別がつかなかった。野瀬さんのサティは先生とは全然違っていた。よく言えば自由奔放、悪く言えばデタラメで、ピアノが気分の抑揚に従って小咄《こばなし》や怪談や妖精譚《たん》を喋っているような感じだ。ただ、『グノシェンヌ』の演奏などは実に美しかった。私にも、弾いてごらんと言って楽譜を何枚か渡してくれた。驚いたのはそれらが全部自筆だったことだ。（譜面を買いに行ったら品切れだった。注文するのも何となく面倒に思えて、レコードを頼りに書いてみたのだという。）

　野瀬さんはしかし、とんでもない教師だった。私が『夜想曲《ノクチュルヌ》』や『ナマコの胎児』を初見でたどたどと弾いていると、背後から忍び寄っていきなり肩越しにああだこうだとアドバイスをする。それだけならまだしも、左手はこう、右手はどうと難しい注文をつける傍ら頬といわず鼻といわず素早く接吻したりするものだから、当然私は調子が狂う。すると、集中力が足りない、これは罰だよ、と言ってもう一度キスをする。練習どころではない。これじゃいつまでたっても弾けるようにならないじゃないですか、と私が怒ると、

「いいよ、弾けなくても。聴きたい曲があったら言って。僕が弾くから」

と、悪びれる気色《けしき》もなく言う。阿呆らしくなって演奏はやめてしまった。

長田家の日曜日はたいそう静かである。何となれば、野瀬さんを除いて家内には人が一人もいなくなるからだ。長田先生はゴルフに行くあるいは学院や鶴大のコートでテニスをする。夫人は動物たちに餌をやるが早いか〈アンダルシヤ〉主催のお菓子作り講座へ、幸さんは算盤塾《そろばん》へ――

「算盤塾！」

と、最初聞いた時、私は甚《いた》く感動したものである。電算器が普及した今日、算盤はもはやその実用的側面を評価されなくなると共に、昔から商いにまつわる吝嗇《りんしょく》で老獪であこぎなイメージ、即ち「モウカリマッカ?」「ボチボチデンナ」の世界からもほぼ完全に脱却しつつある。今やそれは華道、茶道、書道、日舞、薙刀《なぎなた》等に並ぶ技芸《アート》であり、非実用的かつ時代錯誤であるが故に趣味としてはいっそう高尚な趣を持つ点でも同様である。

「幸さん、きょうも算盤ですか?」

ダンディとレイディを犬舎《ケネル》へ戻して手を洗いに行きながら、私は何の気なしに尋ねてみた。

「算盤は、まあ口実で、遊んでくるんだよ。岩戸さんのお母さんが珠算教室の先生なんだ」

と、野瀬さんは言った。

「教室の隣がカワイ楽器でね。レコード売場の店員にベイシティ・ローラーズの誰かによく似た奴がいるとか、ブライアン・メイのそっくりさんがいるとか、もううるさいのなんの！」

玄関に着くと電話のベルが鳴っているのが聞こえた。野瀬さんは急いで鍵を開けて居間へ駆け込み、受話器を取った。一足先に洗面所へ行った私が手を拭いているところへ来て、

「今から上月が来るけど、構わない？」

と訊く。

「それじゃ僕は失礼した方が――」

「いや、しない方がいい。上月は学院からかけてきたんだ。岩戸さんに会ったらしいよ。ということは、きっと永多にも。消息通でいたければ帰らないで話を聞いて行くことを勧めるね」

「でも、僕がいたら上月さんが話しにくいでしょ？」

「二階で待っといで。頃合いを見て呼ぶから」

という次第で、私は二階にある野瀬さんの自室へココアを一杯持って立てこもった。

野瀬さんの部屋は二階の総面積の約四分の一を占める。つまり、広い。高い書棚を巧みに配置して、二つの区域《セクション》に分けてある。手前は（野瀬さんに言わせれば）〈Muß《ムス》〉の領域、奥の方が〈Darf《ダルフ》〉の領域だそうで、これに、前者はドイツ語の話法の助動詞〈müssen《ミュッセン》〉（「～しなければならない」）の、そして後者は〈dürfen《デュルフェン》〉（「～してもよい」）の、一人称並びに三人称単数形であるという説明がつく。要するに、仕切りのこちら側では〈しなくてはならぬこと〉をして、あちら

側――寝室兼オーディオ・セクション――では〈してもいいこと〉をするわけである。（もちろん、たとえ〈してはいけないこと〉でも、あっちですれば〈してもいい〉ことになる、という解釈も成り立つわけだが。）

〈～してもいい〉方の部屋へ入って行くと、ベッドの上に猫のパイパーが丸くなっていた。彼女はもう一匹の、私がスリッパと間違えた方の猫パイの妹で、毛色はダイリュート・キャリコである。ドアを開けるという特技を持っており、ツルツル滑る丸いノブ以外なら、大抵の取手《とって》に飛びついてちゃっかり開けてしまう。因みにパイは襖《ふすま》や障子《しょうじ》専門だそうだ。開けた戸を決して閉めないことは両者共通である。バルコニーへの出口が細目に開いているから、楡《にれ》の木の枝伝いにでも入ってきたのだろう。澄み渡った気持ちのいい日だ。どこかでもう落葉を焚く匂いがする。私は窓をいっぱいに開け放った。猫はその音に驚いて目を覚ました。お詫びの印に撫でてやろうとした私の手をかいくぐり、一目散に外へ飛び出してバルコニーの隅でフーフー唸っている。不可解な動物だ。

間もなく玄関の扉を開閉するらしい音が微かに聞こえた。上月さんが到着したのであろう。私は書棚からベサリウス著『人体構造論《ファブリカ》』の復刻本を取り出し、窓際に椅子を寄せて読み始めた、というより、無作為にページを繰って図版とその解説を眺めだした。

二ページもめくったかめくらないかのうちに、慌ただしく廊下を走ってくる気配がした。何事かと立ち上がると、野瀬さんが勢いよくドアを開けた。

「ちょっと来て手を貸してくれる？　一人では運べないんだ」

と言って、トンボ返りにまた階下へ引き返す。新品の冷蔵庫でも届いたのかと、私は急いで後を追った。それとも年中無休で働く乾燥機を買ったとか？　階段の下り口で、野瀬さんの部屋から自力で脱出したパイパーと、どこからともなく現われたパイに追い越された。

玄関に着いてみると、私の予想したような家電製品はどこにも見当たらなかった。手荒に扱われた荷物のようなありさまで投げ出されているのは上月燁さんだった。縞馬の毛皮模様の敷物《ラグ》の象牙色の部分に点々と咲いた血の染みが、ひどくゆっくりと広がってゆく。一対の狛犬のように構えたパイとパイパーが、胡散《うさん》臭そうな目でそれを見守っていた。

六九　時《とき》じくの香木実《かぐのこのみ》〈天然果汁100％〉

鼻血の応急手当は、まず仰向けに寝かせて上体を少し高くする。次に、脱脂綿を固めて鼻孔《びこう》に入れる。出血している孔《あな》を、鼻の中心に向かって指で少し持ち上げ気味に軽く押して止血する。

両方の孔から同時に出血している場合は、呼吸が困難になるので口を開けなくてはならない。

「『指で少し持ち上げ気味に』――こんなものかな？　そのあと、何をすればいいと書いてある？」

「『衣服をゆるめて安静に、歯をくいしばって舌を噛むおそれがあるから布を巻いた棒を入れる。発作中は何も飲まぬこと。浣……』あ、すみません、これは〈ひきつけ〉の応急手当でした」

「それを早く言ってくれよ！」

鼻孔が二つとも塞がっている上に布を巻いた棒を口に突っ込まれて、上月さんは窒息寸前である。すまん、手違いだ、と謝りながら、野瀬さんは速やかに口腔内の閉塞物を除去した。上月さんは体を起こそうとしながら、弱々しく呟き込んだ。

「謝《アヤバ》ルドハゴッヂラヨ。ヅイ、校医《コウイ》サンド所《トゴロ》ガ近《ヂガ》グラッダコドヲ思《オボ》イ出《ラ》シデ」

「話は後だ。心配しないでもう少し安静にしてろ」

「デボ――」

「いいから。事情は鼻血が止まってからゆっくり聞くよ」

「申《ボウ》シヴァケダイ」

怪我人を居間の長椅子《カウチ》に残し、救急隊は食堂へ引き上げた。野瀬さんは豆を挽いてコーヒーを入れた。

「君は？」

「あ――じゃあ、ココアをもう一杯」

「何をニヤニヤしてるんだ？」

「いえ別に。鼻の孔が両方とも詰まってしまうと大変なことになるなと思って」

他人事じゃないぞ、と野瀬さんは私を軽く睨んだ。

「君はまだ実戦の経験なんかないだろう。体育祭を楽しみにしておいで。鼻血くらいですんだら恩の字だよ。毎年、救急車が五、六台は待機してるんだから。それにしても上月は――」

ココアを渡される。

「一体どうしたっていうんだ？　普段は絶対暴力沙汰なんかに巻き込まれる奴じゃないのに」

オレンジを渡される。

「目のところ痣《あざ》になってましたね。永多さんと殴り合いになったのかな？」

「それにしては他に打撲傷も何もなかったし――おい、お手玉しろといって渡したんじゃないんだ。半分に切ってそのプレッサーで搾って。怪我人に持っていってやるんだよ」

私たちが飲物を手に居間へ戻ると、上月さんの鼻血は止まっていた。搾りたてのオレンジジュースは大変喜ばれた。私と燁さんとは既に顔見知りだった。バレエ・ビデオにあれこれ親切な解説を入れてもらったのだ。空のコップを盆に載せて退場しようとすると、野瀬さんに止められた。

「知り合いなら構わないだろ、上月？　遠野くんは口が堅いし。事と次第によっては物忘れもずいぶんいい方だよねえ？」

「ああ、もちろんだよ。事情といったって、秘密にしておきたいことでもなんでもないんだ」

『白夜の競演』の準備は着々と進行していた。本物の紙芝居のようにナレーターがいて、作品の筋を大まかに物語り、それにつれて場面が次々に変わっていくという趣向なのだが、野心的な永多さんは、タブローだけではやはり物足りないのか、有志を募って所々に短かい踊りを挿入することに決めた。寮には振付家がいないので上月さんに応援を頼み、更に単身聖母マリア学園まで出かけて行って、舞踊同好会のリーダー岩戸日見子さんに賛助出演を依頼した。上月さんはその日、岩戸さんと永多さんに『胡桃《くるみ》割り人形』第二幕より《シュガープラム・フェアリーとコクリューシ王子のパ・ド・ドゥ》の振り移しをするために学院へ呼ばれたのであった。

「岩戸さんと――永多のパ・ド・ドゥだって？」

野瀬さんは大々的に呆《あき》れた。

「君はどこまで人がいいんだ。なぜ自分で踊らない？　恋敵《こいがたき》にそこまで花を持たせる奴があるか！」

「僕は寮生じゃないから……」

「岩戸さんだって違う」

「女性舞踊手は特別だよ。どっちにしろ外部から調達しなければならないんだ」

「やろうと思えば内部の人員で充分まかなえるはずだ。正岡なんか、チュチュを着るんだといって大はしゃぎ、いや、大騒ぎしていたぞ」

「彼は背景を務めるだけでいいんだよ。踊るとなるとやっぱり、経験者の方が」

「永多だってバレエは未経験だろう?」

「それがね……」

永多さんは確かにバレエ経験者ではなかった。ところが上月さんが言うには、永多さんの音感と運動神経と記憶力は天才的なのだそうである。断片的とはいえフランス語の知識があるから、基本的なポジションやパ（ステップ）を説明しても飲み込みが早い。その上、力持ちなのでアンレーヴマン（リフト）が実に安定している。ここで上月さんは急に顔を赤らめて黙りこんでしまった。

「どうした?」

「いや、その……僕のこの怪我だけど……」

「岩戸さんのパートナーの座を賭けて、永多とやり合ったんじゃないのか?」

上月さんは、とんでもない!という顔をした。

「違うよ。実を言うと――振り移しの途中でリフトとサポートに失敗した結果なんだ」

岩戸さんを持ち上げて支えきれなかった上月さんは、落下する女性舞踊手の肘に打たれて右目の周りに黒痣を作った。（すかさず永多さんが駆けつけて岩戸さんを抱き止めた。）更に、ウエストの位置を確認できぬままサポートをしようとして、ア・ラ・スゴンドに上げた足の爪先で鼻柱を強打された。（よろめく岩戸さんを永多さんが支える。）こうなると中止せざるを得ない。休日で保健の先生が不在なので、せめて応急手当だけでもと〈オサダ医院〉に電話してみたのだった。野瀬さんが在宅だったのは不幸中の幸いである、と、上月さんは改めてお礼を言った。

「感謝なんかしてる場合か！　そんな状況に二人を残してスタスタ坂を下りてくるなんて！」

「スタスタでもなかった。今にも卒倒しそうで気が気じゃなくって。昔から、血を見ると気分が悪くなるんでね」

「それでよく医学部を志望したもんだ」

「誰がそんなことを言った？　僕は文Ⅲだよ。家は弟が継ぐんだ」

「弟が継ごうが祖母《ばあ》さまが継ごうが一向に構わないけれど——君はよく平気でいられるね。愛する人が他の男の腕の中にいるというのに」

上月さんはいっそう赤くなってうつむいた。が、やがて、心から恥じ入った様子で一言——

「女性舞踊手の踊りを生かせない男性舞踊手は、パートナーとして失格さ」

「たった一度の練習で決めるのは早計だ」

「でも、彼女だって、永多くんになら安心して頼れるということがわかっただろうし……彼に比べたら、僕なんか、軟体動物のくせしてミコシをかつぎたがってるようなものだ」

「今から筋トレに励めば寮祭には何とか間に合うじゃないか」

「急にそんなトレーニングをやっちゃだめなんだよ。ボリショイ型の体形になってしまうから。筋肉は、長い時間をかけてゆっくり鍛えていかないと」

「それなら現在の無力な姿のままでいいから、自分を有体《ありてい》に曝《さら》け出して、それでもやはり愛していますと言えよ」

「そんな、野瀬！　どうしてそんなことが言える？　いつの時代にも女性の夢は、強い男に支えられ、かしずかれることなんだよ。岩戸さんが永多くんと一緒に踊って安心なら、僕はそれで――」

しばらく前から私の視線は野瀬さんの手元に吸い寄せられていた。見るからに器用そうな指が脱脂綿の残りをちぎっては丸め、ちぎっては丸めしている。綿球が十個も完成した頃、信じられないことが起こった。上月さんが「僕はそれで」と言って痛々しく目を伏せた隙をついて、野瀬さんは固く丸めた脱脂綿を二個、目にも止まらぬ早業で上月さんの鼻孔に詰め込んだのである。

「オイ、何《ダディ》ヲスルンラ？　止《ヤ》ベデグレ！」

「また出血してきたみたいだね。もうしばらく安静にしてた方がいい。ちょっと失礼」

野瀬さんは私の腕をつかんでさっさと居間を出た。その勢いでぐんぐん階段を上がって自分の部屋へ行く。中へ入ってドアを閉めると、デスクの引き出しからマールボロの箱とライターを出し、〈Darf《ダルフ》〉の領域へ行って一本吸い始めた。私と目が合うと、

「僕は五月生まれなんだ。事件でも起こしたら、もう〈少年A〉じゃすまないんだよ」

と言った。私の方は、今しばらく〈少年A〉として新聞沙汰を起こすことが可能だ。十代最後の数年間、男子如何に生くべきか？　私は〈Muß《ムス》〉と〈Darf《ダルフ》〉の狭間に立って、ちょっと途方に暮れてみた。

「そんなとこにつっ立ってないでこっちへ来たら？」

「上月さんを放っといていいのかな――」

「心配なら行ってかしずいてやって。僕はもう限界だ」

「怒ってるんですか？」

「まさか。退屈しただけさ」

　私はそれまで、女性を支え女性にかしずくという騎士道的見地から自分の性を眺めたことはなかった。その代わり、女性に支えてもらおう、かしずいてもらおうと思ったこともない。基本的には、自分で自分を支えることができればそれでいいのだと信じていた。だが、人を好きになると平衡感覚が乱れるのは、私も経験上知っている。せっかく自力で直立できていたものを、時々

相手に寄りかからずにはいられなくなる。そこで大力を発揮してパートナーを持ち上げたり支えたりできる者だけが、〈男性〉という性を名のってもよいことになるのだろうか？　バレエのみならず人生という舞台においても、女が男に期待することが上手な運び屋としての機能だけなのであれば、たとえば『結婚』などという作品は、男にとって随分苛酷なパフォーマンスになるのではないかと思う。

飛躍した考えを持て余しながら、私は少しずつ〈Darf《ダルフ》〉の領域へ移行した。野瀬さんは半分も吸ってない煙草をペン皿に揉み消し、さっき私が窓際に寄せた椅子にかけて二本めに火をつけた。私は椅子の腕木に腰をかけ、背凭れに肘をついた。青い煙がゆらゆらと立ち上り、鼻先に絡みつく。深く吸い込むと決まってくしゃみが出るのだが、実は何となく、自分が愛煙家になるような予感がしていた。煙草と胡椒《こしょう》のない暮らしはさぞ味気ないことだろう、と父が時折言っていた。（煙の臭《にお》いが家具にしみつくと母がこぼして以来、家では喫煙を控えていたのだが、マンションでは同居人の先生たちと一緒に思う存分吸っていたに違いない。）成年に達した暁には、ムラオカ商店の自動販売機で——いやいや、店主に直々にケースから出してもらって、自分で一箱買うことにしよう。

「吸ってみる？」

野瀬さんは片腕を頭上に伸ばして私の頸《くび》を軽く抱えた。本気で奨めているわけではない。自分が喫《の》んでいるから、礼儀上一応訊いてみたまでだ、という感じ。

「もうしばらく遠慮しときます。楽しみがなくなるから」

「賢明だ」

(気のない手つきで頭を撫でられる。)

「ほんとはくしゃみが出そうなんです」

「情けないな」

(いきなり耳をつねられる。結構痛い。)

「僕も筋トレ始めた方がいいでしょうか?」

私は努めて殊勝な風を装って質問してみた。野瀬さんは煙越しに、探るような眼差しで私の顔を見上げた。細く鮮明な鼻梁のつけ根に薄《うっす》らと刻まれた線は、不愉快や困惑というよりは、警戒を表わしているようだ。その手には乗らない、と言っている。私は更に努力して神妙な表情を保持した。

「いざという時に鼻血を出して退却なんて悲惨だもの。アスレチック・クラブに入ろうかな――」

「そうだね……そんなに急ぐことはないよ。時間をかけて、ゆっくり、と上月も言ってたろう?」

「でも、女の子って気が短かそうだし――」

煙草の吸い方がやや速くなった。私はこみ上げてくる笑いを堪《こら》えるのに四苦八苦したが、それでも何とか、愛する人のサポートを他の奴に任せるなんていやです、と悲壮な声で言ってのけた。喫煙ペースは益々上がった。あっという間に吸い終えてしまった。灰皿に並んだ吸い殻を厳粛に見つめながら、野瀬さんは、上月の言うことにも一理ある、と言った。力もないのに他人（女の子？）を支えに行こうだなんて！　お笑いだ。怪我するのがオチだ。支えられる方だってたまらん。なぜならば――

「僕、階下《した》へ行きます」

とうとう笑いだしながら、私は言った。

「上月さん、一人で暗くなってるかもしれない」

「勝手にしろ」

私は三本目を取り出しかけた野瀬さんの手を押さえ、その目をまっすぐ覗き込んだ。

「『無力な姿を有体に曝け出して告白しろ』って言いましたね？　あれは建前？」

「本音だよ。つまり、基本的には、そうしてもいいと思ってる。しかし――」

「基本的には、いいんですね？」

というわけで、私は野瀬さんの無防備な耳に、言葉を喋れるようになってからまだ誰にも、一度も言ったことのない一言を囁き、相手の反応には頓着せず、極めて晴朗な心境で部屋を出た。

我ながら大胆な性格になったものだ。『卒業写真』の歌詞を覚えていたら、歌いだしたかもしれない。

七〇　贈物《おくりもの》

ドレス・リハーサルで永多さんの雄鶏《おんどり》を目の当たりにして、私は上月さんの自信喪失ぶりに改めて納得がいった。天才である。人間がここまで動物になりきっているのを見るのは初めてだ。それとも今まで動物がヒトの振りをしていたのであろうか？　中学生の雌鶏《めんどり》たちもなかなか好演していたが、本物の鶏の羽根で作ったぬいぐるみを着用しているにもかかわらず、やはりどことなく人間臭さが残っていて、しらける。歩き方、止まり方、砂浴び、蚯蚓《みみず》の発見、毛虱《けじらみ》が痒くてたまらない様子、どれをとっても、永多さんの場合は完全に一羽の雄鶏の動作である。大喝采の裡《うち》に『リーズの結婚』のリハーサルが終わった。次は『胡桃《くるみ》割り人形』。プログラムのゲラ刷りを見た時、花小路くんは、危ない配役だなあと眉を曇らせた。〈鼠の王様〉に柔道部の有段者、〈クララ〉が空手部の主将というのは、確かに冒険だ。

「猪塚《いのづか》さんと寅岳《とらたけ》さんは自他共に認める犬猿の仲なんだよ。寅岳さんは小柄でかわいいからクラに選ばれたんだろうけど、実はすごく喧嘩っぱやい人でね。スリッパなんか持たせたら気違いに刃物だ。体育祭を待たずに大惨事になったらどうするんだろう……」

と、花小路くんは鼠のマスクの向こうで大いに心配した。しかしその日は何事も起こらなかった。ナレーターの苫屋金太郎《とまやきんたろう》くんが、『――ついに鼠の王と胡桃割り人形の一騎打ちとなり、鼠の王は今まさに胡桃割り人形を討ち果たそうとしました。ところが、愛しい人形が危機に曝されるのを見たクララは、咄嗟に自分の足からスリッパを取ると、鼠の王の脳天めがけて力いっぱい振り下ろしたのです！』と弁じた時、私は敗走するジンジャーブレッド軍の中からこっそりクララを振り返ってみたが、寅岳さんはぎりぎりのところで狙いを外して、打つ真似をしただけだった。

《花のワルツ》の場面交代でもたついている間に、岩戸日見子さんが到着した。淡いピンク色と白の砂糖衣《アイシング》をかけたような衣装で金米糖の精《シュガープラムフェアリー》に扮して出てきたところは、本物の鶴の子のようにおいしそうだ。パ・ド・ドゥの導入部のアダージョで、永多さんは噂に違わぬ名パートナーの本領発揮、続くヴァリアシオンでもタランテルラを難なくこなし、女性舞踊手のきらびやかなヴァリアシオンの後、見事に息の合ったコーダで締めくくった。『そしてクララは、目もくらむばかりのこの夢がさめたら、どんなにかつまらないだろうと思うのでした……』

リハーサル終了後、軍服を脱いでサーベルをはずしていると、楽屋（体育館更衣室）に花束とメッセージが届いた。ここまで予行演習するのはやりすぎだ。弓削くんか上月くんの悪戯《いたずら》だろうか、と訝しく思いながらカードを開けると、『お誕生日おめでとう。知らなかったので、お祝いを言うのが遅くなりました。ごめんなさい。M.O.《エム・オー》』と書いてあった。メッセンジャー・ボーイを務めた中一の生徒は、何と、金米糖の精から頼まれたのであると言った。私は岩戸さんとは一面識もない。きっと人違いだ。大急ぎでドーランを落として、岩戸さんのドレッシング・ルームに充てられた保健室へ走った。校舎のホールで下校途中の野瀬さんに呼び止められた。

「リハーサルのできはどうだった？」

「上々です」

「息せききってどこへ行くんだ？」

「保健室――」

「誰の見舞いに？」

「そうじゃなくて、岩戸さんにこれを持っていくんです」

「君までファンになったのか。上月に見つかるなよ」

早く行かなければ岩戸さんが帰ってしまう。私は野瀬さんに、誤解は今夜電話で解きますと言って先を急いだ。

保険室の戸を畏《かしこ》み畏《かしこ》みノックすると、「はい、どうぞ」という返事があった。開けようと手をかけたが、びくともしない。

「あっ、すみません！　つっかい棒をしたままだったわ」

引き戸がそろそろと開いて岩戸日見子さんのありがたい御顔が現われた。

「どなた？　あら、そのお花は――」

私は頷いた。

「そうなんです。せっかく戴いたんですけど、宛先が違ってるんじゃないかと思って」

「でもあなたは遠野さんでしょ？」

「ええ」

「じゃ、間違いじゃないわ。あなた宛のお花です。渡してちょうだいって、私の親友から頼まれたのよ」

「親友――ということは――」

「幸《みゆき》から。あなた先月、長田先生のお宅へ図書券忘れていったでしょう？　幸が見つけて使おうとしたらね、洌《きよい》さんが、それは遠野くんの忘れ物で、おじいさんとおばあさんからのバースデイ・プレゼントだから使っちゃいけないって」

それで誕生日がわかったわけか。油断大敵だ。暑中見舞の返事は出した。次にお返しを期待されているのは、誕生祝だろうかクリスマス・プレゼントだろうかお歳暮だろうか？　果てしなく続く贈答の習慣の鎖が、ガチャリと不気味な音を立てた。

「幸さんは、でも、どうして自分で――」

「彼女は案外恥ずかしがり屋なのよ」

そうは見えなかった。それに、間髪を入れずに答えた岩戸さんのタイミングは、ちょっとできすぎているようで、私の猜疑心を否応なく目覚めさせた。やはり、受け取らない方が無難であろう。

ところが花束を返そうとすると、岩戸さんは鶴の子の顔を焼売《シューマイ》のようにくしゃくしゃにして、どうか貰ってあげて下さいと言いながら私の手を押さえる。

「それじゃ、一度受け取ったことにして、岩戸さんに贈ることにします。金米糖《こんぺいとう》の踊りはとても素敵でしたから」

「まあ、そうお？　あっ、いえいえ、そんなわけにはいかないわ。引き受けた意味がないわ。ね、お願いです。お部屋の机の上にでも飾っておいて。邪魔になるものじゃないでしょ？」

四人部屋は机も狭い。はっきり言って邪魔になる。

「貰えません」

「貰って下さい」

私は段々イライラしてきた。

「どうしても受け取っていただけないのなら、僕、自分で返しに行きます」

狼狽する岩戸さんを尻目に、私は花束をつかんで学院の門を出た。

七一　花呪《はなのろひ》

私の歩みはしかし、坂を下るにつれて次第に鈍《のろ》くなった。花束の一つや二つ、素直に貰っておけばいいではないかという気がしてきたのだ。これが弓削くんだったら爽やかに笑って受け取っていただろうし、茶村くんなら二十四時間以内に必ずお礼状を出すだろう。青木くんなら、やはり貰っておいて、机に飾る余地がなければジャムやゼリーにするかもしれない。私だけがどうしてここまでこだわらねばならないのか？　岩戸さんとの押し問答の終わり頃は、もはや意地だけで断り続けたような節もあるが、それだけではない。一つには、贈り方がどうしても不自然に思えたからだ。いくら親友でも、こんなことを人に頼むなんて幸《みゆき》さんらしくない。無論、らしいとからしくないとか言えるほど、よく知っているわけではないけれど。

タカスベーカリーの前まで来て店頭の赤電話が目に入ると、私は歩くのをやめた。いずれにしても野瀬さんに電話すると約束した。呼び出し音三回。こんな時に限って出てほしくない人が出る。「もしもし長田です」と受話器を取ったのは、幸さんであった。

「……」

「もしもし？　どちら様でしょうか？」

「……あ、すみません。遠野です。学院の……」

「あら！　こんにちは。暑中見舞の返事、ありがとう。すっごいホテルじゃねえ！　あたし今度絶対泊まりに行く！　今、洌《きよい》ちゃんの部屋に切り替えるけえ、ちょっと待ってね」

ハキハキした屈託のない応対である。私は手にした花束と、いよいよ募る不審を持て扱った。

「鶴島市役所納税課です」

と、野瀬さんが電話に出た。（この前は電報電話局だった。）

「遠野です。あのぅ……」

「市民税が四半期分滞納になっております」

「野瀬さん！」

「何だ、切ない声で。岩戸さんに会えなかったのか？」

「会えました。それで――」

私は電話で状況を説明するのが苦手である。どんな簡単な事でも、電話で言わなければならないとなると、途端に億劫になって舌が麻痺する。貰うか捨てるかすれば一気にかたがつく花束を、頑固に握りしめて唖《おし》になっている理由が、自分でも次第に見えなくなってきた。何か別の話をしたい。

「僕、図書券を忘れていったそうですね」

野瀬さんが電話口で咳き込む気配がした。

「唐突な……閑話休題だ」

「明日学院の方へ持ってきて頂けますか?」

「え? ああ、いいよ。でもそれより――君、どこからかけてる?」

タカスベーカリーの赤電話、と答えると、今から犬を夕方の散歩に連れていくから、川まで来られるならそこで図書券を渡そうと言われた。私も別に異論はない。野瀬さんに直接会えば花束の落ち着き先も決まるだろう、と漠然たる期待を抱きながら川へ急いだ。

野瀬さんは私より先に来て、柳の木の下を行きつ戻りつしていた。私の姿を見つけたダンディが駈け寄って飛びつこうとしたが、〝Down!《ダウン》〟という野瀬さんの一声で、また制服を汚されるのを危うく免れた。レイディは小刻みな足取りで行儀よく近づいてきて、私の手をお愛想にちょっとなめた。野瀬さんは、当然と言えば当然だが、私がまだ花束を持っているのを見て驚いた。

「受け取ってもらえなかったの？」

「これ実は僕に貰ったんです。一ヶ月遅れの誕生祝」

「誕生祝……悪い！　君に謝らなきゃいけないことがあるんだ。あの、ほら、例の図書券――」

「使っちゃったんですか？」

「ごめん！　どうしても欲しい辞書があってね。半分借りた。来月の翻訳料できっと返すから」

野瀬さんは長田先生が定期購読している英語やドイツ語の雑誌から、面白そうな記事を選んで家族のために訳すという「仕事《アルバイト》」を持っていた。無為徒食の身で小遣いを貰いなれている私などよりは立派であると思う。（ただし、辞典や図鑑やレコードやバイクの部品《パーツ》などの他、多彩な趣味が必要とするありとあらゆる品をしょっちゅう買い込んでいるので、安定した高収入で生活しているわりにはいつも金欠気味であった。）私は特に欲しい本があるわけでもなかったので、返してもらうのはいつでもいいと寛大に応じた。野瀬さんは大喜びだった。

「君のように考えてくれる人ばかりだと、明るく住みよい地域社会の実現も夢じゃないのにね。お礼に何か一つ、何でも言うことをきいてやるよ」

「何でも？」

「何でも」

私はちょっと思案した。今一番してもらいたい事というと、何だろう？　野瀬さんと会っている間、私は一緒にいるだけで他愛なく満足してしまうので、とりたてて何かしてもらいたいという気も起こらないのが常であった。だが、願い事を何でも叶えてやろうなどと言われると——本当に叶うかどうかは別として——どんな謙虚な人間でも決して悪い気はしないものである。並んで腰かけているこの同じベンチで、自分が〈タカラモノ〉であるという快い台詞を耳にしたのも、そう遠い昔のことではない。

私の自我《エゴ》は、薊《あざみ》の冠毛を敷き詰めた胡桃《くるみ》の殻に寝ている親指姫の如く、守られ、甘やかされ、知らぬ間にぬくぬくと増長していた。願い事を一つ——難題を出して困らせるつもりは毛頭ないから、何か簡単な事がいい。野瀬さんが、笑いながら易々とやってのけられるもの。私はふと、自分の手元を見た。やはりこれしか思い浮かばない。

「じゃあ、この花を、幸さんに返して下さい」

と、深い考えもなく、花束を差し出した。野瀬さんの瞳が一瞬大きく瞠《みひら》かれた。出された物を受け取ろうとして反射的に伸ばしかけた手を、中途で引っ込める。

「幸からのプレゼントか——」

「と、岩戸さんは言ってました。幸さんは恥ずかしがりだから、親友の岩戸さんが頼まれて、僕のところへ届けることになったんだそうです。それで僕は最初、岩戸さんから幸さんに返してほしかったんだけど、どうしてもいやみたいだったから、それならもう自分で返すって言って——」

「そんなことを言ったのか」

野瀬さんの口調が急に静かになった。私をギクリとさせる性質《たち》の静けさである。

「ひどい奴だな。幸が本当に君のことを好きで、本当に岩戸さんに花を預けたんだったら、どうする?」

私の舌はまた不自由になった。それだけではない。頭の中がふいに空洞になった。

「それでも、返す?」

空洞の中へ、融けた鉛をじわじわと注ぎ込むように、静かな重い言葉が一言、また一言、流れ入ってくる。話しているのは本当に野瀬さんだろうか?

「しかも君は僕にその役をやれというの? 僕は確かにあいつの恋の橋渡しなんかしてやるつもりはないけど、こんな形で傷つくところを見るのもいやだね。あの子はあの子で結構悩みもあるんだ。粗忽《そこつ》で愚かで軽薄で我儘で——そして、臆病なとこがあるのもほんとだよ。君に花を上げてくれと岩戸さんに頼んだことの善し悪しはともかく、事実だったとしても僕は驚かない」

呪いをかけられて足元から段々と石になってゆく者の話があるが、その過程が私にはわかるような気がした。爪先から始まって、脚や腕や背、肩、胸、首——体が刻々と石に変わるにつれて感情も次第に硬《こわ》ばってゆく。いつかまた自然に呼吸できる時がくるのだろうか? ダンディが私の膝に顎を載せて、しきりに花束の匂いを嗅いでいる。コリーはなぜ草食動物じゃないんだろう？　これが山羊なら花を食ってくれるだろうに。そして私たちはこんな〈不和の林檎〉みたいな物の呪縛から解かれて、また自由に喋ったり、笑ったりできるのに。

「いらない物は……貰えません」

「贈物って必ずしもいる物ばかり貰うとは限らないだろう。贈る方としては祝福の象徴として上げるわけだから、たとえいらない物だって、一応受け取っておけば相手は気がすむんだよ。『おめでとう』と言われたら『ありがとう』と言う。それと同じことだ」

「同じじゃありません。だったら僕は、幸さんから直接『おめでとう』と言ってもらう方がずっといい。こんな――こんな物を人づてに渡されるより――」

「どうしてそんなにこだわるんだ？」

　それは私が自分で自分に問い続けている質問であった。石化してゆく脳から答はもう永遠に出てこないだろう。ただ一つはっきりしているのはこれだ。花束を貰ったら、誕生日の祝福と一緒に幸さんの好意まで受け取ることになる。それは私には決してお返しのできないものだ。私は幸さんを嫌いではないけれど、積極的に交際をしようというつもりもない。誕生日に花を贈ったり贈られたりすることは、女の子の間では定着しているのかも知れないが、私には慣れない風習であった。（現在でも、花と女性の親密な関係は、私にとって一つのミステリーである。）それはたとえば、女性が婚約指輪などに対して抱く愛執と並んで、私には理解し難い親密さだ。

いくら象徴だと言ったって、愛情や祝福が品物で表わせるとは思わない。野瀬さんが時々ふいに私の手を取って、一体何に興味を惹かれているのか知らないが、とにかくその構造や感触を実に丹念に調べてから、〈合格〉のスタンプでも捺《お》すように、それぞれの指の上に接吻してくれる、それでもうダイヤモンドを幾つもはめてもらったくらい、胸は感謝でいっぱいになる。誕生日の真夜中が過ぎる前、灯りを消そうとこちらへ屈んだ野瀬さんの眼差しに出会った時は、花屋を一軒丸ごとプレゼントされるよりも嬉しかったのだ。私のそうした気持ちを、野瀬さんは一体全体何と心得ているのか？

「何か一つ言うことをきいてもらえるって話だったから、頼んでみたんです」

「僕が軽はずみだったよ。君のデリカシーを過信していた」

これまでだ。私はダンディの前足をベンチの上に持ち上げて花束を抱えさせ、濃くなりまさる暮色の中を、一人憤然と立ち去ったのであった。

七二　祭《まつり》

胡桃《くるみ》の殻が全宇宙だと信じていた自我は、ほんの少し風に揺すられただけでそこから放り出され、デコボコした現実の上へ真っ逆さまに転落したものだから、たいそう傷ついた。体育祭の日に、八台待機していた救急車を全部満員御礼にして病院へ運ばれていった生徒たちと同じくらい、いやそれ以上に傷ついた。怪我をした連中は、しばらく腕を吊ったり松葉杖をついたりして生活しなければならぬ者も含めて、間もなく全員学院へ復帰したが、赤ん坊のように抵抗力のなかった私の自我は、思わぬ深傷《ふかで》から執拗に血を流し続け、立ち直りにはまだ当分時間がかかると思われた。

私にもう少し恋愛の経験があるとか、年の近い兄弟でもいて歯に衣着せぬ言い合いや殴り合いを日常茶飯時にして暮らしているとかすれば、対処の仕方もまた違ってきたのではないかと思う。だが事実は、川の堤で忌々《いまいま》しい花束をめぐって諍《いさか》いをして以来、私は野瀬さんに対して変に心を鎖《とざ》してしまったのである。意地を張っているのは自分でもわかっていた。しかしそれよりも、何かの拍子にまた同じ場所に傷を受けることがひどく恐かったのだ。傷ついたのが自我の表層に過ぎないプライドだけであれば、治癒の見通しも明るい。が、私は無経験と無頓着から、どんな外殻にも防護されていない、心の中の最も未熟《ナイーブ》な一点を矢面に立たせて、自分の傷を必要以上に深くしていたのである。そのような側面は恐らく、永遠に育ちきれないある種の不具の部分なのであろうし、子供の純真さをいつまでも失わないとかいうのとは違って、自分にも他人にも単に負担になるだけの未熟さなのだ。どんなに親しい人にも、その部分についてだけは、理解や容認を強要してはならない。愛する人になら、尚更である。こういったことは、頭が冷えるにつれて追い追いに悟ったのではあるが、悟ったからといって恐怖が消えるわけではなかった。むしろ、自分の精神の脆い部分が、実際いかに脆く、いかにたやすく傷つくものであるかを自覚したばかりに、新たな痛みに対する病的な警戒心が生まれてきた。

こんな心境で毎日をやり過ごしていたので、その年の寮祭と体育祭については、ごく断片的にしか記憶していない。とはいえ、野瀬さんと口をきかない日々の空しさと、一刻一刻何か取り返しのつかない過ちを犯しているような焦りから、一時的に注意をそらす効果があったことは認めねばなるまい。『白夜の競演』は概ね成功だった。当日は寮の中庭にサーカスの天幕のような物が張られて、その中の舞台でタブローが上演された。『ジゼル』と『白鳥の湖』は、主に群舞をサッカー部と野球部の精鋭が務めたために、ややむくつけき舞姫たちになってしまったが、引き続き『リーズの結婚（ラ・フィユ・マル・ガルデ）』の登場人物が舞台に現われ、観客はやっとのことで遠慮なく吹き出す機会を与えられて、テントを揺るがす爆笑が巻き起こった。楽屋で支度をしていたので私は見られなかったが、人に聞いた話では、『眠りの森の美女』で、デジレ王子に扮した藤井さんがオーロラ姫にキスをしようと屈んだ途端に、姫役の新川さんはぱっと寝返りを打って狸寝入りを続けたとか続けなかったとか……

だが、一番話題を呼んだのは、やはりトリを務めた私たちの作品であろう。クララがスリッパを使わず、素手で鼠の王様の脳天に一発お見舞いしたので、マスクは真っ二つに割れてしまった。演目が予告なしに胡桃割りから乾竹《からたけ》割りに転じたため観客は騒然となり、クララは椅子から引きずり下ろされて鼠の王と取っ組みあいを始めた。死者が出る寸前にジンジャーブレッド軍と鼠軍が急遽同盟して何とか二人を引き分け、各々担架に縛りつけて舞台の袖へ運び去った。クララがいなくなっては話が進まないのだが、出演者は全員役を振り当てられてその扮装をしている。衣装をつけていないのはナレーターくらいのものだ。突然代役を命じられた苫屋《とまや》くんは、寅岳さんのドレスはズタズタに引きちぎられてしまったので、仕方なく赤頭布《あかずきん》ちゃんの衣装を借りて弁士とクララの二役を務めた。

寮祭の翌日は体育祭の準備に明け暮れ、今度は運動場に来賓用のテントを立てた。高IC全員が二週間の時日を費やしてようやく完成を見た大壁画は、ベニヤ板五枚に高価なポスターカラーを惜しみなく使ってスーパーマンの活躍を描いたものであり、ヒーローの顔は気分や情勢によって担任（三千橋先生）や級長やキューティ・ハニーに差し替える仕組みになっていた。装飾大賞一席を狙っていたのだが、結果は惜しくも次点であった。競技の得点では、A組、B組、D組に大差をつけて圧倒的敗北を喫した。第一位を獲得できたのはただ一種目のみ。これは借物競争ならぬ〈借人《かりびと》競争〉という競技で、〈一番尊敬する人〉、〈怨みのある人〉、〈中年の独身男性〉、〈三人姉妹の長女〉、〈ここ六ヶ月以内に盲腸または扁桃腺を取った人〉、などと書かれた紙片を拾って該当する人物を探す。息も絶えだえの校長先生の手を引いてゴールのテープを切った上月くんが握っていたのは、〈学院一モテる男〉と記された紙だった。だが、その他の競技では練習の甲斐もなく悉く惨敗。クラス対抗リレーでも、スタートの号砲が轟くや、もんどりうって転倒した第一走者（青木）の尻拭いを駿足に引き受けたアンカー（弓削）の健闘空しく、二位に甘んじた。

大抵の学校の運動会に見られる騎馬戦が学院にはない。その代わり、開学以来延々と体育祭に登場し続けている〈棒上玉奪い《ぼうじょうたまうば》〉という伝統競技があり、学年別に生徒全員が戦う唯一の種目となっている。天辺に籠のついた棒を人が支えて立つところまでは玉入れに似ている。が、よく見ると、籠は通常の玉入れ籠より若干小さく、若干低い位置についている。何より、棒を支える者の形相が、玉入れの棒持ちとは明らかに異なる。その顔色は断頭台へ引かれるフランス貴族のように蒼白で、口元は時として歯の根が合わなくなるのか、カタカタと忙しい音をたてる。近々何か恐ろしい事が身に降りかかるのを予知している顔である。

このような棒が数本、グラウンドに立ち並ぶと、合図のピストルが鳴る。と同時に、救急車のおじさんたちは駐車場で準備運動を始める。グラウンドの方では、これが人間の声かと疑われるような雄叫《おたけ》びと共に、生徒たちが四方から各棒の下に馳せ参じる。予め決められた部隊が棒の周囲にスクラムを組んで支え手を護衛する。そうやって作った人間の防壁に、あるいはよじ上り、あるいは穴を穿《うが》って、遮二無二《しゃにむに》棒の先に辿り着こうとするのが、敵方の戦士たちである。（棒が倒れると、負け。）人の腹や背中や頭を踏みつけにして天辺に着き、そこで何をするかというと、籠の中に入っている色つきのテニスボールを取り出して下へ投げる。当たった人は猿蟹合戦の蟹のように不運であるが、脳震盪でその場に倒れても放っておかれる。ここは戦場なのだ。誰も同情してやる暇はない。況や救助においてをや。

救出はしかし、専門の救助隊がやってくれる。この競技には反則というものが一切ないので、毎年負傷者の山が累々と築かれ、それを片端から駐車場へ運んで救急車で搬出することになっている。頭を蹴られたりボールをぶつけられたりした者だけが不運なのではない。守る側も必死であるから、貴重な玉を奪いにくる敵軍を阻むためならどんな卑怯な手段をも使う。最も悪質で最も成功率が高いのは、今や籠に到達せんとする敵のパンツ諸共トレパンを引っ張り下ろすことであろう。体育祭の観客の中には、父兄はもちろん相当数の女学生が混じっている。トレパンを一気に下ろされた露出度100％の姿で、猶且《なおか》つ棒上に赴こうとする勇士《つわもの》はさすがにいない。必ず、怯《ひる》む。そこを寄ってたかって引きずり下ろすのである。勝敗は籠から出た玉と残っている玉の数を比べて決定する。玉の値打ちは一個につき一点と寂しい。が、籠を空にすれば攻撃したチームの得点には更に十点が加算される。この年の棒上玉奪いで青木くんは額の真中に五センチほどの傷を作った。

楽あれば苦ありの喩え通り、体育祭の後には中間テストがある。これを乗り切ればまた学院祭という祭で一騒ぎできる。その次は期末テスト、そしてそれから——その後に来る緊迫した沈静の季節が私には恐ろしかった。冬休みから三学期、受験生にとってはラストスパートの時期である。野瀬さんには益々会えなくなるだろう。体育祭では、三年生の競技になるたびに、私は努めて隣の者と雑談をしたり、頼まれもしないのに保健委員に混じって怪我した選手の包帯巻きを手伝ったりして、グラウンドを見ないようにしていたのだが、棒上玉奪いだけはどうにも気がかりで、包帯を巻きながらちらちらと戦況を窺ってみた。

野瀬さんは攻守共に大活躍であった。同じゲームでも中一と高三では、チワワの喧嘩とゴリラの死闘くらい迫力が違う。ゴリラの典型、藤井さんがガッチリと固めた人間要塞に、野瀬さんは翼でも生えているかの如き足で易々とよじ上り、トレパンを狙って伸びてくる手にかたっぱしからボールをぶつけて撃退する。激怒のあまりぐるりと向き直って両手でつかみかかろうとした藤井さんの頭に、空っぽの籠をかぶせて笑いながら要塞から飛び下りた時は、当然味方にヤンヤの喝采で迎えられた。その凱旋風景には、私もつい熱中して見とれてしまい、気がつくと私の患者はミイラ男のようになっていた。

しかし私は野瀬さんの勝利に対しておめでとうも言わなければ、川岸での自分の振舞を詫びることもしなかった。こちらにも試験勉強がある、それどころではない、と無理に自分を納得させながら。天宮くんのお父さんの追悼展に行ったのはテストが始まって二日めのことである。これでもう一つ注意が逸れた。三越の画廊で受付嬢から飛行機事故の模様を聞いたが、その人も、伝えられた事をただ繰返しているだけなので、詳細はわからない。寮へ戻って、番号案内でA市の由良理容室の電話番号を調べ、由良くんから事情を説明してもらった。航空会社はエール・フランス、北回りアンカレッジ経由パリ行きの便で、シャルル・ド・ゴール空港へ着陸する直前のエンジン故障だったという。

「あいつのとこ、父子《おやこ》二人きりやったやろ。親父さんのお姉さんて人が遺体確認にフランスまで行きはったんやて。その後、葬式やら墓のことやらでえらいゴタゴタしたらしいわ。親父さんはクリスチャンやったから遺言に従《したご》うて教会で埋葬。シオンは教会のメンバーやないからどうのこうの、て。キリスト教て愛の宗教やなかったんかいな、ほんまにもう！　いう感じや。しまいにはその伯母さんも怒りだしはってな、結局シオンだけお寺さんやで。あんまりやないか！　なあ？」

「うん、ひどい——どこのお寺？」

「あ、寺自体には何《なん》も問題ないのや。悪口言うたんとちゃうで。伯母さんとこ、つまり摩耶さんとこや」

その刹那、私の心の中を閃光のように過《よぎ》ったのは、当時も今も到底信じられない感情であった。

驚きでもなければ安心でもない。教会の頑迷固陋《がんめいころう》に対する憤りでもない。恐らくは自分でも全く準備ができてないうちに死出の旅路に赴き、到着先の天国では鼻先で門を閉じられてしまった天宮くんは、廻《めぐ》り廻《めぐ》ってやっと、一番会いたかったに違いない人のもとへ帰ってきたという。そしてもう永遠にそこにいるのだ。その幸福が、私にはひたすら羨ましくてならなかったのである。

七三　手向白百合《たむけのしらゆり》

細道を上ると、波の音は消えていた。匂いのよい松林や、蔓性《つるせい》植物の低い群落など、海を連想させる素材はまだ名残を留めていたが、それらは次第に視覚からも聴覚からも、古い思い出のようにゆらゆらと滲《にじ》んで遠ざかり始めていた。少しずつ爪先上がりになる小径《こみち》の幾つめの曲がり角でその印象が途絶えたのか、くぐもった潮騒は生温かい午後の時間に紛れてひどく緩やかに退《ひ》いていったので、私の背景にもはや海はなく、私は淡甘《うすあま》い単調な無関心でもって、おとなしくそれを諦めてしまった。

少し疲れてもいた。鶴島駅を発ったのが朝の七時過ぎ、K市に到着したのがその約二時間後、そこから私鉄に乗り換えてA市まで行き、バスで一度海岸へ出て道順を尋ねながら徒歩で摩耶さん宅へ向かう。思ったよりずっと長い行程だった。このあたりの人なら誰でも月照覚寺《げっしょうかく》は知っている、と由良くんは言った。いずれにしろ海辺の寺といえばこれ一つしかない。だから、道に迷う心配はない——と聞いて安心していたのだが、A浜入口という停留所でバスを降りた私は、小春日のうらうらと降り注ぐばかりで猫の子一匹見えない渚を前に、しばらく立ち往生してしまった。

そのうち柴犬を連れて散歩に来た人がいたので、目指すお寺の在処《ありか》を訊いてみた。するとその人は、額に手をかざして遼《はる》か彼方の丘の頂を眺め、あそこにこんもりと繁っている鎮守の森のような部分のどこかに天台宗の寺があるはずだと言った。私は途端に意気が萎えるのを感じたが、ともかく礼を言って神仏の共存する奇妙な森の方角へ歩き始めた。丘の麓まで来ると一本の上り道があって、〈月照覚寺参拝口〉と書いた案内板も立っていたのでようやくほっとした。道標は後にも先にもそれ一つしかなかった。分かれ道に来るたびにどっちへ行こうかと迷ったけれど、立ち止まるのは気が進まなかったので、くたびれはしても、とにかく歩き続けてきたのである。

鎮守の森の神様のご加護に与《あずか》ったのか、やがて私の判断は正しかったことが証明された。うつむきがちに歩いていた自分の影が、突然もっと広く深々とした黝暗《ゆうあん》に呑み込まれたのだ。冷《ひ》やりと暗い大地や樹木の欝蒼《うっそう》たる沈黙は、私の内部に本能的な畏怖を呼び起こし、私は初めて立ち竦《すく》んだ。森は寺よりも古い墓場だ。過去の羽音や聲々《こえごえ》に満ちて、途方もなく豊かな、自然の偉大《おお》きな葬《はふ》りの場――足元はいつしか苔むした石の階段《きざはし》に変わっていた。一段ごとに募る厳粛さを噛みしめながら、恭しい足取りで上がって行く。と、両側に狭まった欝林《うつりん》は、上りつめた所で舞台の幕のように唐突に左右に分かれ、日当たりのいい境内に出た。銀杏《いちょう》の木の下でお爺さんが熊手で落葉を掻いている。お寺には男衆《おとこしゅう》、女衆《おんなしゅう》と呼ばれる人たちがいて日常の用事をすると聞いているが、この老爺もそういう雇人の一人であろう。一日が五十時間もあるかのように、ゆるゆると長閑《のどか》に熊手を動かしていて、そのせいで顔は何だか、祖父につきあって観《み》に行った『高砂』の尉《じょう》と姥《うば》の、翁《おきな》の方の面に似ているように思えた。

住職さんのご自宅はあっちですかと適当に指差すと、歯のない口で微笑んで頷く。念のため、こっちではないんですかと反対方向を指すと、やはり微笑しながら頷く。もしやと思って更に違う方を指してみれば、大喜びで何度も何度もこっくりする。耳が遠いのか、ボケているのか、『全ての道はローマに通ず』みたいな悟りを開いた行者なのか……

そこへ本堂の裏の方から、背の高い女の人が現われた。一目見て、摩耶さんのお母さんとわかった。鞭のようにすらりと瘠せた姿は摩耶さんそっくりである。しかし近づいてくるのをよくよく観察すると、息子とは随分違っていることも事実だ。きびきびとリズミカルな歩様には頽廃《デカダンス》のカケラもない。軍用犬のようにまっすぐ私の方へやってくる。摩耶さんから植物的柔軟さや、妖艶、陰微なところを全て取り去って、顔に〈冗談お断り〉という看板をかけたら、きっとこのお母さんになる。侵入者を真正面からひたと見据えて、

「どなた？　何のご用？　誰か探してはるの？」

と言った声に険はなかったが、一分も無駄にする時間はない人々に特有の切迫した調子で尋ねられたもので、私もつい緊張して普段の喋り方を倍速にして答えた。

「鶴島学院の遠野といいますが天宮くんのお墓がこちらにあると聞いてお参りにきましたがどちらへ行ったらいいか申し訳ありませんが教えていただけますか？」（息《ブレ》つぎ《ス》。）

「紫苑《しおん》のお友達ですか。ちょうどよろしいわ。今お花準備してますよって、あっちでちょっと待ってて下さい。鶴島からわざわざ来て頂いて、紫苑もさぞ嬉しやろ。一昨日《おととい》、四十九日やったんです。蒼薇《そうび》があいにくきのうまで試験でね。きょう日曜やから、もう帰ってくる思いますけど。蒼薇はご存じ？」

「はい」

私はお母さんについて、本堂の裏手にある自宅へ招じ入れられた。話に聞く総檜の屋敷は外観が思ったより現代的で、（私が密かに想像していたように）時代劇セット風の厳《いかめ》しい門もなければ、屋根には鴟尾《しび》もシャチホコも見当らない。そもそも屋根らしい屋根がなく、サイコロキャラメルの箱を何個か並べたような建物の天辺は真っ平らである。中へ通されると作りは更にモダン

になった。なるほどどこもかしこも檜材でできてはいるが、檜に負けないほどガラスや金属も使ってあり、デザインが何とも言えず無国籍で、随所にカンディンスキーやブラマンクを思わせる油彩画、或いは超現実的なオブジェの類が飾ってある。吹き抜けのだだっ広い玄関ホールに一歩踏み入れた時、私は思わず入場券の券売機と絵葉書売場を探した。

ホールの片隅で唐突に始まっている螺旋《らせん》階段には蹴上《けあ》げと手摺りがなく、踏み段だけである。三半規管に異常がある人などにはとても上れない。お母さんの後からおっかなびっくり上がっていって中二階に達すると、半透明プラスチック素材の暖簾《のれん》が、地曳網《じびきあみ》でも干すように、コンクリートの梁からだらりと垂れている。暖簾を分けて、お母さんは私を先に通した。するとあたりは突然一面の銀世界になった。白塗りの壁から壁へ敷き詰めた絨毯《じゅうたん》は、形状も感触も入道雲に似ている。天井も純白で、家具は一切なく、所々にやはり雲の切れ端で作ったようなクッションがぷかぷか散らばっているばかり。ちょっと失礼と言ってお母さんが止める暇もなくどこかへ姿を消したので、私はその天国の待合室ような場所に、ぽつねんと取り残された。今にも天宮くん父子《おやこ》か、ひょっとしたら私自身の父が通りかかるのではなかろうか？　お母さんは幸いすぐ戻ってきた。

「お花は蒼薇が今持って出たとこやそうです。入れ違いやったね。ほな私がご案内しますよって、ついておいでやす」

「オイデヤス」という表現はK市ではあまり聞いた覚えがない。やはり京阪地方でよく耳にする。お母さんはT女学院卒業だというし、元々は京都の人なのだ。

関西と一口に言っても、広い。近畿地方だけに限っても、まだ広い。相撲の力士の顔のように、見渡せど初めはなかなか区別がつかなかったのが、住んでいると次第に、言語にも気質にも微妙な差異があることに気づく。中でも京都の人は、話に聞く通り一風変わっている。普通、偏見に凝り固まって知らない土地へ行くと、なあんだ、あんなのは思い込みに過ぎなかったよ、という啓蒙的体験を土産に気抜けして帰ってくることが多いのだが、京都に限ってその心配はまずない。何世紀もの間よそ者の接待に明け暮れてきた京都の住民は、観光客の期待を裏切ってはならないことをよく知っている。外部の者が京都に対して抱く、偏狭で時代錯誤で排他的で二層式（建前と本音が）というイメージを、そこまでしてもらわなくても、と思うくらい忠実に守ってくれる。だがもちろん例外は何にでもある。天宮くんもそうだったが、摩耶さんのお母さんなども決して代表的京都人とは言えないだろう。特にこのお母さんは、言葉こそ主に郷土の方言を使ってはいるものの、喋り方に京詞《みやこことば》の真髄とも言うべき不得要領さが少しも感じられない。その音楽的情緒に聞き惚れている間に要点が完全にぼやけてしまい、何が何だかよくわからないうちに商談がまとまったり縁談を断られたりする。そういう奥床しさが、京都の人の話し言葉の特徴なのだけれど。

お母さんに連れられて私は庭へ出た。庭は、あまり刈り込まれてない灌木の上へ、栗、槐樹《えんじゅ》、葉面《はおもて》に濃紫《こむらさき》の斑《ふ》の滲む西洋椈《せいようぶな》などの枝を張る、陰の多い庭であった。古い、けれども荒廃というほどではなく、かといって年中人手をかけて管理している風もない。木も草もむしろ自然のままに蔓延《はびこ》り、凋《すが》れて、季節がくると慌ただしく実を結んだ花々が自ら播種しているようだ。枯花《こか》の残る紫陽花《あじさい》の茂みが行く手に立ち塞がった。お母さんは白茶けた茎をバリバリとかき分けて私のために道を作った。

「お骨はあっちに納めてあります」

「あっち」と指差された方角には、枝垂《しだ》れた萩の穂に半ば蔽《おお》われた小径が、暗く、か細く、迂《う》ねりながら木立の奥へ下っている。辿ってゆくと、今しがた誰かの踏みしだいた秋草の香りが、しんと清々しく胸に沁《し》みた。

「お庭に埋めるやなんて、犬や猫やあるまいし、て最初大反対したのやけど、結局子供に押し切られてしまいました」

「摩耶さんが決められたんですか?」

「ええ。本堂の向こうにちゃんと墓地があるんです。けど、あんな俗っぽい場所に置いとくわけにはいかん言うてね。仏さんが憩《やす》んではる所やのに何てことを、て父親が怒りましたら、紫苑は仏さんになんかなりとうないに決まってる、てこうです。カトリックの学校行かした私が悪かったのかもしれませんけど、父親は可哀想ですわ。あなたは鶴島学院で洗礼受けてはるの？」

「いいえ」

「無宗教が一番かもしれませんね。信仰も偏執狂的になったらみんな疲れます」

住職夫人にしては革命的な発言である。教会とのいざこざがよほど堪《こた》えたのかも知れない。

会話するようにとめどなく葉群《はむら》のざわめく喬木林《きょうぼくりん》が尽きると、不思議な風景が広がっていた。光と影の交替を、その日ほどめまぐるしいテンポで経験したことはない。目の前にあるのは樹木に縁取られた浅い窪地で、昔はここに池か沼でもあったのではないかと思われる。今は水ならぬ日光をたっぷり盛った天然の器のようだ。錦鯉の代わりにアイルランド産の妖精《フェアリー》でも輸入すれば、月のよい晩には濡れた芝草を踏んで輪踊りをするだろう。その小さな谷間の向こう、謂わば対岸に当たる所に、人が立っていた。光線の加減か、髪も、目の色も、着ている物も、見ている側《そば》からうっとりと冥《くら》い濃青色に沈む。白鳥を抱えているのかと思ったのは百合の花束だ。『ジゼル』第二幕、悔恨のアルブレヒトの墓参の場面《シーン》が、一瞬ひらとそよぎ、そしてすぐに消えた。

七四　花細《はなぐは》し桜真秀庭《さくらのまほろば》

天宮くんのお墓は簡素で美しいものだった。桜の樹の根方に平たい乳白色の石の銘板《プラーク》が置かれ、

SION AMAMIYA
26 October 196* —— 5 September 197*

という文字が浅く刻まれている。〈SION〉のIの字の上に、鳩がとまったような格好で置かれたオブジェが、雪花石膏《アラバスター》の小さな手であることがわかった時は、正直言って少し背筋が冷えた。私が急に怖じけづいたのを察して、摩耶さんの口の端《は》に薄い微笑が浮かんだ。亀甲学院のＯＢで、芸大を出たばかりの工芸家《アルティザン》に頼んで型を取らせたのだという。

「鼻もちならん奴でね。初め話だけ持ってったら、フランスに、女の手のことを『恋人の恋人』と呼んだ詩人がいるねえ、なんて笑ってる。そんないいものやない、これしか残ってなかったんです、て言ったら、さすがに顔色変えてたけど……でも、腕は最高。実物どおり、きれいに作っ

てくれた」

摩耶さんは、百合の束の中から固く閉じた蕾をつけた一茎を抜いて、石膏の手の傍らに置いた。それを目で追った私はふと、ある偶然に気づいた。

「十月二十六日っていうと、今日ですね」

「知ってて来たのと違うの？」

「いえ、そのことは――」

捧げられた白い花々がいっそうけざやかに白く見えたのは、雌蕊《しずい》以外の蘂《しべ》を全部落としてあるせいだった。花粉のこぼれるのが嫌いだと摩耶さんは言った。

「でも、誕生日やのに何もないのは可哀想、て母が言うからね」

摩耶さんはもう一輪、選《よ》り出した。羽撃《はばた》くように反《そ》りかけた花弁が雌蕊を取り巻いている。柱頭に涙に似た透明な雫が溜っているのが、だんだんと脹《ふく》らんで今にも滴《したた》りそうだ。摩耶さんは花に顔を寄せ、猫のように薄い舌の先でそれを吸いとった。花に口づける人を私は初めて見た。唐突で、美しく、異教的な行為だった。なめらかな接《つ》ぎ目のない動きは少しも音をたてない。水の中でそよぐ草の葉のように。

帰宅したその足ですぐここへ来たのか、摩耶さんは制服のままだった。色も型も鶴島学院と同じで校章だけが違う。それまで何となく最上級生のように思っていたのだが、襟章を見て二年生とわかった。受験まであと一年――お寺の息子は、高野山とか龍谷とか仏教系の大学へ進む運命らしいが、この人の場合はお母さんが宗教教育に失敗したせいで、必ずしも袈裟《けさ》を着る必要はないのかもしれない。百合の方へうつむいた時にさらりと瞼に触れた、天宮くんによく似てすべらかに絹めく髪も、安泰であるわけだ。それを思うとなぜかほっとした。

従弟《いとこ》が亡くなったことを聞いて、摩耶さんは泣いただろうか？　ちょっと想像がつかない。お寺の墓地で迷わず成仏中の人たちをば俗衆扱いしたというが、葬式や埋葬は、確かに、人間を等《ひと》しなみに規格化してしまう儀礼だ。愛する者の死をそんな場で嘆くことは、しなかったに違いない。それに、ひょっとすると、悲嘆にくれる理由もないのかもしれなかった。（私が天宮くんなら、きっとどこへも行かずに、いつまでもこの庭に住んでいる。たとえ天使が総出で迎えに来ても。）

花から顔を上げた摩耶さんは、心持ち温《ぬる》んだ眼差しを私に向けて、誰かと喧嘩でもしたのかと尋ねた。

「どうしてわかったんですか？　テレパスみたいだ！」

「生きてる奴とうまくいってない時は死人に会いたくなる。友達と？」

「ええ」

「『ごめん』て言えば？」

「それが、難しいんです。原因はつまらないことなんだけど——時間がたってしまって」

「先輩?」

「——はい」

「じゃ、やっぱり君が謝り。上級生は謝るの苦手やから」

私を案内してきた後、一度家の方へ引き返したお母さんが、また戻ってきた。陽の当たる低地を渡ってこちらへ歩いてきながら、

「お墓、どう思います?」

と、私の顔を仰いだ。

「紫苑はここで満足してると、あなたも思いますか?」

私はちらりと隣を窺った。摩耶さんは残りの百合の花を活けていた。墓碑の両側に、同じ石で作った細口の花入れがある。余分な葉を取って嵩張《かさば》らないようにしてからでないと、全部は入らない。摩耶さんが茎の根元の葉を鋏で丁寧に削《そ》いで一本ずつ花瓶に差す、その様子を見ながら、はい、そう思います、と言った私の気持ちに偽りはなかった。お母さんは半ば諦めたような、半ばほっとしたような、ほろ苦い微笑を洩らした。

「春はとってもきれいなとこなんです。この周り全部、桜の木やから」

「満開の時は息がつまりそうになる。でも、咲いたら、幽霊が見にくるかもしれない」

摩耶さんは最後の一輪を私の顔前に寄せて、花蔭で囁いた。また変なこと言うて、と、お母さんは両眼を鈴のように張って息子を睨んだ。

「シオンは天国にも極楽浄土にも行けないから、幽霊になってても不思議やないでしょう?」

この一言は更にお母さんの顰蹙を買い、口が「へ」の字に結ばれた。

「そういうナンセンスを言う人にはお昼食《ひる》は抜きで当然やけど。今日はお客様が来てはるから赦してあげます。いつでも食べられるようにしてあるから、どうぞお上がりなさい」

お母さんは私に会釈をして、立ち去った。檀家に用事があるということだった。強行軍の後なので昼食の誘いはありがたかった。食事中、摩耶さんは米やパンや生野菜にはいっさい手をつけず、冷肉と果物を少々つつくだけという偏食ぶりが目立った。空腹が治まるにつれ気分も寛いで、私は来た時よりはいくらか打ち解けてものが言えるようになった。もう一度庭へ出て桜の谷へ向かう道々、話題は自然に故人のことに戻った。私は天宮くんから手紙を貰ったことを話した。私と一緒にいた間に素直な気持ちに戻れたような気がする、と書いてくれたこと、そうして私の方でも、不思議に同じ気持ちであったことを。

「優しい子やったからね」

摩耶さんは、しんみりと、滲《にじ》むように微笑《わら》った。

「優しい、きれいな子。好きなのか憎んでるのか、わからなかった——死んでしまうまでは」

円《まど》かな草地に下りる前に、摩耶さんは一瞬立ち止まり、西に傾いた太陽の直射を片手で遮った。一葉《いちよう》の銀のような掌を茜《あかね》に透いて筋交《すじか》いに洩れてくる光が、改めて秋の午後の短かさを知らせた。

「最後に会ったのはいつですか?」

「千葉からの帰り、僕が怪我してたから、家まで一緒についてきてくれた。久しぶりやったし、母が大騒ぎして。三、四日泊まっていったかな。それが最後」

天宮くんが京都へ帰る前の晩にちょっと不思議なことが起こった。夢なのか現実なのか未だにわからないそうだ。月の光が明るすぎて摩耶さんは眠れなかった。カーテンを引こうとして窓際へ行くと、誰か庭に出ている。木の間隠れに、小さな白い姿が地面に映る自分の影法師と戯れているのがちらちら見えた。シオン?と声に出して呼んだわけではないのに、少年は軽やかな足取りで、木々の疎《まば》らな、月光が蒼い波のように打ち寄せる空地へ駈け出し、従兄の顔を見上げてにっこりした。静かに、という合図をしながらバルコニーの下へ来て、散歩をしようと誘う。誘われるままに摩耶さんは庭へ下りていった。

「僕の部屋は二階で、腕はまだ吊ってるし足は捻挫してるのに、どうやって下へ降りてあっという間に池まで来られたのか――ああ、池ていうのは、この谷のこと。元は池でね。いつだったか母が、睡蓮《すいれん》は陰気やて言いだして、水抜いて芝生にして、菫や桜草を植えた。で、その夜、僕ら二人で、ここに来て座った。あの辺の、草の一番繁ってる所に。もう虫が鳴いてたな。シオンはしばらくなんにも言わなかった。黙ってこう、僕に凭れてるだけ。そして急に、『蒼薇《そうび》、噛んで』って」

「え……！」

「『噛んで。僕の指――そんなんじゃだめ、もっと強く』ってね、瞬《またた》きもしないでこっち見て頼むんだ。痕《あと》がつくからって言っても、きかない。それで僕は、もう少ししっかり指をくわえて、だんだん力を入れて、噛んだ。恐ろしかったよ。あの軟《やわ》らかい骨が、いつ砕けるかと思って」

私は思わず両手を握りしめた。切り込むような熱い痛みを、自分の指に感じたような気がした。

「シオンはいつの間にか目をつむってた。そのうち睫毛に、露が降りるみたいに、少しずつ、ほんの少しずつ、涙が溜って――それ見てたら、僕はなんだか、もっときつく噛んでやりたくなった。実際は、すぐ指を離したけどね。その後は覚えてない」

私たちは墓碑の前に来ていた。摩耶さんは跪《ひざまず》き、風の吹き寄せるとりどりの桜落葉を懶《ものう》く払いのけた。しめやかに木立がざわめく。知らぬ間に日が翳《かげ》っていた。

「母は怒るけど――僕はほんとに、シオンを天国へもどこへもやりたくない。今でも毎日思う。もう一度見たい、声が聞きたい、話したい……」

ほっそりと寂しげな手が、アラバスターの手に重なった。

「もう一度、抱きたい――」

突然、耳をつんざく叫声と荒々しい羽音が起こり、金茶や朱黒《しゅこく》の斑《まだら》を染めた葉が雨のように降り注いできた。ひどく大きな鳥影が頭上をかすめるのを見て、私は総毛立つ思いで摩耶さんの方へ身を寄せた。ここにも妬み深い氏神様が棲息しているらしい。摩耶さんは木簇《こむら》をちらと振り仰ぎ、あれはただの＊＊だと言って笑った。（何か聞いたことのない鳥の名を言われたのだが、忘れてしまった。）

「なんて顔！　そんなに恐かった？」

「氏神様が――」

「氏神様？」

「あ、いえ、何でもありません。ちょっと驚いて」

私は膝を伸ばして、穂先の飴色《あめいろ》に透き徹る枯草を払い落とした。草葉に露が宿り始めている。もう帰る時刻だ。鳥は塒《ねぐら》へ、子供は家へ――梢のさやぎにせき立てられるように、私も無性に帰りたいと思った。香り高い室咲きの花に護られた碑は、私のあずかり知らぬ不壊《ふえ》の祝福に白く聖別された場所のように見えた。こうして故郷《ふるさと》に還《かえ》る魂もあるのだ。

「僕、いつか、君をシオンと間違えたことがある」

私に続いて立ち上がった摩耶さんが、ひっそり呟いた。

「薄暗い所で後ろから見たから。きっとびっくりさせたね」

見上げると、月を映す水のような視線に出会った。季節が変わるように、摩耶さんにもどこかしら密かな変化があった。私の喉の凹《くぼ》みに、花の滴《しずく》のような徴《しるし》を置いた人——深い紫の瞳《め》をして艶《あで》やかな魔性を演じた黒衣の人は、もういなかった。馬術部のクラブハウスで、いきなり手首をとらえた苛酷な力を、私は思い出そうとした。けれども、解き放された記憶の涯《みぎわ》から、甘美な夢の波紋のように重なりつつ寄せてくるのは、薄紅《うすあか》らんだ繊細な唇がふと指をかすめた時の、身の震えばかりだった。あの時、石のような、夜のような、無言の威嚇をこめて凝視《みつ》めた双眸《ひとみ》に、今はただ、秋めいた憂寂《ゆうじゃく》が遠々《とおどお》と澄んでいる。透ける頬に蒼ざめた森の色を映して、影さえも儚《はかな》い、こんなに嫋《たおや》かな姿で、いっそう冷えまさる孤独の日々を迎えるのだろうか——

また一刻、秋は深まり、私たちは近づいた。夕闇を点《とも》すように白く淡く浮かび上がる面輪《おもわ》に、私はもう一人の少年——夏果ての天《そら》から堕《お》ちた少年を思った。心の一揺らぎで零《こぼ》れてしまいそうな甘い哀しみを片笑《かたえ》みのように含んで、彼もまた深く、杳《はる》けく、私を眺めたことがあった。

摩耶さんは、花がうなだれるように、ためらいがちにこちらへうつむいた。一条《ひとすじ》の月明かりに似た接吻が、軽く冷ややかに、ときめきも残さずに通り過ぎた。心の奥に青い翳《かげ》りを落とす諸々の感情の中には、このようにしてしか伝えあえない青色がある。熱《ほて》りのない精緻な皮膚の感触は、私を果てしなく透明にした。それは恰も、紫苑が誰かの触れ得《う》る肉体を借りて、別れの仕草を見せたかのようだった。あるいは、摩耶さんに今一度触れたい彼の念《おも》いが、私を束の間の媒体にしたのかもしれない。

帰りには丘の麓まで送ってもらった。参道の方ではなく自宅の敷地内から急坂を下りてゆくと、十五分かそこらでバス通りに出る。停留所での待ち時間中、私は黙りがちであった。摩耶さんはそんな私を斜交《はすか》いに見下ろしながら、どこからかペンライトを取り出して点灯した。

「またおいでね——と言いたいとこやけど、やめとく」

「来ちゃだめなんですか？」

摩耶さんは答えずに、ライトを近づけて時刻表を調べ、あと二、三分で来ると言った。

「ここ僕が降りた停留所じゃないな。〈A浜入り口〉って所だったから」

「一つ早すぎたね。今度来る時は——」

突然明かりが消え、私は抱擁された。水の底から響いてくるような、もの柔らかな忍び笑いの音《ね》が、宵闇に気疎《けうと》い、緩い渦を描いた。

「今度来たら、帰さない。墓参りは僕の留守の日にして」

バスに乗り込んで身の安全を確保してから、私は心の中で幽霊に向かって訴えた。

（摩耶さんてやっぱり不良だよ、シオン！）

七五　決闘《はたしあひ》

月曜日の朝、いつも通りに登校してみると、学院内は騒然としていた。ところが、何故に騒然としているのかと尋ねられて、はっきりした理由を述べることのできる者が一人もいない。原因不明のまままただ騒然としている。正確且つ迅速な報道で定評のある新聞委員、津々浦くんですら、「とにかく大変なことが起こったらしい」と繰返すばかり。これまで〈学院ウィークリー〉の第一面を飾った記事を思い出してみれば、「大変なこと」とは、シュヴァイツァー先生の熱帯魚の急死から校長先生のディスコ訪問に至る様々な由々しい事態を総括するはずである。午後になって、もう少し詳しい情報が入ってきた。

「三年生の喧嘩じゃと」

と報じる津々浦くんの声は暗い。

「相手が悪い。工大付属じゃ。昨日、丼高原《どんぶりこうげん》で。カタワになった奴もおるらしいで」

「何も文化祭の直前にやらんでも——学院祭に殴り込んでこられたらどうするんじゃ！」

青木くんが憤慨した。聞くところによると、鶴島学院の三年生と鶴島工業大学付属高校の三年生との間には、キャピュレット家とモンタギュー家のそれに優るとも劣らぬ確執が存在するのだという。恨みの発端などもう誰も覚えてはいない。人間とはひたすら無条件に憎み合うことのできるしがない生物なのである。流血の大惨事を未然に防ぐべく両校のPTAは厳しく監視の目を光らせている。が、父兄や教師の中に各校のOBが相当数いるために、全面的な友好条約を結ぶには至らない。三年の中でも特に血の気の多い面々が、ある日突然どこそこに集合して、年に一度のペースで乱闘騒ぎが持ち上がる。これはしかし、エネルギーの捌け口を求めての止むに止まれぬ青春の愚行であると、わかったようなわからぬような解釈がなされて、毎年マスコミに注目される前にもみ消されてしまうのが慣わしであった。

青木くんは授業の後も、私と連れ立って寮の方へ帰りながら、まだ殴り込みの事を心配しており、

「いっぺんほんまにあった話なんで。鍋島さんが中Ⅱの時に。World Foods《ワールドフーズ》の屋台も何もグチャグチャで、ズンドーはめげるしアップルパイは飛ぶし、大混乱じゃったいうて……」

と、引き続き気をもんでいた。

中庭で別れてルカ寮の自室へ戻ると、机の上に太刀掛さんの字でメモが置いてあった。

《他に用事がなければ五時にブラバンの部室へ来てくれとのことです。》

ブラバンなら藤井さんからの呼び出しに違いない。早く何か用事を作らなくては。時計の針は既に四時五十分を指している。遅れると迎えに来られかねないので、私は焦った。洗濯は土曜日にしてしまったし、今日はコートが整備中でテニスはできないし——その時、廊下をこちらへ近づいてくる跫音《あしおと》を聞きつけて、私は咄嗟《とっさ》に空《から》の洗濯物袋に洗ったばかりのハンカチやタオル、枕カバーの類を突っ込んだ。ドアが開く前に、わざと外に聞こえるように、洗濯機があいてるといいけどなあ、などと大きな声で言ったのだが、入ってきたのは太刀掛さんだった。メモを見たかと訊かれる。

「はい。でも、僕、これから洗濯が——」

「おう、俺も洗うもんがあるんじゃ。一緒に洗うとってやるけえ、早よう行ってきんちゃい」

「……」

「そう申し訳なさそうな顔をせんでもええ！　どうせついでじゃ。一回ですんだら節電にもなるし」

太刀掛さんは私の手から袋を取りあげて気のいい笑顔を見せた。私は心も重くブラバンの部室へ向かった。

新川さんと他数名の部員が楽器のチューニングをしていた。意外なことだが藤井さんはいない。私が入ってきたのを見て、なぜか新川さんの顔に安堵の色が萌《きざ》した。

「急に呼び出してごめん。ちょっと頼みがあるんじゃ。君、ピアノ、じょうずなんじゃろう？」

「じょうずじゃありませんけど、簡単な曲なら弾けます」

「これぐらいじゃったらどう？」

渡された楽譜はプーランクのクラリネット・ソナタだった。ピアノのパートはそう難しくない。初見でも何とか弾けそうである。

「ええ、まあ、大丈夫だと思います」

「じゃったら学院祭のコンサートで弾いてくれんかのう？」

学院祭は来週である。こんなにぎりぎりまでピアニストを探していたはずもないから、何か不慮の事故でもあったのだろうか？　私の怪訝な表情を見て、新川さんはもっと説明が必要であると感じたらしい。

「ピアノの奴が都合でクラリネットに回ることになったんじゃ。部長が出演不可能になっちゃってのう」

「藤井さんが？」

「うん。ほいで、部長の次にうまい奴いうたら、いつもはピアノの幌贔《ほろびっ》しかおらんのんよ」

「幌贔さんの代役ですか？　自信ないなあ」

「そこを何とか」

「ピアノだったらもっとうまい人が——そうだ、幽霊部員の野瀬さんがいるじゃないですか！　吹奏楽コンテストの時、編曲を手伝ったと聞いてます。野瀬さんは僕よりずっとじょうずですよ」

新川さんは悲しそうに首を横に振った。

「あの人も出演不可能じゃ」

遅まきながら、ここで初めて不吉な胸騒ぎを覚えた。

「どういうことですか？　二人ともまさか同じ理由で——」

「そのまさかなんじゃ」

井高原の戦いは卒業アルバムの年表にも記されている。血で血を洗う凄絶な争いだったという。しかし野瀬さんが、如何なる形にしろ巻き込まれていようとは、新川さんに聞くまで私には知る由もなかった。私は野瀬さんは非暴力主義者であると信じて疑わなかった。腕っぷしの強弱ではなくイデオロギーの問題だ。武力解決は解決にならない。それは誰もが知っている。とは言うものの、現実には、国連だっていざとなると軍隊を出動させなければ収まりがつかないのだ。理性と本能の間の振子である野瀬さんが本能の方へ大きくスイングした時にどんな行動を取るのか、私にもまだ全部はわかっていなかった。

わかっている部分もある。だがその、わかっているごく一部に関して言えば、遊戯《ゲーム》めいた軽快さと灼熱の真摯さが危うげに混淆《こんこう》する上昇気流の中で、国連軍を待つまでもなく私を速やかに武装解除させるのは、力よりもむしろ優しさなのだ。遠い空に見る飛行機のように、燦然と輝く一点にまで凝縮した意識が、虹色のスパイラルの軌跡を残してこの優しさの海へ墜落する時の幸福感は格別である……などと浸っている場合ではない。

「重傷だったんですか？　野瀬さん——と、藤井さんと、それに、あの、他の人たちも——」

「僕も今朝聞いたばっかりじゃけぇようは知らんのんよね。藤井さんは、まあ二週間は登校できんらしい。ⅢDの級長さんが知らせてくれちゃったんじゃ」

「そうですか……」

「こっちの方、助っ人にきてくれる？」

新川さんは今一度スコアを指して尋ねた。

「学院祭までは僕ら毎日四時半から練習しょうるけえ、合わせるのはいつでもええよ」

私は譜面を預かって、できるだけのことはすると約束した。新川さんは喜んで、明日早速音楽のW先生にピアノ練習室の鍵を借りておく、と言った。学院には三つの楽器練習室があり、各室にアップライトのピアノが備えつけてある。壁は完全防音で窓が一つもなく、換気ファンをいくら回しても空気が澱《よど》む。ドアをぴったり閉めて電灯を消すと中は真の闇になる。昼休みに立てこもって怪談などをするにはよい場所であった。

放課からだいぶ時間がたっていたのであまり期待せずにⅢＤの教室へ行くと、上月さんはまだ残って掃除の監督をしていた。これは通常美化委員の仕事である。監督するだけでは模範が示せない、というので時々ガラス拭きなどを実演して見せることになっている。この日の模範演技は黒板消しはたきであったらしい。上月さんは三角巾の覆面をつけ、頭は白や赤のチョークの粉にまみれてコクリューシ王子の鬘《かつら》のようになって、はたいた黒板消しを黒板に戻しているところだった。片目に青黒くかぶさっている痣《あざ》がまだよく治っていない。どうしてだかシロバナタンポポを連想させる顔に、不似合いな凄みが加わり、駅馬車強盗に連座させられたボーイスカウトのはみ出し者のようだ。窓から覗いた私が軽く一礼すると、覆面をつけたまま戸口までやってきた。

「野瀬のことだろう？」

声をひそめて尋ねられる。はい、と答える私もなぜか Sotto Voce《ソット ヴォーチェ》……

「もうすぐ終わるから待ってて。そうだな、チャペルの前あたりで。十分たったら行くよ」

陰謀の画策めいたこの雰囲気は隠密裡《おんみつり》の行動を要求するように思われ、そうしろと言われたわけでもないのに物陰に潜んで息を殺したり、前方から来る人の気配を察して迂回したりしながらチャペルへ向かった。それで上月さんの方が先に到着していた。私たちは〈お祈りの部屋〉へ入って依然低声《ひくごえ》で話をした。

上月さんに聞いて初めて知ったのだが、当時鶴島には二つの乗馬クラブがあった。野馬《のうま》高原のノバ・ライディング・クラブと井高原のグリーン・クラブ。どちらも所在地はS郡の山奥である。グリーン・クラブの方は鶴島工大馬術部の馬場にも近い。付属高校の生徒はたいてい、各種レジャー設備も整っているグリーン・クラブで練習をして、大学から先輩が指導に出向いてくる。この近所にはまた、藤井御代輝さんの自宅があった。今は昔、櫟林で未決に終わった戦い（?）の白黒をつけたいという数ヶ月越しの執念に、体育祭でコケにされた怨みが加わり、藤井さんは遂に野瀬さんに果たし状をつきつけた。野瀬さんはただ肩をすくめて「いいよ」と言ったそうである！

「相手のしつこさを熟知していたからだと思うけど。藤井は本当に融通のきかない奴なんだ。断っても断っても承諾を迫ってくるから、最後にはみんな根負けしてしまうんだよ。野瀬もこんなことはさっさと片づけて受験勉強に専念したかったんだろう。だけど介添え役も連れずに決闘の場に臨むなんて、あいつも無茶なことを……」

決闘の時日は日曜日の午後四時と定められた。妙な所で細部《ディテール》にこだわる藤井さんは、武器の種類や服装、介添えの有無などを巻紙に毛筆で麗々しく指示してきた。ナイフ、リヴォルヴァー、マシンガン、半月刀、手榴弾、等々の武器名を羅列した挙句に「素手」と書いて丸印で囲んであったそうだ。介添え人は二人まで宜し、とされていたが、野瀬さんの方は別に必要ないと思ったのか探すのが面倒だったのか、日曜日、Harley Davidson《ハーレー・ダヴィッドソン》のバイクを駆って一人で井高原へやってきた。手ぐすねひいて待ち構えていた藤井さんは、小癪《こしゃく》な、と唸った。早いとこ終わらせようぜ、と上着を取った野瀬さんの様子は実にクールで且《か》つ心底退屈そうであった。（目撃者談。）

「一体誰が目撃してたっていうんです？」

「介添え人の一人だよ。ⅡBの永多くんだ。藤井は寮祭以来、彼のことをえらく買っていてね。永多くんは最近野球部に入って一段と体力のあるところを証明したそうだから、万一自分の身が危くなったら加勢させようという魂胆だったのかもしれないな」

「卑怯です、そんなの！　野瀬さんはどうなるんですか、たった一人で——」

「野瀬のフットワークは神業だよ。一対一なら必ず逃げきれる。重量がある分、長びけば藤井の方が不利なんだ。でも場所が悪かった。馬場裏の外乗コースなんかでやってるものだから。藤井がまず、馬糞を踏んづけて滑って転んでしまった」

　当然の報いだ、と私は思う。

「野瀬はそこで一気に攻撃してケリをつけてもよさそうなのに、そうしなかったんだな。それどころか手を貸して助け起こそうとした、と永多くんは言ってたよ」

　その騎士的行為が益々藤井さんの癇にさわった。出された手に逆ねじをくわせて野瀬さんを地面に引き倒し、巨体に物を言わせて圧死させようとする。永多さんは幸いフェアプレイを尊ぶ人であった。ちょっとやめんさい！と笛《ホイッスル》を吹き鳴らしつつ二人を引き分けに飛び出したが、たちまち巻き込まれて三巴《みつどもえ》の大乱戦となった。今一人の介添えは動転して助けを呼びに走った。近くで人のいる所はグリーン・クラブしかない。馬場へ行って窮状を訴えた相手は事もあろうに――

「工大付属の人たちだったんですね?」

上月さんは吐息混じりに十字を切った。

「まさに踏んだり蹴ったりだよ。ちょっとでもきっかけがあれば、いや、きっかけなんかなくても、喧嘩したくてウズウズしてる連中に、わざわざ獲物の居場所を教えてやるなんて! 奴らはもちろん、大挙して現場へ押し寄せて、誰かれ構わず殴り始めた。野瀬も藤井も永多くんも、おちおち驚いている暇もない。否応なく防御に回ったけど、所詮多勢に無勢だ。工大の馬術部の先生が駈けつけた時にはみんなボロ雑巾のようになってたというよ」

戦闘の光景は想像するだに恐ろしく、忌まわしく、胸がむかついた。血と泥土と馬糞の入り混じった臭気が生々しく鼻をつくようである。そんな修羅場が展開されている刻限に、私は海辺の丘の仙境《フェーリー》のような場所で、手向《たむ》けの百合の香りに酔い、姿優しい精霊のような人と儚《はかな》い接吻などを交わして、情緒纏綿《てんめん》の一時を過ごしていたわけだ。焼けつくような後悔に苛《さいな》まれながら、私は上月さんに野瀬さんの入院先を尋ねた。他の者の安否などはもうどうでもよかった。

「全員仲良くうちに入院してる。命に別状はないから安心していいよ」

「面会謝絶――ですか？」

「そこまで重篤じゃない。今はまだ大英博物館のエジプト室から迷い出てきたような格好だけど。よかったら土曜日くらいに会いに来たら――おい、遠野くん、ハンカチ持ってないの？　ちゃんと鼻をかめよ」

七六　山葡萄《やまぶだう》

私はちゃんと鼻をかんでから野瀬さんを見舞った。上月さんの忠告《アドバイス》に従って土曜日まで待ったので、心は一応平静に戻っていたのだが、それでも何か劇的な場面が展開して急激に涙腺が緩んだ場合に備え、念のためハンカチ代わりのティッシュペーパーを一重ね持参した。

私は月曜以来、ハンカチのない暮らしをしていた。寮の物干し台にハタハタと掲げられた私の洗濯物は、全点群青《ぐんじょう》の変に褪《あ》せたような厭な鼠色を帯びていたのだ。太刀掛さんの洗濯物から移動した色素である。名を挙げればそれはshorts《ショーツ》でありbrief《ブリーフ》でありドイツ語ではUnterhose《ウンターホーゼ》となるところの所謂パンツであった。色落ちするので最初の二、三回は白い物と別洗いするようにとの注意書きに注意しなかった結果、そうなった。

漂白すればまた真っ白になると言われたが、週いっぱいクラリネット・ソナタと更にもう一曲の伴奏を頼まれて練習に余念がなく、漂白剤を買いに行く時間はなかった。タオルと枕カバーは予備があったけれど、ハンカチはあの時、手持ちを全部袋に詰め込んだから替えがない。他人のパンツのインディゴブルーを偲ばせるハンカチで手や顔を拭うのは、勇気のいる仕事だ。実行する前に私は挫折した。上月整形外科へ行く途中、または帰りに新しいハンカチを買おうと決心しながら、行きはボー然とその事を忘れて病院へ来たのである。

ポケットティッシュを買った煙草屋は病院の筋向かいにあった。煙草屋の右隣は花屋、左は青果店、喫茶店、ベーカリー、大衆食堂――病院の周辺には、どこも似たような商売が繁盛するものらしい。自動販売機の中にマールボロの箱を見て、店の人が奥へ引っ込むのを確かめてから、一つ買ってしまった。怪我人を誘惑するつもりはないが、見せたら早く治ろうという気が起こって回復を促進する効果があるかもしれない。見舞品は無論それだけではなかった。ドビュッシーとラヴェルのカセットの他に、私はもう一つ短かいテープを編集してきた。『動物の鳴き声』という二枚組のレコードから録音したのだが、これは父の形見の一つで元はイギリスで制作された物だ。野瀬さんの音楽の好みはなかなか難しく、天気によって傾向が変わったりするから、万一今日が印象派日和《びより》でなかった場合に備えて、こんな物も持ってきてみたのである。

レコードはパート〈1〉が鳥類、パート〈2〉が哺乳類の声となっていた。私が録《と》ってきたのはパート2である。アナグマやプレーリードッグやハイエナなど、この世のものとも思えぬ珍奇な声がたくさん収録されている。鳴きだす前に各動物の名前がラテン語の学名、英語の発音で紹介される。ドリトル先生を彷彿とさせる暢気《のんき》な父さんめいた声が、狼なら〝Canis Lupus《カニスルーパス》〟とゆっくり唱えると、妖しい遠吠えが始まり、目を閉じれば瞼の裏に、シベリアの荒野や中央ヨーロッパのカルパチア山脈などの光景が広がる。峨々《がが》たる岩山に糸杉の黒く険しい寡黙なシルエットが切り出したように聳《そそ》り立ち、凍てつく厳寒の満月に向かって殷々《いんいん》と尾を引く声は、一体こんな哀しいものが世にあろうかと思えるほど悲痛を窮めている。低調な日には胸が潰れそうになるが、雲一つない日本晴れが一週間も続く時とか、ディズニーランドへ行った人からドナルド・ダックと一緒に撮影した写真を見せられた後などに聴くと、癒される。

さて——誕生日に、あまり親しくない人から、花弁《はなびら》の縁だけ紅《あか》い蕾のばらを戴くことを潔しとしない私が、病気見舞というと必ず花、それも旬《しゅん》の花がいるのではないかと一瞬躊躇《ちゅうちょ》するのはどうしてであろうか？　思えばこれも一種の条件反射だ。原因を尋ねれば幼児期に遡る。

幼稚園から小学校にかけて私の受持ちとなった先生方の中には、お産や虫垂炎やその他諸々のマイナーな病気でしばらく入院する人が多かった。母と一緒に、または級友と連れ立って見舞いに行く折、誰かが決まって花を携えていた。官舎から郊外の借家へ移った時は小さな庭があり、前の住人の植えていった植物が、春先に思いがけなく芽を出したりすることもあった。中でも球根類は旺盛で、手入れもしなかった水仙やクロッカスやヒヤシンスなどが、三月四月になると魔法をかけたように次々と花開く。母は見ばえのよいのを幾輪か切って見舞用にした。適当な花がない時には、病院への途上で花屋に寄り、何か旬の物を、と、八百屋や魚屋の店先で言うのと同じ注文を出して季節の花を求めるのであった。

父と一緒に園長先生を自宅に見舞ったこともある。後に癌で亡くなられたが、訪ねて行った頃は一時退院して小康状態を保っておられた。車に乗って行けども行けども花屋に寄る気配がないので、お花いらないの？と私は老婆心から訊いてみた。父は運転しながらしばらく考えて、園長先生だからもっと実のある物を上げよう、と結論を出し、車を銀座へ回して千疋屋《せんびきや》で碧《あお》や緑の、薄く粉《こ》を吹いた葡萄《ぶどう》の房を幾つか籠に詰めてもらった。子供心にも上出来だと思ったのは、上げ底の籠になお残る隙間を、本物の葡萄の葉が埋めていたことである。見舞品を預かるのは通常私の役目となっていたのに、この時は、つまみ食いをするといけないというので葡萄の籠が助手席に座り、私は後部座席へ移動させられた。それが気に入らなくて私は道中不平満々であった。そのうちうるさくなったのだろう、父は信号待ちの間に、カナリヤの羽根のように青みがかった薄い黄色に染まりかけた葉っぱを一枚くれて、それではこれでも持っていなさい、パルナスの葡萄から摘んできたとでも思って、と言った。

父は時々このように、幼児にはわからない単語や言い回しを説明なしでひょっこり使うことがあった。「ぱるなす」とは何か、当時の私には無論わからなかったが、持たされた葉は色が綺麗で、微かに野山の香りもしたので、私は体《てい》よく煙《ケム》に巻かれた。その後長いことナスの一種のように思っていたこの名詞が実は神殿のあるギリシャの山であると知ったのは、旭日学園に入ってからのことだ。英語読みはParnassus《パーナッサス》であった。

千疋屋の思い出に導かれて足はふらふらと青果店に向かった。店の奥の棚には〈世界一〉というお化け林檎や静岡メロンと並んで岡山産のマスカット・オブ・アレキサンドリアが翡翠《ひすい》の瞳《め》であたりを睥睨《へいげい》していた。〈世界一〉は別名〈愚の骨頂〉と言われ、進物用果物籠の中央にデカい面をしてのさばっていることが多いが実は見かけ倒しである。大味で酸味がなく林檎の風上にも置けない。その日会いに行く人には典雅なパルナスの果実を捧げてみたかったけれど、これからまだハンカチと漂白剤を買ってタイプライターを修理に出さねばならぬ私には高嶺《たかね》の花。玲瓏《れいろう》と輝くつぶらな実を愛でて惜しみつつ別れを告げ、その足で用のすんだ煙草屋、用のない花屋の前を素通りした。いや、とある植物に注意を惹かれなければ、素通りするところだった。故意に花屋を避けて通ろうとしたのには理由がある。葬式や墓参りの連想とは別に、つまらぬ仲違いの元凶となった花を持ってゆくのは不吉な気がして、今度ばかりはなしですますつもりだったのだ。

その店は植木屋のサイドビジネスでもあるのか、剪花《きりばな》の他に、盆栽を交えた鉢物をたくさん扱っていた。店頭に並ぶ直径三〇センチほどの鉢にはゴムの木ばかり植えてある。ところがその傍らに、一本だけ、ゴムとは明らかに生い立ちの異なる植物が、金と緑の羅細工《うすもの》の優しい広葉や、鶸色《ひわ》の螺旋《らせん》模様に枝垂《しだ》れるなよびやかな蔓などを秋風に顫《ふる》わせて、心細げな嫩《わか》い異邦人のように佇んでいたのだ。ポマードをこれでもかと塗りつけたかの如く、艶光《つやびか》りしている強壮なゴムの葉に比べて、あまりにも繊妍《せんけん》たる風情――それはたった今私がさらばと言ったマスカットの親戚、野生《のば》えの山葡萄の木であった。価格、三百円也。

「この大きさの鉢でこの値段ですか?」

思わず店番のお婆さんに念を押すと、もうじき葉っぱが落ちますけえ、という返事だ。

「夏から今までようもってじゃった。ちっちゃいけど、ハァ、実もなっとります」

なるほど藍玉《あいだま》を綴ったような小房が葉蔭に一つ、二つ、下がっている。

「酸っぱいけぇ、ハァ、食べられんけどねぇ」

人はパンのみにて生きるに非ず。たとえ食用にはならなくても、近々落葉するにしても、私はこの可憐な葡萄の木がどうしても欲しくなった。お婆さんは、これからの時期ならこっちの方が、と、奥から乙女林檎《おとめりんご》や金橘《きんかん》の鉢植えを出してきた。それを頑強にはねつけて私は遂に望みの一樹を手に入れた。キンカンの方がええがのう、と呟きながら、お婆さんは更に値段を下げて二百円にしてくれた。

随分気をつけてそっと抱え上げたつもりだったが、葡萄の木は幾片《いくひら》かの朽葉をはらはらと落とした。しかしそれでもまだ葉っぱは充分に残っていて、重い鉢を両手で抱えて歩く私は、前方不注意になりがちだった。時折葉蔭から顔を出して軌道を修正しながら病院の門をくぐり、野瀬さんの入院している西病棟へ向かう。ベッド数は一三〇床と聞いているが、その約三分の一は常時県下の学校のスポーツ選手によって占められているそうだ。上位十種目はサッカー、バスケット、野球、バレーボール、陸上、ソフトボール、テニス、体操、ラグビー、柔道。洲々浜くんのお兄さん、波夫さんなども常連の一人だったという。物療室の前を通った時は、治療を受けるお年寄りとマッサージ師さんの長閑《のどか》な対話が聞こえ、リハビリ室の近辺では真剣な激励と深刻な苦悶の声が交互に伝わってきた。私はその日私服だったので、すれ違う看護婦さんから、詰所のベゴニヤも替えとってね、と声をかけられたりした。

目指す病室の前まで来てやっと一息ついていると、ふっと荷物が軽くなった。葡萄の木の梢ごしに、「スクラブ」と呼ばれる上っ張りを着たお医者さんだか検査技師さんだかがニコニコと見下ろしている。眼鏡をかけた四角い顔はまだ学生と言ってもいいくらいだ。ここ?と病室のドアに向かって顎をしゃくる。そうですと返事をすると、片手で鉢を抱え、空《あ》いた手で軽くノックをして中へ入った。上月さんの計らいか、野瀬さんは個室という特別待遇に与っていた。それで私はひとまずほっとした。(藤井さんと相部屋だったりしたらどうしよう、と心配していたのである。）うとうとしていたらしい野瀬さんは、若い先生が葡萄の鉢を窓際のテーブルに下ろした音で――また二、三枚落葉した――目を覚まし、瞼をこすり、ちょっと眩しそうに瞬きしながら仰向いて窓の方を見た。

「かわいい植木屋さんだよ、野瀬くん」

先生が、笑いながら、私の立っている戸口を指した。それから私にも、入りなさいと促した。

私の心はにわかに葡萄の葉のように小刻みに震え始めた。何年も会わなかったような気がした。頭にも腕にも痛々しい白い布を巻いて、顔は一回り小さく、両眼は大きくなったように見える。枕辺に行った時、自由なのは右手だけであるのがわかった。私は何か挨拶の言葉を言おうとしたのだが、喉の奥に何かの固まりが閊《つか》えているようで、一向に口がきけない。すると野瀬さんは、包帯をしてない右手を、ゆっくりとこちらへ差し伸べた。私の髪を一房、指の間にとらえ、柔らかく引っ張りながら、片方の目をちょっと窄《すぼ》めて微笑した。西方の天から落日《いりひ》の静かに流れ入る時刻であった。

七七　孤狼《ローン・ウルフ》

病院とは、たとえば公園の池の端《はた》や有名な橋の袂などよりも、仲直りをするには向いている所ではないかと思う。一般に、普段憎たらしい相手であるほど、それがしおらしくベッドに伸びている図は、こちらが五体満足である優越感と相俟って憐れをそそる。すっかり糊の落ちた似合わない浴衣など着て水枕を使っていたりするといっそう哀切である。しかし野瀬さんは浴衣なんか着ていなかった。水色のパジャマの片袖をまくり上げてクリップで止めている。そしてそちら側の腕の肘には、何とサファイアが埋め込まれているのであった。

葡萄の鉢を持ってくれたT先生の話によると、それは上腕骨小頭骨折というどちらかと言えば珍しい部位の骨折で、関節内で反転した骨片を整復した後、小頭関節面にサファイア・クサピピンという物を刺入して、それを更にAO小海綿骨用ネジ二本で補強した、ということだった。私は自分の肘関節の中にショウトウなる部分があることも知らなかったので、ただ畏まって拝聴していると、件の左腕はまた舟状骨という手の骨をも損なわれており、これはスポーツ外傷の中では比較的多い骨折であるという。（喧嘩はスポーツか？）多かろうと少なかろうと痛いことには変わりない。あれだけ殴り合ってこの程度ですんだのは幸運だとT先生は言うが、腕を二ヶ所も骨折してその上に頭を七針縫って、全治三週間以内の打撲傷と擦過傷は枚挙に暇がない、これが不運でなくて何であろう！

「術後の化膿もないし、再来週の頭ぐらいからROMを始めようか」

そんなことを言いながら部屋を出て行く前に、T先生はとぼけた様子でこちらへ振り向いた。

「ドアはどうしよう？　閉めようか、開けておこうか？」

野瀬さんは一瞬吹き出すのかと思ったが、たちまちすまし顔に戻って、病院の規則通りにして下さい、と言った。先生は再び笑いながらドアをきっちり閉めていった。秋冷の候であるから隙間風に対する用心かと思って、夕方になるともう寒いですからねというような事を私は呟いた。すると野瀬さんは薬玉《くすだま》が破裂するように笑いだした。が、傷にひびくのか、すぐに笑いやめて目を閉じ、胸の上に右手を当てて儚《はかな》い息をついた。

笑いの原因はわからなかったが、私はその時、何をされても言われても許せる気分であった。初めて気がついたのだが、野瀬さんの手首の辺は摩耶さんと同じくらいほっそりしている。長い指に摩耶さんのような、いかにも繊々《せんせん》として美術品めいたイメージがないのは、形が整っていると同時に普段は大変有能そうな感じのする手だからである。先程葡萄の鉢を抱えたT先生ですら、これほど理想的な外科医の手は持っておられなかった。だが、水色の胸元から傍《かた》えのシーツの雪野原にハタリと投げ出された片手は、対をなす手が甚だしく傷ついていると思うせいか、それこそ手折《たお》られた花か撃たれた鳥のように、独《ひと》り淋しく打ち捨てられた様子に見えた。夏の間は蜂蜜をかけたビスケットのような具合に焼けていた肌色が、褪《さ》めてきたのも致命的である。頭に斜めに包帯をかけ、瞼には青菫《あおすみれ》の色をした血管が透き見える野瀬さんは、高原のサナトリウムで、絹のリボンを結んだチョコレートの箱を携えた美しいお母さんに見舞われたり、日夜野瀬さんの病状の改善に心血を注ぐ寡黙な青年医師に、密かな愛情を抱かれたりしながら療養をする、生まれつき少しばかり病弱な少年であると言ってもおかしくなかった。そんな人物に笑われたからといって、どうして腹を立てられよう？

野瀬さんは突然ぽっかりと目を開いて、どこかその辺にカエデマンジュウがあるよと言った。

「さっき婦長さんに貰ったんだ。カワバタモナカと一緒に。僕はアンコが苦手だから、ここで食うか、持って帰るかしてくれるとありがたい」

楓饅頭《かえでまんじゅう》と川端最中《かわばたもなか》は鶴島銘菓の両雄である。就中、楓饅頭は紅葉で名高いM島の風光に因んで命名された由緒あるお菓子だ。製造元の和々堂《ニギニギ》は創業百年を誇る。老舗の作る由緒ある銘菓ではあっても饅頭であることに変わりはない。ようやくまたもとのように見つめあい、口をききあえるようになった記念すべき日、私は楓饅頭など奨められたくはなかった。何を言われてもその通りにしてあげようと思った殊勝な決意が早くもぐらつく。だが、危ないところで気を取り直し、折角ですが僕もアンコが苦手で、と、まんざら偽りでもない理由を述べて辞退した。嘘つけ、と野瀬さんは鼻で嗤《わら》った。

「寮祭の日に、奈良時代のコーナーで小豆餅《あずきもち》を食ってたのは誰だ?」

「どうしてそんなことを知ってるんです!」

「ESP」

日本料理が、ようやく客に奨めても失礼に当たらないくらいの味に到達したのは、十六世紀以降のことである。(青木くんの受け売り。)飛鳥や奈良の頃の一般料理は、砂糖などの調味料の不足もあって、味の素中毒の現代人の味覚からすればとても美味と呼べる代物ではなかった。『家庭料理の歴史展』においてはその点が充分考慮され、味つけにも工夫というか妥協の跡が顕著であったが、それでも私は、湯漬けや膾《なます》や海藻サラダを頼む気にはどうしてもなれず、仕方なく小豆餅を注文したのである。

「木原さんが聖徳太子の格好でウェイターをやっていたから、テニス部は全員行って何か注文しなきゃいけないことになってたんですよ。『胡桃《くるみ》割り人形』で猪塚《いのづか》さんと寅岳《とらたけ》さんを引き分けた後で、みんなクタクタ。一刻も早くエネルギーを補給する必要があったんです」

「僕もだ。でも、饅頭はいらない――」

孤独な右手が急にまた伸び上がり、私の顔を引き寄せた。死んだふりをしていた動物に騙された猟人《ハンター》の心境である。茫然としている暇に、キャベツ畑の紋白蝶めいたキスが、耳や鼻や頬をひらひらとかすめて唇の上に止まった。

「T先生が持ってきた、あのきれいなのは何?」

睫毛が絡み合いそうな至近距離でpianissimo《ピアニッシモ》の会話をするのは五週間ぶりである。甘口な発泡性の幸福から成るこの情緒は、時間をかけて少しずつ啜らなければ、たちまち酔っぱらってしまう。問われたのを幸い、私は窓際へ立って行って呼吸を整えた。テーブルに散らばる落葉を一枚、火照《ほて》る顔に当ててみたが、アイスノンの代用になるはずもなく、返って体温が移って朱《あか》くなったように見える葉を、野瀬さんに手渡した。

「葡萄の木です」

「君から?」

私は頷いた。礼を言われる前に値段を明かすべきだろうか?

「もうすぐ葉が落ちてしまうけど、また新芽が出ます。大きい鉢に植え替えるといいそうです」

「ありが——」

「破格の値段だったんです」

私はかぶりを振って野瀬さんを遮った。それから、もしかすると「(ありが)た迷惑」と続く可能性もあったと思い直し、いくぶん不安な気持ちでつけ足した。

「キンカンの方がよかったですか?」

それで野瀬さんはまた笑ったが、笑うたびにどこかが痛むらしかった。訊いてみると、肋骨を強く蹴られたそうである。

「折れてはいないけど、呼吸するとまだちょっと痛いんだ」

私は純粋な憐憫でいっぱいになって、自分の脇腹までキリキリと痛んでくるような気がした。

「藤井さんにやられたんですか——?」

「いや。工大付属の誰かだと思う。藤井は可哀想に、脚を折ったんだよ。谷川に転落してね」

「永多さんが介添え役だったって……」

「うん。彼は比較的軽傷ですんだんじゃないかな? 個人タクシーの運ちゃんと一緒の部屋で話がはずんでるらしい。一番先に退院できるのは永多くんだろうと上月が言ってた」

「野瀬さんはいつ治るんですか?」

「退院はわりと早くできると思う。でも完全治癒となると——ネジを取るのは来年だっていうし、当分は暴れられないな。鶴島クレインズに入団が決まってるわけじゃないからいいようなものの。ピンの方は一生入れておくことになるかも……何だか象徴的だね」

宝石《いし》の埋まった腕を撫でながら、野瀬さんは仄かに微笑《わら》う。サファイアは九月生まれの私の誕生石である。当人はそんなことは知らなかったのだが、英語の時間、英米の俗信迷信に関する話題が出た折に、民間伝承の中に残っている呪《まじな》いの文句や竜の起源、魔女の職掌、テントウ虫の吹き飛ばし方、マンドレイクの引き抜き方などに加えて、各月の宝石とそれにこめられた意味をペン先生が説明したのである。

私は自分のよりも野瀬さんの生まれ月である五月について、もっと鮮明に記憶している。石はエメラルド、言葉は『無窮』及び『過去を示し、未来を予言する』——と教えられた。うろ覚えだが、たしか『賢明』とか『徳望』とかいった、サファイアにまつわる微温的な抽象名詞に比べると、はるかに荘厳で幽玄でドラマティックはないか!と感激した。新しい惑星か法則でも発見した気になって、野瀬さんにそれを告げた時には、ああそう、と言われたきりであったが。

「誕生日がきたから、もうバイクの免許を取ってもいいんだったね?」

「ええ、取ろうと思えば。でも寮にいる間は乗っちゃいけないことになってるんです」

「もし免許を取ったら僕のをやるよ。家に置いとけばいい」

私の胸は二重の興奮に高鳴った。一つには、あの咆哮する夜の獣のような漆黒のマシンを駆って、夜明けのパリから夕日のダカールへ孤独なツーリングをする自分の姿を想像したため(車に向こうを張るハーレー・ダヴィッドソンなら決して夢ではない)、もう一つは野瀬さんが鶴島学院の制服を着るのもあと僅かなのだとにわかに実感したためであった。別れの時は迫っていた。

せいぜいあと四ヶ月——そして野瀬さんは機上の人となる。北大の理Ⅲを受けて合格し、おめでとうを言われ、三月の卒業式が終わるとすぐ飛行機でエンレイソウのパラダイスへ飛んでゆくのだ。試験の時も天候さえ許せば飛行機に違いない。青函連絡船で冬の海を見ながらしんしんと渡るタイプの受験生もいれば、ジェット機で一飛びに津軽海峡を越えるタイプもいる。野瀬さんが後者に属することにはなぜか疑問の余地がなかった。

「バイク、持っていかないんですか？　ハーレーは町中《まちなか》じゃ走りにくいけど、北海道だったら——」

「いかない。バイクだけじゃない、持ち物は全部置いていくつもりだ。着る物と本を少々。いるのはそのくらいかな。合格しても、しなくても、これから休みに帰る所は函館になるんだよ」

一旦跳ね上がった心臓が、今度は有無を言わせぬ重力の虜となった。錘《おもり》をつけて深く深く沈んでゆく心——マリアナ海溝のような絶望の中へ。

「もう鶴島へは帰らない——？」

「帰らない。でも、『来る』よ、たぶん。またいつか。僕はあちこち転々と住んできたからか、『帰る』って言葉の対象になる土地が、実は思い浮かばないんだ」

「僕も何だか同じことを考えてました。ただ、この前、亡くなった友達のお墓を訪ねていってから、少し考えが変わりましたけど……郷愁《ノスタルジー》は本籍地や転居先とはあんまり関係がないって」

「ないね」

「野瀬さんは、お母さんと暮らす方がいいんですか？」

「もう小さい子じゃないんだし、四六時中一緒にいることはないよ。だから何とかやっていけるんじゃないかと思う」

お母さんの希望なんだな、と私は了解した。野瀬さんは、ついさっき私がやっていたように、葡萄の葉を頬に押し当てて、ちょっとの間、歯痛を堪《こら》えるような顔をした。

「去年ぐらいから父と少しずつ話し合って決めたんだ。経緯《いきさつ》は――まあ、そのうち話すよ」

私は野瀬さんが疲れてきたのだろうと思い、暇を告げようとした。すると葉っぱに頬ずりをしながら孤児《みなしご》のような顔になり、もう帰るのか――と淋しそうに呟く。思わず目頭が熱くなり、鼻をかもうと、ポケットからティッシュペーパーを取り出した拍子に、マールボロの箱が一緒に転げ出た。野瀬さんの目がたちまち鷹のようになった。

「だめ！　だめです！　これは上げるために買ってきたんじゃないんです。そんな目しても、だめ！」

箱を追う私は周章狼狽の極地だ。煙草を買ったことなんか、とっくの昔に失念していたのである。

「じゃ、何のために買ってきたっていうんだ？」

「じ、自動販売機用の小銭がなくて……」

「普通はこれを買うのに小銭がいるんだけどね」

不覚だ。注意を逸らす物はもうカセットしかなかった。それも、フランス近代音楽では到底役不足である。早く例のヤツを！　誰も聞いたことのない珍しい動物の声が入っているんです、と誇大宣伝をしながら私はテープをセットした。その時、笑うと痛む肋骨のことを思い出した。A面は交尾期のアナグマの声で始まっている。世にも珍しいのは本当だが、真面目な顔で聞くことは不可能だ。B面は？　シベリアオオカミ。B面にしよう。テープを巻き戻す間、野瀬さんはふくれ面をしていたが、遥かな荒地の国で最初の一頭が哀しく吠え始めると、猫のように宙に目を凝らして耳をそばだてた。私は一瞬、早まったかなと思った。もしやこれから狼に変身するのでは？

転身《メタモルフォシス》はしかし、行われなかった。少なくとも姿は人間のまま、野瀬さんは五回繰返して狼を聴いた。あんな声を聞いていると血が騒ぐ、と言う。私の感想とは少し違うようである。

「血が騒ぐ？」

「そうさ。いかにも野性に帰れと呼んでるようじゃないか。自由で、果敢で、無駄な殺戮もなければ強いられた結合もない、食うか食われるかの生活に。おいで。もう一回キスをしようよ」

孤児《みなしご》の目には蒼い狼のメランコリーが潜む。私の舟状骨から手根骨のあたりを、血の流れを堰《せ》くほど強く握りしめて、両手が使えたら丸ごと食っちまうのに——と、野瀬さんは溜息をついた。

七八　友愛《フィリア》

狼とは非常に狡猾な動物だという。獲物に対する執着もイヌ科中抜群である。狙った物はどこまでも追跡して最後には必ず手に入れる。マールボロはまんまと奪われてしまった。自由で、果敢で、怪我が悪化しない程度に野性味のある接吻とはこんなものかしらと調節している間に、箱の周りに固く閉じていた手の守備が疎《おろそ》かになったのである。慌てて取り返そうとした時、病室の扉が叩かれ、夕食の配膳がある旨告げられて、奪回は阻《はば》まれた。お盆を運んできた看護婦さんに、あんまりお喋りをして患者さんを疲れさせてはいけませんよと言われた。それをしおに私は今度こそ本当に暇乞いをした。学院へ帰ると〈お祈りの部屋〉へ行って、看護婦さんかT先生があの箱を早く没収してくれますようにと祈った。それからまたキスをしました、とイエス様の像に向かって、ついでに懺悔《ざんげ》もした。

壁龕《へきがん》の主の御子《みこ》は、このように、生徒たちにとってのお稲荷《いなり》さんやお地蔵さんの役目も果たしておられた。中には祈りの末尾に拍手《かしわで》を打つ無礼者すらあったが、不平は一言もこぼされなかった。私は滅多にこの部屋を訪れる用事もなかったけれど、野瀬さんとのランデヴーの後などは、時折立ち寄って内容を報告することがあった。そう、懺悔よりも報告というのがぴったりだ。なぜなら、野瀬さんとの〈関係〉について、この頃の私には、自分でもどうかと思うくらい罪悪感が欠如していたからである。

『創世記』の講話の中でペン先生が、愛には三種類ありますと説いた。友愛《フィリア》、性愛《エロス》、そして神《ア》の愛《ガペー》。チャペルアワーに出席した野瀬さんは、後で私に、自分の場合フィリアとエロスはシャム双生児のようにどこかでつながっていて、無理に分けるとどっちも不具《かたわ》になるような気がする、いや、死んでしまうかも知れない、と言った。『創世記』は実は前に一度野瀬さんの批判の対象となったことがある。エマニュエル・スウェーデンボリや卒業文集や古代ギリシャの話から、風が吹けば桶屋がもうかる式に発展したのである。野瀬さんの意見によると、homosexual《ホモセクシュアル》という言葉には不必要な色づけがある。性の一致は二義的なもので、それ以前に魂の同質性が問われるべきだから、長田先生と私の父のような間柄は、homosexualより先にhomospiritual《ホモスピリチュアル》なのだという見方であった。

「大体、アダムの肋骨からエバが造られたという、あのエピソードが拙《まず》い。女性を馬鹿にした話だし、第一不自然だ。どこか別の銀河系には、男《アダム》からもう一人男《アダム》ができたという神話がきっとあるよ。聖書の記述は概ね象徴として読むべきだというのはわかる。書いたのは科学の人ではなく信仰の人だったから。でも、いくら象徴でも拙いものは拙い。僕が作者だったら、エバの起源は全く別の所に求めるね」

「どこに?」

「『人がひとりでいるのは良くない。彼のために、ふさわしい助け手を造ろう』って、神様が言うだろ? これ自体はもっともな発想だ。教会が一生懸命宣伝している、主なる神の父性的キャラクターにも合致している。ただその先が……そうだな、孤独な人を慰め、手助けするために、一人の天使が女《エバ》になるなんてどう? 指名じゃなく志願がいい。超越的な存在から、性の軛《くびき》を負ったより劣る生物、即ち人間への転身を、敢えてしましょうと申し出る。犠牲的行為だよ。美談だ。教訓的価値も少なくないと思うけど」

私は小さい頃、話を聞きながら眠るのが好きだった。話はどんな話でもよかった。語り手が私の好きな人で、何か優しい他愛ない物語を一つ、低く、低く、声をひそめて、眠くなるまで囁いてくれさえしたら、たいてい十分以内に素直に寝ついてしまう。そんな子供だったと聞く。この習慣が禍して、野瀬さんが上のような話をした時も、別に退屈していたわけではないのに、瞼が次第に重く、開けていられなくなってきた。波の音は不眠症《インソムニア》を誘うというが、窓を叩く初秋の雨には催眠効果があった。僕は乳母《ナニー》か砂男《サンドマン》か?と言いながら、野瀬さんは私の体ごしに手を伸ばしてスタンドを消そうとした。最後の努力をして瞼を無理に引き上げた時、暖かな黄金色《きんいろ》の光に塗《まみ》れた琥珀《こはく》の眼の生き物が、おやすみ、誕生日おめでとう、と言うのを聞いた。

その夜の夢の中で、私は野瀬さんのことを何か違う名前で呼んでいた。「さん」もつけずに親しく呼び捨てにして、音節は三音節であったが、確かに〈KIYOI〉という発音ではなかった。ヤードレイ石鹸と日向の匂いがする白い服の胸に顔を押し当て、何だか情けない繰り言を並べていた。(悪いことじゃないいね? 誰も傷つけてないいね? 僕がこんなに＊＊＊を好きなのは、どうしようもないことなんだ)云々。
＊＊＊は(人がひとりでいるのは良くないよ)と言って私を抱きしめる。すると素性の知れない一本の木が芝居の大道具のようにニョッキリと背後に現われ、その枝に取ってつけたような蕾がぽつぽつと出て見る間に花開き、桜吹雪の幸福が一片《ひとひら》ずつ舞い降りて二人を埋《うず》めてしまう――そういう粗筋《あらすじ》だった。そしてそれ以来、私の良心の呵責は日に日に募るどころか軽減されていったのである。妬み深い氏神様に〝Nevermore《ネヴァモア》(もうダメ)〟と戒められても、私は野瀬さんに会わずにいられないし、会えば触れずにはいられない。五週間のブランクは自分で認めていた以上に長かったらしく、またキスをしましたという報告も、実は『またできるようになりました』という行間を読み取って下さいとの希望をこめて、感謝の祈りめいたものになった。
感謝と共に、三月までにあと何回ご報告に上がれることやら――という切ない思いも否応なく湧いてきた。瀕死の犬のように物哀しい茶色の目をしたJesus《ジーザス》 Christ《クライスト》。そんなに不景気な顔をしな

いで下さい。ゲッセマネの橄欖園《オリーブ》であなたに伴《つ》いていた孤独は、蒼白い可憐な病気です。雪がその白さから治る日はないように、あなたもまた孤独から癒される見込みはなかったのです。あなただけじゃない、生きている限り、どこにいても慢性の懐郷病に悩むであろう人たちを、僕は幾人か知っています。もうじき僕もその仲間入りをするでしょう。同病相憐れんで閑静に療養してゆきたいものです、Amen《アーメン》。

私が祈り終えると同時に、後ろで誰かがドアを開けた。〈お祈りの部屋〉には鍵がかかっていたためしがなかった。迷える子羊がいつでもフラフラと入ってこられるようにとの配慮であろう。振り返ると花小路由理也くんだ。

「あ、ごめん。今から？」

「ううん。僕はもうすんだ」

銭湯へ出入りする際、すれ違いざま、こんな挨拶をすることがある。と思いながら私は十字架像の前にスペースを空けた。花小路くんは入室する前にスンと鼻をすすり上げた。見ると、いつもは仔鹿《バンビ》のような双眸《ひとみ》が、今日は白兎である。私はティッシュペーパーの残りをポケットに尋ねた。ここで、「どうしたの？」と訊くのが常套であるかも知れない。答えはさしずめ「何でもない」あるいは「ちょっと風邪をひいて」くらいだろうか？

花小路くんとは、しょっちゅう話すわりには深刻な話題に立ち入ったことがない。ハキダメのツル、というと語弊があるが、要するに、むさ苦しくなりがちな男子校の中では目立って綺麗な少年だったこともあり、最初は少し気がおけるけれども、知ってみると大変アッケラカンとした気さくな人柄である。浴衣の着付けをした母が言っていたように、品のいい細面の瞑想的な顔立ちをしているので、黙っていると、何かさぞ深遠な思索か詩想に耽っているのだろうと思われがちだが、訊いてみれば、テレビのアニメ番組の主題歌を思い出そうとしているところだったりする。一番好きな食べ物はコロッケとカッパエビセンである。外観とはアンバランスな庶民性が皆の好感を呼び、花小路くんを敵視する者はいなかった。それで、真剣に喧嘩をしているところなども、学院では一度も見たことがない。中間テストが泣くほど辛い結果に終わったとも考えられないから、これはやはり風邪をひいたのだと推量した。

「僕、校医さんに処方してもらった風邪薬を持ってるけど、服《の》む？　よく効くよ」

ティッシュを渡しながら奨めると、花小路くんはかぶりを振った。

「いらない。ありがとう。病気じゃないいんだ。友達と……絶交したんだよ」

友達というのが例の文通相手であることはすぐにわかった。花小路くんは上述の如く開放的で人づきあいもいいけれど、学院には、絶交するほど親しい友人はいないように見受けられたからである。

「もう手紙も書かない。電話もしない。同じ大学へも行かない——行きたくない」

「一体また何で？」

「女の子とつきあいだしたのさ。いや、つきあってたのは前から知ってた。でも、最近――その、関係がもう少し親密になって。その子は勉強はあまりしたくないらしくて、私立のＮ大を受けるっていうんだけど、それを聞いてあいつまでＮ大へ行くと言いだしたんだ。そりゃあＮ大なら、入るのは簡単だろうけど……」

花小路くんは私の差し出したティッシュを引ったくって激しく鼻をかんだ。

「僕らの約束はどうなるんだ？　仮にも親友だと思ってつきあってきた僕との約束を破るなんて！　裏切り者！　軟弱者！　将来尻に敷かれるのは目に見えてるぞ！」

「それ全部言ったの？」

「言ったとも！」

「そしたら？」

「しばらく黙ってた。それから、謝ったよ」

「謝った……」

「うん。『ごめん』て言った。『ごめん、でも、ほんとの友達なら、そんな約束で僕を縛ったりしないはずだ』って」

「それじゃなお悪いじゃないか」

「悪いよ。でも最悪なのはその後だ。電話を切る前にあいつ、『君もいつか恋をしたらわかるよ』と言ったんだ。バ、バカにしやがって——！」

口惜《くや》し泣きか、と私は少しだけホッとした。怒って泣いているうちはまだ余裕がある。

「だめだ！　頭冷やそうと思ってここへきたのに、またカッカしてきた。風邪薬、やっぱり貰うよ。トランキライザー代わりに」

「抗生物質とかも入ってるから、気を鎮めるだけなら、ペン先生のとこへ行って何か混ぜてもらった方がいいよ」

私も付き添ってメイプルロッジに行くと、ペン先生は心得顔に頷きながら、魔法使いのような指で乾燥葉や花の蕾を混ぜ合わせて黄色い三角袋に入れて下さった。オダイハケッコウ、というのは最近覚えて愛用しておられるフレーズの一つだ。（この他、オクサンニヨロシク、ボチボチデンナ、ビンボウヒマナシ、などがある。）藤井さんがいる間は、用心して花小路くんを自室へ訪ねることは決してないのだが、ここ当分は入院して留守なので、夕食後、安心して十号室へ行った。そしてハーブ・ティーのお相伴をした。花小路くんは一口味わってゲッソリした顔になったが、捨てはしなかった。私はそんなに厭な味だとも思わなかった。ミントとラベンダーとレモンバーム——小袋に詰めて針で穴をあけて箪笥《たんす》に入れておけば防虫剤になる、と、ペン先生が帰り際にこっそり耳打ちしたっけ。

「言っとくけど、僕はあいつのガールフレンドに対して腹を立ててるんじゃないんだ。写真を見せてくれたけど、すごくかわいい子だし、たぶん性格もいい。当然モテるんだと思う。あいつがN大へ行く理由はそれなんだよ。一緒にいたいということより何より、監視に行く気なんだ。彼女にしたって迷惑な話じゃないか！」

花小路くんのカップの中身は一向に減らない。それで気分の方もなかなか静まらない。同室の中学生と羊のようにおとなしい高二のYさんは、煮え湯のたぎる薬罐《やかん》を下げて入ってきたルームメイトの顔を一目見て恐れをなし、フォイヤーへテレビを見に行くという口実で、二人してあたふたと出ていった。私はイライラ歩き回る花小路くんとは対照的に、ベッドに腰かけてのほほんと室内を見渡した。伊集院さんからの手紙はどうしたろう、とふと思った。読んだのか、棄てたのか？　返事を書いたのかしらん？　親友と絶交したこんな時に訊くのは悪趣味だから、そのうちほとぼりが冷めるのを待って一度尋ねてみようか……

「小学校以来の友達だったんだよ！」

由理也くんがいきなり向かいのベッドに身を投げた震動で、私は我に返った。

「弁当を忘れた時は僕のを分けてやった。休んだ日はプリントを家まで届けた。ノートは無論写させてやった。あいつが居残りをさせられた時、すきっ腹を抱えて暗くなるまで待ってたこともあったし、急に雨が降ってくれれば傘に入れてやった。その恩も忘れて……」

私は由理也くんのカップの中身を貰って、ポットから新たに熱いお茶を注いでやった。反転して天井を睨んでいた由理也くんは、不承々々、二口ほど啜った。

「そうだ。思い出した。あいつは猫舌なんだ。熱い物がきてもすぐには手を出せないから、みんなでウドンなんか食いに行くといっつもビリッケツになる。僕は猫舌でもないのに、つきあいでゆっくり食うことにしてやってたんだ。あいつは途中からそれに気がついてね、悪いと思うのか、ペースを上げて食い始める。蕎麦《そば》やウドンやラーメンていうのは、一生懸命食うと鼻水が出てくるだろう？　そこでティッシュペーパーを渡すのも、いつだって僕の方だった！」

この言葉に啓発されて私は残りのティッシュを全部進呈した。由理也くんは今度はあまり音もたてずに、粛々とそれを使った。

「遠野くんも転校生だからわかってくれるんじゃないかと思うけど——新しい学校で新しい友達ができて、みんなでワイワイ騒ぐのは楽しいよ。でもそれとは別に、遠く離れた所で僕のことを考えててくれる奴がいて、そいつと同じ目的に向かって頑張ってるんだと思うと、どんな厭なことがあっても耐えられるような気がしてた。讃美歌の練習の時、〈Abide《アバイド》 With《ウィズ》 Me《ミー》〉を歌うたびに、真っ先に心に浮かんでくるのはあいつのことだったんだ。イエス様には悪いけどさ……」

蜻蛉《とんぼ》の羽根のように語尾を震わせて、由理也くんは言葉を切った。少しずつ、薬草の効き目が顕《あら》われてきたらしい。私が部屋を出る前に聞いた声は、ちょっと心配になるくらい穏やかだった。

「本当の友達だったら、やっぱり……言葉一つで束縛したりしないよね？」

七九　落葉《おちば》

弓削くんがこの頃私を避けている。と、私は感じていた。他にも人がいれば普通に喋ってくれるが、その人が座を外して、二人きりになりそうな気配を察すると、自分もプイと席を立ってどこかへ姿をくらます。私の側に何か気に障る言動があったのだろうか？　身に覚えはない。

学院祭では吹奏楽コンサートに特出した他、テニス部の開店したミルクバーにてパンケーキとスコーンを焼く係を務め、更にファッション・ショーの審査員とミュージカルの音響・照明係を兼任して多忙を極めた。ミルクバーの厨房は一度に六人の五交替制で、私も弓削くんも一番最後の班に入れられていた。店じまいをする一番損な組だ。我々は隣合ったコンロの前で揃いのエプロンをかけてフライパンを握っていた。勤務中の私語は謹めとキャプテンから言われたわけでもないのに、弓削くんは私とあまり話をしてくれなかった。この素気《そっけ》なさは、やはりただごとではない。

夕方、空腹になった人々が、何か腹ごしらえをしてから帰ろうと考え始める頃、ミルクバーは大変混雑してきた。閉店時間は四十分も延長された。後始末には更に時間がかかった。最後の皿を拭き終わった時には、天幕や屋台は全てたたまれ、寮の中庭で行われている打ち上げパーティも終焉に近づいていた。要領のいい者は知らぬ間に一人抜け、二人抜けして、気がつくと私と弓削くんだけが、律儀に皿を重ねて箱に戻していた。底の抜けそうに重い木箱を、二人でクラブハウスへ運び込んでから、着替えをしに体育館へ行った。道すがら話をする弓削くんは、まずまず普通の口調であった。

「ブラバンの方、どうだった?」

「ああ、さんざんだったよ」

「上月に聞いたけど、藤井さん、脚折ったんだってな」

「うん、左脚」

「他にも入院してるんだろ?　永多さんとか——野瀬さんも」

「うん」

「見舞いに行った?」

「この前ちょっと様子見てきた」

私は野瀬さんの肘関節がサファイヤ・ピンで止めてある話を繰返した。青木くんにも話したから、（イエス様への報告を含めれば）これでもう再々放送になるのだが、弓削くんは青木くんと違ってあまり興味を示さなかった。

「今日、キャプテンはとうとう現われなかったな。どうしたんだろ？」

欠伸《あくび》まじりに聞き手が言ったので、木原さんは永多さんの代役で舞台に出ていた、と私は教えた。

「そのせいで、ミルクバーには女の子のお客が少なかったって、若槻さんが——」

「そんなことないさ」

弓削くんの目が、きらりと諧謔《かいぎゃく》の光を放つ。

「遠野目当てに来てる子だって結構いたじゃないか。パンケーキを続けて五回頼んだ子がいたろ？　毎回わざわざキッチンまで行って注文してやがるって、ウェイターの連中がひがんでた」

パンケーキを五回お代わりした少女とは、宇治山女学院の制服を着た体重八十キロばかりの中学生である。彼女は総計十五枚のパンケーキを、約三ℓ《リットル》の牛乳及び紅茶で胃の中に流し込むという健啖家ぶりを発揮して、売上げを大いに伸ばしてくれた。学院祭の収益は全額慈善の目的に使われるから、この人の貢献だけで、どこかの施設に毛布が一枚、または百科事典が一揃い、増えたかも知れない。

「そのうちきっと手紙が来るぜ」

「よせよ」

「暑中見舞はもう手遅れだから、クリスマス・カードくらいかな。楽しみにしてろよ」

暑中見舞と聞いて、私は夏に幸《みゆき》さんから来た、ゴッホの向日葵《ひまわり》の絵葉書のことを思い出した。弓削くんにも同じ物が届いたのだろうか？　だとしたら、私は少し心が軽くなるのだけれど。

「長田幸さんて覚えてる？　〈アンダルシヤ〉のパーラーで会った、野瀬さんの従妹《いとこ》。聖母マリア学園の」

「ああ、あの。うん、何となく覚えてるよ」

「あの子から、その後何か連絡なかった？」

「連絡？　いいや、全然」

「あった」と言われたら話すまいと思っていた花束の謎を、私はつい喋ってしまった。弓削くんは、今度はわりと面白そうに聞いてくれた。

「交際する気ないの？」

「ない」

私はきっぱりと否定した。

「じゃあ結局、宇治山女学院にするしかないじゃないか」

「よせったら！　ガールフレンド作る気なんかないよ」

「どうして?」

「——面倒なんだ」

私たちは更衣室に入って電灯をつけた。螢光灯が一つ切れかけていて、今日の舞台の照明のように、ぎこちなく点滅を繰返す。弓削くんは水道の栓を捻《ひね》り、勢いよく流れ出た水でザブリと顔を洗うと、由理也がペンパルと絶交したってな、と言った。

「絶交というより失恋したような気分だ、なんて落ちこんでた。文通みたいにトロくさいことがよく続くなあって、俺いつも感心してたんだ。あいつの手紙、一通が十ページもあるんだぜ」

宇治山女学院のお返しに、私は弓削くんを少し揶揄《からか》ってやりたくなった。

「自分こそどうなんだ? 交換日記、そろそろ二冊目がいるんじゃない——」

やにわに、両肩が壁に押しつけられた。水飛沫《みずしぶき》を浴びて私は息を呑んだ。怒りか緊張か、ひどく烈しい感情のために線の強《きつ》くなった顔は、別人のように鋭い。くっきりと長い眉の下の率直な目が、恐ろしいほど一筋に私の瞳に見入る。ある理解が稲妻のように体中を貫き、駈けめぐった。わかってみれば、こんなに単純で直截なメッセージはない。ただそれは、今となっては絶対に解読してはならない暗号でもあった。藤井さんとはまた違う、弓削くんのひたむきな性格を、私はよく知っていたから。

表向き剽軽者《ひょうきんもの》で通っている弓削くんは、その裏に、嬰児《みどりご》の如く素朴で傷つきやすい魂を抱えていた。パンケーキにかけた蜂蜜に、一才未満の乳児には与えてはいけませんというような但し書きがついていたが、この種の魂にも似たような配慮が必要なのだ。

葛藤もなくパルナスの葡萄木立《ぶどうこだち》に仙遊《あそ》ぶためには、一種のエピキュリアン気質が必要である。ここでいうエピキュリアンとは、〈食い道楽〉でなく、〈エピクロス派〉という原初の語義で使う。エピクロスは古代ギリシャの人で、その哲学の最高善は、快楽の追求というより、ストレスの軽減である。快楽というとすぐに、美食や乱交パーティを期待する人があるが、エピクロスのいう〈快《ヘドネー》〉とは〈平静〉のほぼ同義語で、Aを求めんとして得られぬ時、それでもとAを欲し続けるから不快が生ずるので、Bの価値を認識してそれでよしとすれば精神は徒らに擾乱されずにすむ、といった「物は考えよう」に通じる処世的叡智がその極意である。単に妥協せよと教えているのでもない。試練に対してねじり鉢巻で突撃するだけが能ではないと示唆しているのだ。苦しみを苦しみと呼べばそれだけでもう苦しいので、いかなる逆境にあろうとも想像を逞しゅうして困難には別の名をつける。それがエピキュリアンである。

話戻って、要は本質的に快楽主義で、座右の銘が「艱難《かんなん》汝を塵《ゴミ》にす」であるくらいの開き直りがなければ、禁忌と別離が宿命的に交叉する愛の十字架の重みに耐えることはできない。摩耶さんが本能によって、野瀬さんが哲学によって、(父や私はたぶん健ボー症によって)倒錯の森への径を拓くならば、弓削くんは、払っても払っても、茨の藪が行く手に残酷な鉤の手を伸ばし続ける、不運な旅人となろう。

「ごめん、どうかしてた」

弓削くんは私の肩に両手をかけたまま、顔をそむけた。そら見ろ、もう血を流し始めてるじゃないか。

「怒らないでくれ。俺、この頃、変なんだ。時々急に――調子が狂う」

怒ってないよ、という印に、私は微かに頭を振った。

「遠野――」

「何？」

「野瀬さんが好きなの？」

私は弓削くんに対しては正直になろうと決めた。

「うん」

「どれくらい？」

さて、どれくらいだろう？　海ほどか？　空ほどか？　それとも太陽の寿命ほどか？　適切な比喩を思いつけない。どれくらいと測れないくらい、と凡庸な答えをした。

私たちは黙って着替えをすませ、更衣室を出て、櫟林の中をパウロ寮の方へ歩いた。爽やかで稀薄な日没の空気に触れると、緊張は少しずつ解《ほぐ》れていった。何か話しかける言葉を探しているうちに、次第に歩みが鈍り、私がシャーウッド櫟と名づけたあの巨木の所で、どちらからともなく足を止めた。これは主に学術的好奇心から訊くんだけれど、と沈んだ声で前置きをして、弓削くんは質問の続きを始めた。

「一緒にいる時って、どんなことしてる?」

「――いろいろ」

「キスもした?」

「よくするよ」

「他には?」

「だから……いろいろ」

ふうん、と頷きながら、弓削くんは並んで幹に凭れた。それで互いの顔は見えなくなった。

「ああいうことは、女の子とだけやるもんだと思ってた」

「僕もだよ」

「……一人でするよりいい?」

私は一生懸命笑いをこらえた。我々の学術的好奇心にはまことに際限がない。キスなんて、単独ではできないじゃないか、と言うと、

「俺、時々、木や草や、自転車にだってキスしたくなることがあるよ。ほんとにはやらないけど

さ」

「おんなじだよ。そういう気持ちの延長なんだ。人間の場合は、応えてくれるから、もっといい。でも、どうだろ？　見ようによっては、自転車だって反応してるのかも知れないね」

「少なくとも、引っぱたかれることはないよな」

この辺から、いつもの気楽な閑談調に戻れるかな、と思った矢先、弓削くんはふいにまた口を噤《つぐ》んでしまった。灯点《ひとも》し頃の青やかな沈黙が流れる。枯葉に靴先を埋めて、話もせずに大きな木に寄りかかっていることも、こんな時刻ならなぜか気づまりではなかった。

「遠野」

「え？」

「手を握ってもいい？」

「いいよ」

弓削くんは丁重に私の手を取り、すっぽりと自分の手の中に納めた。しばらくしてまた、

「遠野」

「何だい？」

「ええと……そっちの手も握ってみていい？」

今度こそ、私は失笑せざるを得なかった。

「何でいちいち訊くんだ?」

「ボーダーラインがわかんないからさ。どこまでがよくってどこからがだめなのか」

私も考えた。はっきりと一線を画しておいた方が、友愛《フィリア》は明るく燃える場合もある。

「それじゃ、ここまで」

私は弓削くんの耳の下に、小さい接吻をした。これは野瀬さんがよくしてくれるので、いつしか私もするようになったのである。(野瀬さんの場合は更に、唇に軽く耳朶をくわえてしばらく遊ぶという、次の段階に移る。甘噛みしている間はいいけれども、時々本気が入って痛い思いをさせられることがあるので、痕がつかないうちに、私はさっさと方向転換をする。)弓削くんの皮膚は熱くて清潔で、軽く焼いたお菓子と刈りたての草のような、香ばしい匂いがした。私は目を閉じてその香りを吸い込んだ。私の口のすぐ側《そば》にある、少し先とがりの妖精風の耳に、仔犬がじゃれるような具合に歯を立ててみたくてたまらなかった。が、それは既に〈Darf《ダルフ》〉の領域の彼方にある行為であったから、狼の子供めいたこの衝動は、サファイア入りの同胞にこの次会いに行く時まで、抑えておかなければならない、と思った。

弓削くんは、額を私の額にコツンとくっつけて、伏し目になった。そんなにして話をすると、時たま鼻がぶつかる。鼻を擦り合わせるのはイヌイット式「こんにちは」または「元気かい?」の表現だ。

「弓削くん」

私は自分の鼻の先で、弓削くんの鼻を軽く擦《こす》った。

「僕、弓削くん好きだよ。クラスではたぶん、一番好きだ。でも、野瀬さんは――特別なんだ」

「わかってるよ」

弓削くんは二、三度素早く瞬《まばた》きした。春の和草《にこぐさ》、それとも露置く籬《まがき》の撫子《なでしこ》、そんなもので優しく頬を払うような、儚《はかな》く切ない湿りを残して。

八〇　真白《ましろ》き嘘《うそ》

四度目に上月整形外科を訪れた時だったと思う。病院の玄関で、長田富美子《おさだとみこ》さん、幸《みゆき》さん、岩戸日見子《いわとひみこ》さんの三人連れにバッタリ遭遇した。反応は各人各様だった。富美子さんの顔はたちまち笑みくずれ、幸さんはぱっちりした目を益々丸くして、岩戸さんは赤カブのフェアリーのように見る見る色づいてきた。富美子さんは、すっかり葉の落ちた葡萄の木の鉢を抱えていた。植え替えのため家に持ち帰るところだそうだ。珍しい綺麗な物を下さってありがとう、と礼を言われ

た。岩戸さんの顔が気の毒なほどの赤紫に茹だり上がった頃、幸さんがちょっと怒ったように頬をふくらませて、

「ママ、日見子と先に帰って。あたし、バスで帰る」

と言った。富美子さんは驚いたようだった。が、仏頂面と紙一重の顔で私を眺めている幸さんと、そんな視線にどう対処していいかわからずに困っている私を交互に見て、手を引こうと決めたらしい。もう一度にこやかに笑い納めをして、岩戸さんと共に駐車場の方へ去った。

二人の姿が消えると、幸さんは何かただならぬ様子で、どこか話のできる所へ行こうと言った。今までの経験から言えば、話があると言われてろくな話であったためしがない。私は臆病風に吹かれた。

「話なら、ここでも……」

と周囲を見回したが、休日の玄関付近には見舞い客の往来が激しい。こんなとこで立ち話なんかできんわいね、と幸さんが言うのも道理であった。

「静かな部屋がええんよね。探したらどっかあるじゃろう。行こ！」

幸さんは先に立ってずんずん歩いて行く。私は仕方なしに後を追った。ここもだめ、あそこもだめ、と勝手に開けた部屋の中を次々に覗いていって、ようやく落ち着いた先は水治療室だった。ここでパラフィン浴なんかしょうるんじゃねえなどと言いながら、幸さんはしばらく室内を歩き

回り、私の方は、いつそのパラフィン浴をしに人が入って来るかとハラハラしていた。やがて幸さんは、いきなりくるりと振り向いた。見ると手にホースを持っている。そこから浴槽の一つに水を張りだしたので、私のハラハラはオロオロになった。

「遊んじゃいけないと思うんだけど——」

「遊びじゃない、科学的探求よね。このスイッチ、何かな？」

途端に水が渦を巻き始めた。あ、渦流浴《かりゅうよく》じゃ、と幸さんは嬉しそうだが、こちらは気が気ではない。

「あの、はな、話って、何ですか？」

幸さんはホースを握ったまま、上目づかいにジロリと私を睨んだ。

「そのハナのことよね。誕生日に日見子から受け取った花、どうしちゃったん？」

察しはついていたものの、私は返事に窮した。こういう時は反対尋問で逃げるに限る。

「あれは——本当に——僕に貰った花——だったんですか？」

断固たる肯定。

「誰から——君から？」

断固たる否定。

「それじゃ、岩戸さんが言ったことは……」

「真っ白な嘘」

「まっしろ？」

「悪意でついたんじゃない嘘をそう言うんじゃと」

「悪意でも善意でも、嘘をつかれたら混乱します」

「賛成。じゃあ正直に言うてね。洌《きよい》ちゃんとはどういう関係？」

私は再度詰まった。今度は逃げ切れるかどうか？

「友人です。少なくとも僕は——そのつもりです」

「あっちがそのつもりじゃなかったら？」

「……仕方ありません」

幸さんはゴボゴボ泡を立てている水を凝視した。水裁判のことでも考えていかねない顔だ。頭を水中に突っ込まれる前に、私も言いたいことを言っておこう。

「岩戸さんは、なぜあんな嘘をついたんですか？　僕は——今考えると馬鹿なことをしたと思うけど——野瀬さんにあの花束を預けて、返してもらおうとしてたんですよ」

「洌ちゃんに？」

「ええ。でも断られた。幸さんが傷つくの、見たくないって。つまり、本当に君からのプレゼントだったとしたら、きっと傷つくだろうって——」

幸さんの頬に血が上った。小さな口が薄紅い一本の糸になるくらい、唇をきゅっと噛みしめて、また水面を睨んでいる。怒っているようでもあり——あるいは吹き出すまいとして必死な様子にもとれる。

「最初は日見子のアイデアじゃったんよね……」

片手を水に漬けてちゃぷちゃぷ遊ばせながら、幸さんは小声で言った。

「身内が完全にソドマイト化してしまう前に、あんたが何とかせにゃあ、と言われて——」

「ソドマイト?」

ダイナマイトやアンモナイトと快く韻を踏むこの単語は、私には耳新しかった。

「聖書にソドムとゴモラのお話があるじゃろう? Sodomite《ソドムびと》——要するに男色者のことよね」

「野瀬さんは違います!」

「とぼけんちゃんな。あいつがゲイでないとでも?」

「〝Gay《ゲイ》〟といったら、ど、同性愛一筋の人のことでしょう? 野瀬さんは、違います。か、偏《かたよ》らず、心を広く、をモットーに……」

「そのモットーが祟って、今にオスカー・ワイルドのように監獄へ入れられることになったら、どうしてくれるんね?」

「そんな法律、日本にはないですよ」

「そのうちできんとも限らんじゃろう?」

野瀬さんは実は外面《そとづら》がいい、と幸さんは言った。すましている時は、ちょっと近寄りがたい雰囲気がないとも言えないし、すましてない時は何ともとらえどころのない人なので、上月燁さんのように千客万来のモテ方ではないけれど、聖母マリア学園のインテリ層の間では、なかなか受けがいいのだそうだ。(たとえば生徒会長の何々さん、弦楽部のコンサート・ミストレスの誰それさん、弁論大会で一位になった某さん——と、幸さんは幾つか具体例を挙げた。)幸さんは時々、野瀬さん宛の手紙の配達を頼まれる。頼まれると、一応間違いなく渡すけれども、返事を託《ことづか》ったことはない。「お手紙はありがたく拝見しましたが、僕にはもう心に決めた人があります、悪しからず」というメッセージのみ、毎回差出人に伝えることになっている。「心に決めた人」とは誰か? その正体がいつまでたっても不明なので、さては口実かな、と幸さんが思っていると、時折どこかの外国人の女性から、きれいな声で電話がかかってくるようである。幸さんの知らない言葉で会話しているため、内容はわからない。が、野瀬さんは、普段よりずっと優しい丁寧な口調で応対しているので、一度好奇心から、ガールフレンドなのかと訊いてみた。野瀬さんは、まあね、とか何とか曖昧な事を言って逃げてしまった。ところが、今年の夏休みに入って間もなく、重大発表があった。あの電話の主は野瀬さんの実のお母さんだったのである!(私は精一杯驚いたふりをしたが、我ながら何て大根なのだろうと思った。)

「――そして父親はあたしのパパ。つまり洌ちゃんは、あたしの従兄じゃなく、お兄さん。それを早速親友の日見子に打ち明けたら、日見子がもう、キャアキャア言うちゃってねぇ」

「キャアキャア――？」

「スキャンダルに飢えとるもんじゃけぇ」

「……」

「パパとママがあたしに真実を語ったのは、思春期にある一人娘のあたしが、一つ屋根の下で暮らす実の兄に恋心を抱いて、スキャンダルが倍増したらいけんと思うたからに違いない、と主張するんよね」

「恋心を――抱いてたんですか？」

幸さんの口が完璧な〈O《オー》〉の字を描いた。

「抱いとったら、もっと本格的に、君との仲を邪魔しとるわいね」

スキャンダルの好きな岩戸さんの想像力は、一旦霊感を受けると際限なく拡がってゆき、電話の女性がお母さんだったのなら、「心に決めた人」はまた別にいるに違いない、と言い出した。岩戸さんも野瀬さんに憧れている人たちの一人なのかと訊いてみると、そういうわけでもない、ただただ面食いで想像力過多なばかりに、ある年の学院祭で、野瀬さんが、岩戸さんのお気に入りのロックスターのヒットナンバーを一つ歌ったというだけで、イメージがダブりにダブって、以来芸能雑誌のゴシップ欄を読む乗りで、野瀬さんの動静に関心があるのだという。（デヴィッド・ボウイだろうか?と、私は一瞬、真剣に考えた。）

「日見子は大体、思い込みが激しいんよね。顔なんか、断然あっちの方がハンサムじゃのに。でね、そのロックスターが、やっぱりゲイなんじゃと。それでまたキャアキャア言いだして、止まらんの」

初めは冗談半分に聞いていた幸さんだが、そのうち段々心配になってきた。ロックスターならいざ知らず、野瀬さんは一応、国立大学の医学部を目指す堅気の受験生である。出生の段階で、既に他の者より多少倫理的ハンデを負った生まれ方をしているのだから、この先順調に社会生活を営んでゆく上で、スキャンダルは増やさぬにこしたことはない。我が国における同性愛は、幸い罰金の対象にもならないけれど、多くの人はやはり白い目で見る。後ろ指をさす。村八分にする。血を分けた兄さんがそんな憂き目をみると思うと、やはり、辛い。何かそれらしい心当たりはないかと岩戸さんから訊かれるたびに、なぜか〈アンダルシヤ〉で会った二人の学院生の顔が浮かんだ。キャアキャア言わずに、野瀬さんの軌道修正に協力してほしいと頼むと、岩戸さんは、いくら心に決めても一方通行ならどうしようもないから、とりあえず相手の注意を野瀬さんから他の人へ逸らせばよい、と提案した。

「それで暑中見舞をくれたんですか?」

私は腹の底から呆れたが、幸さんは大真面目な顔で頷いた。

「洌ちゃんの注意を他へ逸らすよりは、易しいかなあと思うて」

「弓削くんにはどうして出さなかったの？」

「迷うたんじゃけどねえ……あの人は何となく、主体性もあってマトモそうに見えたの」

心外だ。私だって、相手次第では、交換日記くらいちゃんとつけて見せるのに。とは言え、所謂〈女の勘〉なるものに対して、脱帽せざるを得なかった。彼女らは一体どんなアンテナを駆使して、マトモとマトモでないものを判別するのだろう？　まぐれ当たりにしても大したものだ。

「お花は日見子の思いつき。あたしが君の誕生日のことを喋ったもんじゃけえ、大枚二千円カンパして独断で実行してくれちゃったんよ。裏目に出たけどね。混乱させたんは悪かったと思う。ごめんなさい」

幸さんはカイツブリのようにぴょこりと頭を下げた。謝られると、バツが悪いのは私の方だ。

「そんな高価な物とは知らなかった。僕、何だかムシャクシャしてたもので、あれダンディに進呈して、寮へ帰ってしまったんです。すみません」

私は川の堤での出来事を幸さんに話した。心理描写一切抜きの社会派調で物語ったため、新聞の三面記事の朗読のような趣になった。どうせなら徹底しようと思って、正確な日時もつけ加えた。

「あ、その日！　その日の夜じゃった。あたし洌ちゃんに、急に訊かれたの。遠野くんに暑中見舞出したのかって。『出した』言うたら、『返事来た？』ってまた訊くけえ、『来た来た、スゴいのが！』……」

「ちょ、ちょっと待って下さい！　『スゴいの』ってどういうこと？　僕は普通のことしか書かなかったよ。台風の話とか——」

「あら、あたしは絵葉書の写真のことを言うたんよね。『あんなスゴい葉書もろうたの初めて。一生大切にとっとく！』って」

「野瀬さんの反応は——？」

「『そうか。頑張れよ』」

「——そうですか」

がっくりと肩を落とした私に、幸さんは気晴らしを提供してくれるつもりだったのか、ここちょっと手ぇ入れてみんちゃい、気持ちええけえ、と渦巻く水を指差した。私はボンヤリと言われる通りにした。が、ほんとは足を入れるとこなんよね、と言うのを聞いてまた外に出した。

「あたし、そう言われてびっくりした。あたしは洌ちゃんにとって、言うなればライバルじゃろう？　あたしの方がずっとかわいいしチャーミングじゃしバストはあるし、強敵よね」

「は、はあ……」

「ライバルに向かってそんなことが言えるのは、よっぽど自信がある時か、身を引こうと決めとる時か、どっちかなんじゃ」

あるいはライバルだなんて考えてもいないからこそ——と私は密かに第三の場合を想定した。

「どっちかなと思いょうるうちに、大学は北海道に行って、お母さんのとこで暮らすことに決まっちゃった。そこであたし、考えたんよね。マトモなカップルじゃったら、ほんとに好きなら、離れとる間は文通でもして、そのうち婚約、結納、結婚、出産て将来の見通しもたつじゃろう？でも、男の子同士の場合はどうするの？　どんなに好きでも、いつかは、どっちかが、無理にでも離れて行くのかなあ——なんて、そんなこと考えよぅったら、あたし何だか、胸がジーンとなってしもうたんじゃ」

八一　落涙劇《メロドラマ》

最近何か（お涙頂戴の）映画を観《み》ませんでしたか、と尋ねると、映画にはしばらく行ってないが、ケネス・マクミラン振付の『ロミオとジュリエット』をビデオで観た、という返事が返ってきた。

「そんなことだろうと思った。僕と野瀬さんは、そういう悲劇的な設定でつきあってるわけじゃないんです。北海道へ行くったって、外国じゃないでしょ？　せいぜい島が一つ変わるだけのことだ。夜間通話割引きを利用すれば結構長電話できるし、手紙だって、速達で出せば遅くても二日後には届く。会おうと思えばいつでも会える距離です……」

こんな気休めを実際に口に出してみると、虚しさはいよいよ募る。自分の耳にすら空々しく響くのだから、況《ま》して他人を説得できるわけはない。心理的距離と物理的距離が、同じ物差しでは計れないことを、幸さんだって知っているはずだった。たとえ家が隣同士であろうと、部屋が同じアパートの上と下であろうと、地球の裏側に住んでいるのと同じくらい、疎遠になる時にはなるものなのだ。幸さんはいかにも悲観的な眼差しをこちらへ投げたが、何も言わなかった。こんなのをデリカシーと言うのかも知れない。私はしかし、かえっていたたまれない思いがした。

「とにかく――とにかく、君も岩戸さんも、頼むからこれ以上メロドラマを作らないで下さい。僕はただでさえ暗示にかかりやすい性格なんだから。卒業式で、『螢の光』の最中に鼻をかまなきゃいけなくなったら、君たちのせいだよ」

幸さんは首をすくめ、唇の両端をちょっとつり上げて微笑した。口角のごく近くに、小さい笑くぼができるせいで、やんちゃな猫のような顔つきになる。顔形などはまるで違っているのに、これは野瀬さんと同じ特徴であった。野瀬さんのは一方の端にしかできない片笑くぼだが、幸さんの場合は左右対称に出現する。笑くぼはすると、伴性遺伝ではないのか……

「そんな顔しんちゃんなよ」

幸さんが手に水を掬って、パシャリと私にはねかけた。

「今誰かが入ってきたら、あたしがいじめたのかと思われるじゃないね！」

もう一度パシャッとやられそうになったので、慌ててよけた。数多《あまた》の人がここでその恩恵に浴した、ルルドの泉のような桶ではあっても、聖なる水が必ずしも清浄な水であるとは限らないのだ。幸さんが面白がってパシャパシャ水をかけ続けるのを避けて、逃げ回っていると、噂をすれば影の諺どおり、看護婦さんが入ってきた。私たちはさんざん小言を言われ、即刻退出を命じられて水治療室を出た。私ははっきり言って、立腹していた。

「これから冽ちゃんに会いに行くの？」

「いいや！　まず、洗面所へ行って手を洗ってくる。足を入れるとこに手を突っ込んで、よく平気だね、君は！」

「ほじゃけど、お風呂に入る時はいつもそうじゃない。手と足を別々の湯船に入れて入るん？」

クソ、ああ言えばこう言う！　トイレの前で、私は思い切り堅苦しい挨拶をして別れるつもりだった。すると幸さんは、頬をまたぷっとふくらませ、ポケットをごそごそ探っていたかと思うと、ハンカチを取り出して、水のかかった私の肩や袖を形ばかり拭ってくれた。

「今頃そんなことしても遅いよ」

と私は言ったのだが、意図したほどの峻厳な調子は出せなかった。それは私が幸さんの親切に感動したからではなく、〈紳士用御手洗〉の文字を見て、ジェントルマンでなければトイレに行けないのかと危惧したためでもない。手をちょっと動かせば届く所にある、子雀のような頬っぺたを、指でつついて空気を抜いてやりたい、という衝動に、一時気を取られたせいだった。

「あたしと日見子が、冽ちゃんの行く末をこんな形で心配したことは、黙っとってね」

ハンカチをしまいながら、幸さんはしおらしく言った。

「それと、あたしがジーンときたのは、『ロミオとジュリエット』観たけぇと違うんじゃ」

野瀬さんが井高原で怪我をする前、幸さんはある晩、門限を大幅に過ぎてから帰宅したことがあった。叱られるのが嫌で裏口からこっそり入り、抜き足差し足、書斎の前を通過しようとしたのだが、あいにくドアが半開きである。中では長田先生と野瀬さんが談話中らしい。手前の壁にへばりついて隙を窺っていると、話し声が洩れてきた。野瀬さんの声はいつになく悲痛であった。

「何て言うたかというとね、『僕はあの子のことが好きで好きで、好きでたまらなくて、時にはそこの壁にかかっているライフルで撃って、秋の森の落葉の中に埋めて、僕もすぐその後を追いたくなるくらい好きです。このまま側にいると、こんな気持ちが募って、いつか実行しかねない、だからやはり遠くへ行った方がいいと思う』って。そしたらパパはこう言ょうった。『それがいい。私にも覚えがあるが、そんな切羽詰まったウナギの寝床のような状況は――』」

「ウナギノネドコ？」

「――じゃなかった、『《枯葉の寝床》のような状況は、文学としては容認できても、現実にはやはり作ってはならない、自分たちをそんな所まで追い込んではいけない、北海道へ行きなさい。大自然の懐に抱かれてヒグマやキタキツネや鮭の産卵を眺めていれば、新しい人生観も自ずと開けてくる』……」

「本当にそんなことを――長田先生が？」

「一言一句その通りとは言わんけど、要点は確かにそうじゃった」

「野瀬さんの方は――」

「そっちは、ほぼ正確に覚えとるよね。殺したくなるくらい好きなんて気持ちは、悔しいけど、まだわからん。そんなことを人が言うのを聞いたのは初めてじゃけえ、よけい印象に残っとるんじゃ。ねえ、遠野くんは洌ちゃんのことを、おんなじくらい好き？」

幸さんは少しも冗談を交えない目で、瞬きもせずに私を見た。

「あたしね、洌ちゃんが君のことを『好き』と言うた時の声は、一生忘れられんと思う。おんなじくらい好きなんじゃなかったら——いっそ君がライフルで撃ってあげた方がええような、そんな声じゃった。ま、あれなら、投獄されたって信念は変わらんじゃろう。ほいじゃあね。Good《グッド》 luck《ラック》!」

あっさりと手を振って、幸さんは行ってしまった。鮮やかな退場である。私は侘しいスポットライトを浴びて、茫然と舞台中央に取り残される、いつもの役回り——紳士用御手洗はやや手狭だが、侘しさには事欠かなかった。冷水になかなか溶けない石鹸は、私の煩悶の象徴であった。本来なら嬉しい情報であるはずの幸さんの話が、適温に暖まっていない私の心のどこかに、異様な塊のまま引っかかって、動きがとれない。そんなに「好き」なら、遠くへなんか行かなければいいじゃないか、と思う。どんな気持ちで、「島が一つ変わるだけ」なんて、心にもない台詞を吐いたと思ってるんだ?

幸さんに言われるまでもなく、落葉の季節が桜に変わる前に、ライフルを壁から下ろして装填したいのは私の方だった。

八二　歌鶫《うたつぐみ》

Abide with me:
　fast falls the eventide;
The darkness deepens;
　Lord, with me abide:
When other helpers fail
　and comforts flee,
Help of the helpers,
　O abide with me.

我とともに在《ましま》せ。
　夕帳《ゆうとばり》、疾《と》く降りて、
闇の色、深まりぬ。
　主よ、我とともに在せ。
助くる者ら仆《たお》れ、
　慰めの去りゆくとも、
助くる者の偉《おお》いなる助け、
　おお、我とともに在せ。

〈Abide《アバイド》 With《ウィズ》 Me《ミー》〉は父の好きな讃美歌だった。聞き覚えて、私も小さい頃から『かわいい魚屋さん』や『どんぐりころころ』と共にそらで歌える歌の一つになっていた。しかし、『どんぐりころころ』などの歌詞《テキスト》は叙景的で起承転結も明快、覚えた当初から作品の解釈が比較的容易であったのに対し、孤独のさなかにひたすら主の愛をこいねがうこの歌の曲趣を解するには、やはり数年の歳月と経験と良い歌い手を要した。最後の点に関しては花小路由理也くんの貢献が大きい。

ケンブリッジのキングズ・カレッジ合唱団に劣るとも優らぬ低水準を嘆かれていた鶴島学院聖歌隊だが、五年に一度くらいは花小路くんのような稀有のソロイストが出て、音楽の先生や神父さんたちを嬉し泣きさせることもあった。私は変声期前の花小路くんの最高声部《トレブル》を聴く機会に恵まれた幸運な聴衆の一人である。驚くべく清澄なソプラノが、〝I《アイ》 need《ニード》 Thy《ザイ》 presence《プレザンス》 every《エヴリ》 passing《パッシング》 hour《アワー》〟という第三スタンザの冒頭を歌い始めると、一切の私語が止んでチャペルは水を打ったように静まり返る。そうして、〝Through《スルー》 cloud《クラウド》 and《アンド》 sunshine《サンシャイン》, O《オ》 abide《アバイド》 with《ウィズ》 me《ミー》〟と歌い終えるまで、皆微動だにせず謹聴しているのだが、終わるや否や一斉に感動の溜息をついて鼻を啜り上げるから、第四スタンザのソロを受け持つテナーが、なかなか歌いだせなくて困ったという。

花小路くんの後任に抜擢されたのは、相原鶫《あいはらつぐみ》くんという中二の生徒だった。兄の鵆《ちどり》くんは私と同級で、やはり歌がうまかったが、レパートリーは軍歌一辺倒である。高三まで同じクラスだったが、修学旅行のバスの中などでマイクを持たせたら最後、離さない。「ワカイチシオノヨカレンノ」、「アイヨリアオキオオゾラニ」、「サラバラバウルヨ、マタクルマデハ」、と歌うは歌うは

――締めはいつも『海征《ゆ》かば』であった。連日夜更かしの末、車中ではもっぱら寝る事を本分と心得ているクラスメイトたちは、相原〈兄《メイジャー》〉が「それでは最後に」と咳払いをして、讃美歌めいた旋律のこの唄を歌いだすと、ようやく落ち着いて睡眠に専心できるのだった。相原〈弟《マイナー》〉の方は、ルカ寮の十一号室と隣同士なため、顔も名前も知っていた。歌わせると、声質は上々だが音程ややずれるという欠点があり、彼のリードする最高音部は三部合唱に微妙に前衛的《アヴァンガルド》なニュアンスを添えた。

ある日チャペルの裏の落葉松《からまつ》林で、マイナーの相原くんが泣いていた。垂れ耳の仔犬を両手に抱えている。白に薄茶の斑《ぶち》のある小さな体は冷たく硬ばり、空ろなガラス様《よう》の目をして、仔犬は死んでいた。燈火と人声の恋しくなる夕飯時に、私がなぜそんなもの淋しい場所を通りすがったかと言うと、メイプルロッジへ行くのに近道をしようと思ったからだ。ロッジではペン先生が、宿題のコンポジションが全部揃うのを今か今かと待っておられた。学習委員の私は、大佐古くんが居残りして最後の一枚を書き上げるのを待って、他数人の遅筆組の作品と一緒にその日のうちに提出しなければならなかったのである。焦眉の急を要する任務を負っていたとはいえ、私はつい足を止めた。死んだ動物を抱えて一人で泣いている下級生を見過ごして宿題を出しに行くのは人道に反する。ペン先生だってわかって下さるだろう。

枯れ松葉を踏んで近づく跫音《あしおと》に、鶫くんは顔を上げた。泥のついた手で拭ったのか、頬には汚れた筋が迷路のように走り、さんさんと溢れる涙に洗われて、目ばかりが輝いている。

「君の犬だったの？」

「そうです――いえ、違います――ううん、やっぱりそうだ。餌をやってたのは僕なんだから」

寮で動物を飼うのは禁止されていた。魚の好きな者はパウロ寮舎監室に集い、シュヴァイツァー先生の熱帯魚を観賞して気を紛らすこともできたが、犬や猫やハムスターを部屋に入れて飼うことはご法度であった。だが、時々敷地内に迷い込んでくる野良犬、野良猫などは割合寛大な待遇にあずかっており、食堂の残飯や生徒の弁当の残りをもらって、野良にしては毛艶もよく丸々と肥え太っていた。牝《めす》が住みついてお産をした時だけ守衛さんが渋い顔をした。生まれた仔犬や仔猫はたいていまだ目も開かないうちに、ある謎めいた陰鬱なルートを経て学院から姿を消すのであったが、稀には生徒や教職員の中に引き取り手が見つかった。貰い手があったからと言って万事めでたしめでたしとは限らない。たとえば、オレンジ色の縞のある綿毛のような仔猫を四匹、いっぺんに引き受けたある神父さんの場合。夜は寒かろうと自分のベッドに入れて寝るほどの慈しみ深い人だったが、夜中に知らずに寝返りを打ったとみえ、朝になって目が覚めてみると、仔猫は全員ペシャンコに圧《お》し潰《つぶ》されていた。悲劇である。

鶫くんが餌を与えていた仔犬は、職掌柄〈運命〉の代行をも務める守衛さんの手を免れて生き延びた一匹で、通常は母犬に連れられて、決まった時間に寮の裏までご飯を食べにきていたのだという。親はスパニエルの雑種だった。迷うか捨てられるかしたらしい。

「もう何日も来ないんで心配してたんです。おとなしくて噛んだりしないから、冬の間だけでも寮の玄関に入れちゃいけないかと思って、舎監の先生に相談しようとしてたとこだったのに――」

鵜くんはひとしきりさめざめと泣き始めた。私にもかわいがっていた仔犬に死なれた経験がある。もらい泣きしたいところだが、まずは埋葬の準備をしなければならない。寮に戻って園芸用スコップと菓子箱を調達してきた。箱にはかつて、青木くん手製の十六個のカスタード・シュークリームが、整然と納まっていた。シュークリームなき後は、カセットテープやタイプリボンや、万年筆のスペアインクなどが空間を無秩序に占拠していた。そして今、夭折した犬の柩になる。

欧米の映画の中では、子供が死ぬと、純白のビロードや水色繻子《サテン》などで内張りをした人形の寝床のような棺に入れて葬る。私は古い白のマフラーを箱の底に敷き詰めた。そこへ鵜くんが、かじかんだ手で亡骸をそっと横たえた。霜月の堅い大地を掘り返すのはなかなか骨が折れたが、完成した墓穴は、深さ六十センチの立派な物だった。最後の涙が灑《そそ》がれ、二人して棺に土を被《かぶ》せて天辺をこんもりと均した。

「名前をつけてたの?」

鵜くんはちょっと羞《はにか》んで、頷いた。

「お母さん犬がマリア。こどもがクリスト」

「神父さんたちが聞いたら怒るぞ」

と、私は笑った。鶫くんは口の中で何事か呟きながら、もじもじと目を伏せた。

彼を見るといつも、『青い鳥』に出てくる牛乳の精を思い出す。白くて薄くて柔らかい、起居《たちい》振舞《ふるまい》のおずおずした存在《もの》だ。頭を丸めて野球部の外野手を務めるメイジャーの方は、精神も肉体も並みはずれて頑健な少年であった。こちらはパウロ寮の住人で、青木煌《きらら》くんのルームメイトである。同じ部屋に戸井獅子男さんも住んでいるとあって、学院には珍しい、梁山泊《りょうざんぱく》めいた雰囲気の漂泛《ひょうへん》する環境に暮らしていた。そんな事情のせいか、衡くんは学院内で、軟弱の誹《そし》りを受ける恐れのある身内の話は一切出さなかった。雲雀《ひばり》のように骨細な弟が、小さな胸も張り裂けんばかりに聖歌を歌うことなど、兄さんにとっては尻こそばゆい以外の何物でもなかったようだ。

「何か歌ってやれば？　鎮魂歌《レクイエム》でなくてもいい、君の好きなのを」

鶫くんが仔犬の墓の前を立ち去りかねているので、私は提案した。儚い香気のようなためらいが立ち上る。私は宿題の紙束を取り上げて先へ行こうとした。人がいては歌いにくいかと気をかせたつもりだけれど、それじゃ一番好きなのを歌うからいて下さい、と言われて留まった。そして鶫くんの一番好きな歌とは〈Abide《アバイド》 With《ウィズ》 Me《ミー》〉であった。細々と途切れがちな頼りない歌いだしだったが、私が小声で唱和してやるほどに、音量も音程も確かさを増してきた。途中から、思いがけず、伸びやかなテナーが加わった。二階の一室の窓が開いて、天降《あまくだ》る声の主は花小路くんに違いなかった。声域が変わっても、由理也くんの声は相変わらず晴れ晴れと高く、そこへソプラノの時には聞かれなかったまろやかさが加わり、深い艶のある楽器の音色のように、いっそう玲瓏《れいろう》と響き渡るようになっていた。心では旋律を追いながらも、私はいつとはなく歌いやめて、鶫くんとの二重唱に聞き惚れた。"In《イン》 life《ライフ》, in《イン》 death《デス》, O《オ》 Lord《ロード》, abide《アバイド》 with《ウィズ》 me《ミー》"の最終行を清らかな斉唱《ユニゾン》で結ぶと、逆光に淡く縁取られた人影が、こちらへ手を振って静かに窓を閉じた。

たなびくような歌の余韻が黄昏《たそがれ》にすっかり溶け入るまで、私たちはどちらも口をきかなかった。薄雪ほどに降り積もった沈黙を、優しい手つきで払うようにして破ったのは、鶫くんだった。

「今の、花小路さんですね」

「うん、そうだと思う。あの窓は十号室だから」

鶫くんは何だかひどく哀しげに嘆息した。聖歌隊の指導に当たるペン先生は、音楽の練習になると授業中よりずっと厳しく、容赦なく何度も歌い直しをさせると聞く。鶫くんにとって、花小路くんの後任はなかなか荷が重いのかも知れない。それとなく激励してやるのも先輩の勤めであろう。

「衞《ちどり》くんも君も歌がうまいからいいよね。家の人はみんなじょうずなの？」

「お母さ――母はよく自分でピアノ弾いて歌っていました。父は大学のグリークラブに入ってたそうだけど、うちで歌うのは聞いたことないです。妹は音痴です」

『いました』という過去形を聞いて私はヒヤリとした。唇寒し秋の風、は本当だ。

「遠野さん、花小路さんと仲良しなんですか？」

「仲良し、の方なのかな。喧嘩したことはないよ」

「食堂でいつも一緒だから――」

「クラスが同じで部屋も近いだろ？　それで自然に、ね」

その時私は、鶫くんがいつも一人で黙然と食事をしている事実に思い当たった。仲間はずれにされているのでもないだろうが、おとなしいので、自分から食卓の団欒《まどい》に加わるのが苦手らしい。威勢よく喋りながら食べている者たちより早めに箸を置き、しばらくは所在なげに皿小鉢を眺めている。誰よりも少食で、食器の中身は大概半分も減ってないようである。手持ちぶさたを痛いほど意識し始めた頃、やっと友人たちの食事も終わり、盆を返して賑やかに外へ繰り出す集団に何となくくっついて出ていく。衛くんと顔を合わせても、青木くん兄弟のように冗談や憎まれ口を交換することはなかった。

人について行くのが習い性になっているのか、寮へ戻る代わりに鶫くんは、反対方向のメイプルロッジへ進む私に並んでとぼとぼ歩きだした。そして突然こんなことを言った。

「あんな人が兄さんだったらいいな……」

「兄さんはいるじゃないか。そんなこと聞いたら衛くんが泣くよ」

『あんな人』は花小路くんだろうと解釈して、笑いに紛らせてみたものの、私はまたもや冷たい風に唇をさっと撫でられた思いであった。鶫くんは私の言葉を長い間黙々と咀嚼していた。

「……話しかけちゃいけないって」

「何だって？」

「学校じゃ絶対話しかけるなって——兄さんが」

「本気で言ったんじゃないよ、そんなこと」

「本気なんです——理由があるから」

「どんな？」

鶫くんはまた黙り込んでしまった。

メイプルロッジのポーチに伴《つ》れを待たせて、私はペン先生の部屋へ行った。鍵はあいていたが肝腎の先生は不在だ。机の上に宿題を載せて戸外に戻ると、ちょうど〈お祈りの部屋〉にぽっと灯《あか》りが点《とも》って程なくチェロの音色が流れてきた。待ちくたびれて気分転換が必要になったのだろう。鶫くんと私は一瞬何もかも忘れてサン＝サーンスの抒情的な調べに耳を傾けた。やがて微かに震える手が私のセーターに触れ、寒い、と言う呟きが辛うじて聞きとれたので、私は慌てて鶫くんをせき立てながら寮に帰った。

その同じ夜、彼は夜驚症《ナイトテラー》の発作に襲われた。睡眠中に起こる驚愕反応で、普通は虚弱な幼児や小児によく見られ、眠っているかと思うと突然飛び起き、不安恐怖の表情で泣いたり走り回ったりする。丑三時《うしみつ》、ルカ寮十一号室で何の前触れもなく恐ろしい悲鳴が上がった。前後不覚の眠りを貪っていた者すら、夢の彼方でその谺《こだま》を聞いた。元々眠りの浅い方である私は、すぐ隣のベッドからそれが聞こえたように、はっきりと目を覚ました。隣室で朦朧たる苦情の声が上がり、何やらドタバタと一騒ぎする気配がして、その間《かん》ずっと細長く尾を引いていた啜り泣きが、突如ぷっつり途絶えた。と、ドアが乱暴に開き、誰かが切迫した軽い足取りで廊下を駈けて行ったようだ。太刀掛さんがムニャムニャと寝言を呟いて毛布をたぐり寄せた。私は起き上がり、暗い部屋の中を手探りでドアまで進み、音がしないよう開閉に気を遣いながら廊下へ出てみた。

廊下はまるで北極と地続きのようで、寝巻きの上に何も着てこなかったのが悔やまれた。階段の降り口に、常夜灯がぼやけた光輪を投げている。酒精《アルコール》のような冷たい明かりに浸されて、小さな姿がうずくまっていた。私の手が触れると、鶫くんは電気に撃たれたように飛び上がり、抱き止めてやらなければ階下へ転落するところだった。肩や胸が時折小刻みに烈しく痙攣する。医者を呼ばなければと思った時、鶫くんの全身からふと力が抜け、私にすがりついたまま、しくしく泣き始めた。不安や悲しみは時に強い伝染力を持つ。鶫くんの熱っぽい体を、私は更に固く抱き寄せた。

八三　病《や》む小鳥《ことり》

火の気の全くない階段の最上段に、浮浪児の兄弟のように身を寄せ合って座る。それは主に暖かい季節の愉しみであろう。晩秋初冬の候にそんなことをすると、心中にならぬまでも必ず風邪をひく。しかも私たちは共に薄着であった。抱き合って暖を取ろうとしたところで自ずと限界がある。私は一生懸命鶫くんをなだめすかした。何とか立って、歩いて、部屋に戻ってもらおうとしたのだが、私が躍起になればなるほど、鶫くんはいよいよ根が生えたように座り込んで絶望的にしゃくり上げる。いっそのことひどく揺すぶって正気に返してやろうか？　その時、どこかの部屋の扉が開く音がした。密やかなスリッパの跫音《あしおと》がこちらへ近づいてくる。と思う間もなく、トンネルのような闇をくぐり抜けて花小路くんが現われた。時刻柄やはり寝巻き姿だが、その上に、常夜灯の頼りない明かりでは見定めがたい粋な柄の半纏《はんてん》を羽織っている。それが浮浪児の目にはいかにもぬくぬくと映って羨ましい。

「変な音がしたと思ったら。一体どうしたんだよ？」

寝ぼけ眼をこすりこすり、花小路くんは私たちの傍らにしゃがみ込んだ。

「この子が——相原くんの弟なんだけど——何か恐い夢を見たらしくて。部屋に連れて帰りたいのに歩いてくれないんだよ。引きずっていくわけにもいかないし——」

「しょうがないな。おい、君、相原くん。早く部屋に帰れよ。こんな所にいると凍死するぞ」

鶇くんは益々依怙地《いこじ》に縮こまり、小鳥の爪のような指で私のパジャマにしがみつく。私と花小路くんは困った顔を見合わせた。

「自分のベッドに帰るのがいやなのかな？　きっと夢で見たモンスターか何かが、まだいると思ってるんだ。十二号室へ連れてってもいいけど、太刀掛さんたちを起こすといけないから……」

「僕の部屋に来いよ」

花小路くんは生欠伸《なまあくび》をしながら、半纏の前をかき合わせた。

「あさって創立記念日で連休になるだろ？　ルームメイトがみんな家に帰っててさ。おかげで遅くまで本が読め——」

今度は本格的な大欠伸だ。私は鶇くんの耳に口を寄せ、幼児に言い聞かせるつもりで辛抱強く囁いた。へやへかえらなくてもいいから、ハナコウジくんのところへいこうね——これを三度繰返すと、パジャマを握りしめた指がやっと少し弛んだ。由理也くんが、くるりと後ろ向きになって、背中を提供してくれた。協力に感謝しつつ、私は鶇くんをそこへ乗せた。

「恐ろしく軽いね。ちゃんと食う物食ってるのかな？」

立ち上がり様、拍子抜けしたように由理也くんがそう言ったので、私は改めて鶇くんの異常な食の細さを思い出した。名は体を表わす、など呑気に構えていてはいけないのかも知れない。

廊下から十号室に入ると、そこは天国であった。寮のスチーム暖房は午後九時になると止まる。時にそれより早く止まる日はあっても、一分だって延長されることはない。九時以降の頼みの綱は、自前の暖房器具か体力のみである。乾布摩擦や体操による鍛錬に消極的な者は、徹底した厚着または早寝をする。建物の老朽化に伴い、ガスの使用は制限されていたが、部屋が一番手っ取りばやく暖まるのはガスストーブだから、危険とは知りつつ冬場は皆規則を無視した。（死なば諸共の隣人愛の賜物だ。）十号室にはガスの他、電気、灯油、各種の暖房装置が完備していて、剰《あまつさ》えYさんの本箱の上には、水栽培のヒヤシンスが、加湿器つきファンヒーターの送り出す温気《うんき》に、青貝のような花弁をほころばせていた。

「少し熱があるみたいだ」

空いたベッドの一つに軽い荷を下ろして毛布をかけると、花小路くんは机の抽斗《ひきだし》をかき回して体温計を探し出した。また、鶇くんが腋下にそれを挟んで神妙に熱を計る暇に、電気ポットのスイッチを入れて湯を沸かし始めた。私はまじまじとポットを嘆賞した。この前来た時には確かになかった。そう言えばファンヒーターも初登場だ。新婚家庭のように物がどんどん揃ってゆく。

カイロ、湯たんぽの使用がいまだに常識と見做《みな》されている我が十二号室に比べ、何と充実した文化生活であろう。

「八度ちょうどだ」

花小路くんが水銀の示す目盛を読み上げた。私は寒いポーチに鶫くんを立ちっぱなしにさせておいた責任を痛感した。花小路くんは体温計を振りながら、

「風邪薬は？　まだ残ってる？」

と私に尋ねた。

「それがもうないんだ。一昨日《おととい》の晩ちょっと頭が重くて。最後の一服をのんじゃった」

「そうか。じゃあいいよ。藤井さんの葛根湯《カッコントウ》を失敬する。抗生物質が胃粘膜を刺激するってのは、ほんと？」

「ほんと」

「この子弱そうだから、できるだけ自然に発汗させて熱下げた方がいいだろう。ちょっと起きて——オブラートなしでのめるな？」

花小路くんは沸騰した湯をカップに注いで水差しの水で割り、薬と一緒に鶫くんに含ませた。

「もう一口飲んで。よし。遠野くん、そこにある缶を取ってよ。抽斗の一番手前にあるやつ」

頼まれて渡した容器にはドロップが入っていた。由理也くんが打ち出の小槌ように缶を振ると、

中からルビーやトパーズやアメジストの色をした小さな粒がざくざくとこぼれ出た。どれがいいかと訊かれ、鶇くんは「苺《イチゴ》」と答えた。私は粉雪を固めたような薄荷《ハッカ》味のドロップを一つ貰った。

「手際いいね。下にまだ弟か妹でもいるの?」

「いないよ。ただ、うちは母が病弱でね。しょっちゅう入院してて、父は教会と大学の仕事で手一杯だから家では兄貴が僕のお守りをしてた。昔はあれでも面倒見がよくてさ。風邪ひいたりすると葛湯《くずゆ》まで作って実にかいがいしい。薬をおとなしくのんだら、その後に必ずチョコレートとかゼリービーンズをくれたもんだ。それを踏襲しただけだよ」

「さすがだね。僕なんかさっきもうちょっとで武力行使するとこだった。真理也さん、元気?」

「元気元気! この間手紙が来た。政治研究会に入ってそこでガールフレンドができたって。デートを兼ねてデモをするんだそうだ。公私混同するなって返事を書いた」

由理也くんは半纏を脱いで椅子の背に引っかけ、伸びをして自分の寝台に大の字になった。ハッカドロップで目が冴えたのも束の間、私も瞼が重くなってきた。

「それじゃ僕、部屋に帰る。何か手伝えることある?」

「今のとこない。汗かいたら適当に着替えさせとくよ。ああ、悪いけど、出がけに電灯を消していってよ」

声の主が重ねた枕に埋まって毛布をかぶったため、最後の方はほとんど聞き取れなかった。私は病人におやすみを言おうとベッドに近づいた。すると何を勘違いしたのか、鶫くんは大儀そうに体を起こして床から出て来ようとした。今夜はこの部屋に泊まっていいのだと言うと、落ち着かない視線で周囲を見回し、それなら私はどこへ行くのかと尋ねる。

「僕は自分の部屋で寝るの。でも君は、帰るのが嫌ならここで寝ていいの」

眠くてたまらない。言い方に多少トゲがあったかも知れない。かいがいしく面倒見のよい先輩にはどうもなれそうになかった。鶫くんは黙ってまたのろのろと寝具の間に戻った。その寄るべない風情、就中、毛布の下へ引っ込む前にちらと垣間《かいま》見た小さな足裏に、廊下を無我夢中で駈けぬけた折についたのであろう汚れがそのままに残っていることが、今度はいやが上にも私を感傷的にした。後悔が眠気に勝ち、私は鶫くんの肩の周りをなるたけ丁寧に毛布でくるんでやった。

「明日の朝また来てみるよ。風邪、治ってるといいね」

「……とうって」

「え?」

「ありがとうって……クリストが」

にわかに、ドライアイスを丸呑みしたような衝撃に搏《う》たれた。熱いのだか冷たいのだかわからない感情が、もうもうと白煙を吹きながら、胸から喉へ一気に迫《せ》り上がってくる。同じ言葉を、もっと幼い者から聞いたのであれば、欠伸を噛み殺しながら頷いて去ったと思う。欠伸の代わりに私は、鶇くんの少し湿った猫毛の髪を指で梳《す》き分け、額にキスをした。触れたか触れないか、半ば無意識の軽い接吻であった。鶇くんは反射的にぴくりと身をすくめた。臆病な動物のように。けれどそれ以上驚いた様子もなく、おとなしい呼吸は、かえっていっそう安らかになったようにさえ思われた。

兎や鳩や病気の子供に特有の、感動に波立たぬ異様につぶらな瞳に、望遠鏡を逆さに覗いたように遠く小さく、私の姿が映し出される。未知の人を見るように私はそれを眺めた。その顔は私であって私ではない――長田先生の書斎で見た、写真の中の人物に似ていた。

八四　甘党《あまとう》

朝食の前に、私は十一号室に寄って鶇くんのことを報告しておいた。室長の石部さんは、謹厳実直が制服を着て歩いていると評判の堅物である。私が何と事情を説明しても、他の部屋に泊まるのは禁止されとる、とのみ百遍も繰返す。

「夢で何かに驚いたらしいんです。熱に浮かされたせいかもしれない。今十号室には花小路くんしかいないし、迷惑じゃないそうですから、もうしばらくそのままにしておいてもいいんじゃないですか？」

石部さんは顔をしかめて嘆息した。

「相原のことではええ加減手をやいとるんで。神経質なんかどうか知らんが、夜中にうなされたり泣き出したりすることがようあるんじゃ。ゆうべはさすがに頭にきちゃった奴がおってのう。布団むしにしょうとしたとこを、走って出て行きょうったんじゃ」

「どうして誰も連れ戻しに来なかったんですか？　肺炎でも起こしてたらどうするんです？」

「そういう健康管理は自分でやってもらわんといけんよぅね。夜中まで勉強した挙句、安眠妨害される方の身にもなれえや。わしゃ三年なんで」

私は割り切れない思いを抱いて食堂へ下りていった。青木くんが挨拶しながら隣の席を指差してくれたので、同じテーブルへ食事の載った盆を運んだ。

「どしたんや、腹痛《ハライタ》か？」

「受験生の優遇制度に対して疑問を感じてるんだ」

「特権階級じゃけえのぉ」

「学院は受験予備校じゃない。山井《やまい》塾や矢々木《ややぎ》ゼミみたいなことを言っててどうするんだ！

『三年生だから』の一言で、何でもかんでも許されるなんて！」

まあ気を鎮めて味噌汁でも食えとなだめられているところへ、花小路くんが来た。鶫くんはあれから夢も見ずにおとなしく眠ったそうである。朝食を部屋へ持ってきてやろうかと訊いたらいらないと答えたという。遠慮するなと言ってもやっぱり、いりません、と首を振る。

「困ったね。一体何を食べて生きてるんだろう？」

と、私も心配になった。話を聞きかじった青木くんが、

「カメでも拾うたん？」

「なんでカメが『いりません』と首を振るんだ？　ゆうべ僕のとこに病人が泊まったんだよ。相原の弟の――そうだ、遠野くん、相原にもう知らせた？」

「いや、まだ。今朝ここで会うだろうと思って、パウロ寮へは行ってないんだ」

食堂を見回したが相原衡《ちどり》くんらしい姿は見えなかった。ご飯のお代わりをついでいる煌《きらら》くんを見つけて、青木くんが相原くんの行方を尋ねてくれた。同じ野球部の苫屋くんを自宅に訪問中につき留守、ということだった。苫屋くんはE島の島民である。E島には旧帝国海軍資料館がある。軍歌の好きなメイジャーは、時々出かけて往時の士官候補生の雰囲気に浸ってくる。島から帰った直後は業間体操にも気合いが入り、『同期の桜』を歌う声も一段と冴えるのですぐわかる。

「ますます困ったね。訊いたら弟の食べ物の好みぐらい知ってるだろうに――」

「きのう、ドロップはなめてたぞ」

「お菓子が好きなのかな？」

「きっとそうだ。おい、青木、材料費はカンパするからバターポップコーンを作れよ。それと、バナナマフィンね」

花小路くんは、さも当たり前のように注文を出した。青木くんは異存がある。

「おまえの好きなもんばかしやないか」

「バナナマフィンなら僕もカンパに加わる」

私は花小路くんを支援した。

「安息日に労働したらいけんいうて神様が――」

「後輩が栄養失調で生きるか死ぬかの瀬戸際なんだ。神様はきっと目をつむって下さる」

花小路くんにこう言われると、善きサマリア人のような性格に生まれついた弱みで、青木くんは断われない。休日で化学実験室が使えないため、食堂のキッチンを貸してもらうことにした。青木くんは食堂のおばさんたちのアイドルだから、こんな時は実に顔がきく。瞬く間にはじけ上がったポップコーンを丼にテンコ盛りにして、ルカ寮の住人はひとまず十号室へ引き上げた。味みをしながら中庭を横切った時、丼から溢れた中身がほろほろと地面にこぼれ落ちた。鳩や雀が思いがけないおやつに喜ぶだろう。

鶫くんは蓑虫《みのむし》のようにしっかりくるまれて安静にしていた。葛根湯《かっこんとう》で汗をかいて湿ったパジャマの代わりに、真新しい浴衣《ゆかた》を着用している。これは実は竜宮城から持ち帰った物だ。浴衣美人が破れた浴衣を弁償させてほしいと申し出た際、母はがんとして応じなかった。それどころか、私たち全員に、おみやげだと言って、玉手箱ならぬ浴衣と帯と団扇《うちわ》と下駄を一揃いずつくれた。体育祭か何かで使うこともあるかと思い、受け取っておいたのである。鶫くんの寝巻きになっているのは、縹色《はなだいろ》の朝顔や露草を散らした白い浴衣だった。由理也くんにはうっかりまた女物を渡したとみえる。

ポップコーンを見せると鶫くんの目は輝いた。案の定、味噌汁メザシ梅干などの伝統的メニューよりは、こちらの方が好きらしい。トイレと朝食だけは和式でなければ気のすまない兄《メイジャー》とは、このへんも違う。花小路くんが鶫くんの上半身を起こしてやり、背中とヘッドボードの間に枕を幾つも入れた。そこへ凭れて鶫くんは少し食べた。

「偏食してると元気になれないぞ。牛乳は？　飲める？」

花小路くんに尋ねられて鶫くんはやや怯《ひる》んだ。が、やがて勇敢にも、飲めます、とはっきり答えた。その問答は私自身の昔日の牛乳体験を彷彿とさせた。花小路くんがホットミルクを作りに給湯室へ立った隙に、私はこっそり鶫くんに打ち明けた。

「僕はね、昔、牛乳が大嫌いだったんだよ。特に生あったかいのがだめだった。うんと熱いか冷たいか、どっちかなら何とか飲めたんだけど」

「ヨハネの黙示録みたいですね」

聖書の権威でない私には、何のことかわからなかった。

「聖歌の練習の時に、ペン先生が僕らに言ったんです。熱いか冷たいかどっちかにしなさい、そんな生ぬるい歌い方が一番だめ、黙示録第三章にもあるでしょう?って。それで、後で言われた所を読んでみたら、こう書いてあったの。『あなたは冷たくもなく、熱くもない。むしろ、冷たいか熱いかであってほしい。このように、熱くもなく、冷たくもなく、なまぬるいので、あなたを口から吐き出そう』――」

鶫くんは瞬きもせずに一生懸命思い出して引用した。私はつい微笑を誘われた。

「詳しいね。聖書読むの好き?」

「あんまり――でも、時々は」

鶫くんはしばらくポップコーンに専念した。私は空模様を見に窓辺へ行った。背後でカサコソ、パシポシという微かな物音が続く。部屋のどこかに二十日鼠《ハツカネズミ》がいるみたいだ。本物の鼠たちは、九時にスチームが切れた後、天井や壁の裏で凍えているのだろうか? ゆうべ――いや今朝方、花小路くんが「凍死するぞ」と言ったのは、あながち誇張ではない。週の半ば頃から寒冷前線の急激な発達に伴って気温が下がり、今日などは本格的な冬型の天気である。裸になった木々の梢を、北風がささくれた指でかき鳴らして過ぎる。昨夜も凩《こがらし》は一晩中鳴りやまなかった。その音はどこかで海の嵐に重なり、紫苑《しおん》が私の腕を枕に眠ってしまった夏の夜の夢を見せた。雀の群れが、旋風に吹き寄せられたように、くるくると地面に舞い下りて餌を探し始めた。私はポップコーンを一握り窓から撒いてやった。

「遠野さん、マリアも死んじゃったと思いますか――？」

鶫くんが葦笛《あしぶえ》のような声で呟いた。

「さあ、どうかなあ？　普通、お母さん犬は仔犬のいる所からそう遠くへは行かないはずだけどね。餌は君に貰えることを知ってたんだから、遠出する理由もない。このへんで最近、野犬狩りがあったっていう噂も聞かないし」

「車にはねられたのかも……」

「どんな見かけだった？　色とか、耳や尾の形とか」

「色はクリストと同じ。白に薄い黄色っぽいブチがあって、耳が長くて、しっぽも長くてふさふさしてました。来なくなる二、三日前から後ろ足がびっこを引いてた。棘《とげ》を刺したのかと思って見てやろうとしたけど、さわらせないんです。痛かったんだ、きっと」

「後でこのへんを探してみてあげるよ。名前を呼んだら来る？」

「ええ。でも、どんな名前で呼んでも来るんです」

私はほっとした。マリアやクリストなどと荒野で呼ばわった日には、聞きつけた神父さんたちの鞦韆を買うに決まっている。それらしい犬を見かけたら、何か別の名で代用してもいいわけだ。

「僕も一緒に探します」

「君はだめだよ。少なくとも今日一日はだめ。また熱が出たら困るだろ?」

「じゃ、あした」

「もし完全に治ってたらね」

ミルク鍋を手に花小路くんが戻ってきた。その後ろに押すな押すなの行列ができている。花小路くんは先頭の者の鼻先でドアをピシャリと閉じた。ひとしきり不平の声が渦巻く。

「何をいっぱい連れてきたのさ?」

「連れてきた? ついてきたんだ。ハゲタカの群が。道々、ポップコーンを撒いてきたのが失敗だった」

高らかなノックの音に、花小路くんは渋々戸を開けに行った。

「うるさいぞ! 病人がいるんだから――」

「その病人に出前なんだよ」

バナナマフィンの皿を持って入ってきたのは弓削くんであった。続いて青木くんがレーズンマフィンの皿を捧げて登場。その後から、苺ジャムを挾んだワッフルがやって来る。ワッフルの出前持ちはペン先生だった。花小路くんと私を見て、にこやかに「マイド!」とおっしゃった。

近頃ペン先生は、授業中以外は日本語で会話することを好まれる。赴任したての時は片言すら話せなかったのを思うと驚異的な躍進である。話すだけでなく平仮名、片仮名の手習いも始めておられ、英語研究室のデスクには〈あいうえお〉の手本がピンで止めてある。誕生日が二月十四日だそうだから、青木くんが発起人で、その日には高ICより愛をこめて、英文解説付きのいろは歌留多《かるた》を贈呈することになっている。解説はクラス全員が各自一、二枚ずつ引き受ける。(私のノルマは『泣きっ面に蜂』と『痘痕《アバタ》も靨《エクボ》』。)チョコレートの有無に関しては、賛成派と反対派と無関心派に別れて評議中である。

オゲンキデショカ?と尋ねられ、鶫くんは英語で答えたものか日本語でいいのか、迷ったようだ。先生はお菓子の皿を次々に指差した。

「オイシモノ。オダイハケッコウ」

「……」

「ボチボチタベテ、ハヤクオゲンキニ」

「あ……はい。サンキュー、サー」

鷹揚に頷かれたペン先生だが、部屋を出る前に、青木くんに向かって「オダイ」と手を差し出された。そこで配達料として、レーズンマフィンとバナナマフィン各一個が支払われた。

青木くんは手回しよくポットにレモン・ティーを入れて持ってきていた。お菓子と紅茶とこの顔ぶれは、竜宮城を思い出させた。南国の小鳥たちのように彩り明るい記憶が、ぱらぱらと飛び立った。ミルクの入った青いマグを抱えている鵜くんまで、爽やかな夏の色で描かれた画《え》の一部に見えた。夏の夜明けに見晴らす水の上の雲も淡彩の青色だった。そして明け方から日暮れまで、雲の形を削ったり、均《なら》したり、忙しく変えてゆく海の風、陸の風も、触れるたびに衣服や皮膚のどこかへ、さっと素早いブルーを刷《は》いていった。私も弓削くんも冷房が苦手で、夜通し窓を開け放して寝る方を好んだ。第一日めこそ遠慮したけれど、次の朝からは、先に目が覚めた方が容赦なく枕を投げて、眠っている者を起こした。夏休みで、世界中の時間が自分たちのものだったというのに、射しそめた光に瞼をくすぐられると、もうどうしても寝ていられない。ぐずぐずしていたら、何か飛びきり素敵なショーを見逃してしまう。そんな思いが私たちを絶えず前へ駆り立て、眠る暇さえ惜しませた。

友人たちが去って一人になっても、私は毎日、カーテンを帆のようにはためかす風と、朝明けの海の微唱《びしょう》に目覚めた。意識が白日の下《もと》に歩み出る前、夢の紗幕の際《きわ》でふと躊躇《ためら》う。その時、一つの影が守護天使のように現われ、祝福の白い手で一日の始まりを告げる。影は野瀬さんであったり、父であったり、ある時は一対の翼を分かちあう紫苑と摩耶さんだったりした。

青木くんがワッフルを切り分け、鶇くんにも一切れ皿に載せて渡した。そこへ私がバナナマフィンを一個つけてやると、鶇くんは幸せそうににっこりした。食べたらまた葛根湯だぞ、と花小路くんが念を押す。鶇くんは笑いを引っ込め、誓いでも立てるかのように厳粛に頷いた。早く治ってマリアを探しに行かなくちゃ、と小声で私に言った。

母犬の捜索に当たり、私は友人の協力を仰ぐことにした。マリアを見たことがあるのは、鶇くんを除けば、花小路くんだけだ。それもごく遠くから。しかし確かに子連れだった、と証言してくれた。仔犬のクリストが死んだと聞いて、皆の同情は自然に鶇くんに集まり、青木くんは、明日改めて葬式ケーキを焼いてこようと約束した。

八五　名誉《めいよ》

一九四一(昭和十六)年十二月八日未明、大日本帝国は米、英両国に宣戦布告、海軍航空隊がハワイ、オアフ島南岸の真珠湾に停泊中の米艦隊を攻撃し、陸軍はマレーに上陸した。これは十二月八日の学院創立記念日に因む訓話の中で、冒頭に「奇しくも」や「遺憾ながら」などの語を伴って、毎年必ず指摘される偶然である。戦後の復興作業たけなわの横浜の地に、イエズス会の手で旭日学園がまず設立され、更に数年の間をおいて亀甲学院、鶴島学院、九州福岡のザビエル学園等の兄弟校が開設された。一番後にできた鶴島学院の歴史は未だ三十年にも満たないが、十二月八日という運命的な日付けを思うにつけ、生徒諸君には衆に先駆けて世界平和への努力に専心せられたいと切に願う気持ちでいっぱいであります、戦争は無論、君たちの責任ではなかったけれども、現在の平穏な日々が、多くの犠牲を払って贖《あがな》われたものであるということを、ゆめゆめ忘れてはなりません、と校長先生は話を結ばれる。

相原衛《ちどり》くんの心は、この日になるとパールハーバーへ飛ぶ。薮蚊《やぶか》や筍《タケノコ》との戦いに明け暮れたという、創立当初の学院を遥かに飛び越えて。月曜日、E島から戻って海軍資料館のパンフレットを前に黙想中の相原くんを、弓削くんと私が自室に急襲した。鵯くんの具合が悪かったことを報告すると、話半ばでメイジャーはいきなり起立して両腕を体の脇にぴったりつけ、深々と頭を下げた。

「迷惑をかけてまことに申し訳ない。あいつは昔から本当にふがいない奴で――」

弓削くんが、おいおいという顔で遮った。

「迷惑だなんて言ってないよ。花小路だって何とも思っちゃいない。おまえの弟のことだから、一応知らせといた方がいいだろうと思っただけだ」

衢くんは無念やるかたない表情で頭を振った。

「まったくもってふがいない。この程度の寒さで風邪などひくとは！」

「風邪ひいたのは半分僕の責任なんだ」

私の言葉が耳に入らなかったかのように、衢くんは頭を振り続けた。その仕草にはどこか、三千橋先生の地理の授業に共通するものがあった。頭は床屋が休みで自分で散髪したのか、青刈りの所々に凹凸《デコボコ》がある。北米大陸やスンダ列島やミクロネシア群島にそっくりの隆起も見える。教室から教室へ旅をする先生方には、それぞれお気に入りの芸当や小道具があり、三千橋先生は大きな地球儀を抱えて教壇《ステージ》に上がられる。授業中、それに寄りかかって無意識に前や後へくるくる回しておられる。これだ。

「あとで見舞いに行ってやれよ」

と、弓削くんが勧告した。すると青い地球は右に左にいっそう激しく揺れて、アラスカ州が夏になったり冬になったりした。私はメイプルロッジへの途上で聞いて尻切れトンボに終わった、「話しかけちゃいけない」の件を思い出した。

「なんで行かないんだ？」

弓削くんは首をかしげた。

「花小路には間違いなく詫びておく。約束する」

「そんなことはどうでもいい。心配じゃないのか？」

銜くんは我々にくるっと背を向けた。直立不動の姿勢は崩れない。が、握りしめた両拳は、心なしかわなないている。銜くんは弓削くんと同じくらい背丈がある。そして弓削くんよりもずっと骨太で身がたくさんついていて、制服の袖のあたりなど、詰物でもしたようにぱんぱんに張りきっている。腕立て伏せと遠投で鍛えた磐石《ばんじゃく》の肩が男泣きに震えるのは、試合に負けた時だけだ。嬉し泣きはとうとう見ずじまいだった。（私の在学中、鶴島学院硬式野球部は一度も勝ったことがなかったから。）弓削くんは銜くんの孤独な背中に向かって呼びかけた。

「何とか言えよ、相原。どうしてそんなに弟の顔を見るのが嫌なんだ？　泣かされたことでもあるのか？」

銜くんはヒマラヤ山脈のように甚だ褶曲した形相で振り返った。野球選手の顔面は、通常冬になっても保護色に変化することがない。四季を通じて関東ローム層が露出している。その赤褐色の地肌に憤懣の色だか慙愧《ざんき》の色だかが見る間に広がり、メイジャーはいよいよ赫々炎々《かくかくえんえん》としてきた。

「あいつは俺の名誉をメチャメチャに傷つけたんだ」

私は唖然とした。石部さんが〈歩く謹厳実直〉なら相原〈弟《マイナー》〉はさしずめ〈歌う人畜無害〉である。鶫くんが誰かの名誉をメチャメチャにするなど、到底信じられない。そんな椿事が発生する前に、シュヴァイツァー先生の愛魚がピラニアになって暴動を起こすだろう。冗談口をきいたものの、弓削くんとて同じ思いのはずだ。衞くんはなぜそんなことを言うのか？　大いに好奇心をそそられた。うまくなだめるかおだてるかして、事情を聞き出すことはできないか？　ちらと傍らを窺うと、打てば響く性質の友人から「心得た」という意味の秒速千mのウィンクが返ってきた。弓削くんはこの上なく無邪気な笑みを浮かべて、怒れるメイジャーの肩を叩いた。

「まあ座れ」

「座ってどうなる？」

「話を聞こう」

「話なんかない」

「話せよ。黙って抱えこんでると腹がふくれるぜ」

衞くんは、はっとして自分の腹部に手を当てた。弓削くんはニヤリと不吉に笑った。

「さあ、相原。話してくれるだろ？　名誉にかかわる問題だ」

謎のような駆け引きは、弓削くんの勝ちと決まったらしく、衞くんはどっかと腰を据えて語り始めた。

「俺と弟は、当然のことだが、同じ小学校に通った。あいつとは二つ違いだから、俺が六年生になるとあっちは四年だ。六年の一学期に俺は児童会長になった。推薦立候補だ。俺は一年生の時からずっと級長をやっていた。級長だけじゃない。地区の子供会の議長もやっていたし、野球チームのキャプテンでもあった。要するにリーダーシップと人望があったわけだ。児童会長に当選しても、格別めでたいとも思わなかったよ。ところで児童会というものには、四年生以上の各クラスの級長、副級長が代議員として出席する。鵜の奴、四年になると、それだけの器量もないくせに、竹組の級長に選ばれやがった」

「竹組？」

聞き手二人は思わず顔を見合わせた。

「俺たちの学校じゃ、各学年が松、竹、梅組に分かれていたんだ」

話の腰を折って失敬、と弓削くんが詫びた。

「あいつが級長なんかになれたのは、一重に兄である俺の人気の賜物なんだ。つまり、俺の七光だ。忘れもしないが、あれは俺が会長になって初めての児童会でのことだった。あいつは最前列に陣取って、低能の犬みたいなアホ面下げて議長である俺をニマニマ見上げている。俺はせいぜい気をつけてそっちを見ないようにした。うっかり目が合うと、怒鳴りつけたりして、議事進行の妨げになりかねないからだ。就任後最初の集会だったから、些かナーヴァスになっていたのは認めよう。それでも何の失敗もなく我ながら惚れぼれするくらいテキパキと会を進めた。それなのに、こともあろうに閉会宣言の時になって――」

衛くんの拳は再び固く固く握られた。顔は噴火寸前だ。

「――『これで学級会を終わります』と言ってしまったんだ！」

「そんなミス誰にだってあるよ」

「俺にだけはあってはならなかったんだ」

「言い間違えたら言い直せばすむことじゃないか」

「言い直そうとしたとも！　しかし時すでに遅かりしだ。俺が、学級会を終わりますと言うのを聞いた途端に鵯の野郎、三つ向こうの教室まで聞こえるぐらいの馬鹿笑いを始めやがった。最前列でだぞ！　それにつられて教室中が大爆笑だ。ああっ、俺はあの地獄のような三分間を一生忘れない！　母亡き後、陰になり日向になりして面倒を見てきてやった実の兄に対して、あんな仕打ちをするとは！　恩知らずの、恥知らずの、クソッタレ！」

「ちょっと大げさなんじゃないか？」

「それ以来、俺の児童会長としての権威は地に落ちた。児童会を召集すると、その都度前には絶対にしなかったようなヘマをしでかすようになった。議長席につくと口の中がカラカラに乾いて、議題さえろくに読み上げられない。それもみんな、あいつがそこにぶっ座って、今にもあの鐘みたいにカンカン響く声で俺のしくじりを笑いだしゃしないかと、緊張したばっかりに……冷や汗がパンツまでしみとおるあの恐怖が、弓削、弟のないおまえや遠野にわかってたまるものか！

鵜はアクマだっ！」

「やっぱり大げさだよ」

今度は私が言った。

「何もそこまで名誉にこだわらなくても。鵜くんだって笑いたくて笑ったわけじゃないのに――」

「だからよけい悪というんだっ！」

「と、とにかく、仲直りすれば？　病気の時って心細いもんだろ？　身内が一言何か言ってやれば、治りも早いよ」

「早く治ってしっかりクタバレと言ってやる！」

「相原！」

衛くんはすっくと立ち上がった。

「悪いが出て行ってくれ。やはり話すんじゃなかった。話したために、またあの悪夢のような記憶が甦ってきた」

と言うが早いか、弓削くんと私の胸に広い厚い掌を一枚ずつ当てがい、相撲の張り手のようにバンバン押してくる。土俵際で踏んばってみたがかなわず、あっさりと敷居の向こうへ押し出されてしまった。

「屈折した奴だなあ！」

閉じたドアのこちら側で弓削くんは呟いた。

「よっぽど嫌な思い出なんだな。よく話してくれたね」

「『腹脹《ふく》るる心地』が効いたんだろ」

弓削くんは思い出してくすくす笑った。

「あいつ弟とおんなじでお菓子に目がないんだ。野球部の主将から、それ以上腹を出すな！って、ダイエットを命令されたんだよ。でも時々禁断症状が出るらしい。こないだ体育館の裏で、こっそり饅頭《まんじゅう》を食ってるとこを目撃してさ……」

ささやかな意地悪を、素敵に長い睫毛に隠蔽《かく》して、弓削くんは悪魔のように微笑んだ。

捜索隊は正午に、落葉松《からまつ》林のクリストの墓の前に集合した。ひっそりした小さな塚を眺め、復活しとらんのう、と青木くんが陰気に呟いた。鵜くんの目はまたうるうると潤《ほと》びてきた。

「してたらホラー映画だよ。泣くな」

花小路くんが鵜くんにハンカチを渡し、その背をポンと叩いた。

「おい、そこもう一回やってくれえや」

と、ファインダーの向こうから注文が出る。カメラを構えているのは津々浦くんである。チャペルで行われた創立記念式典の模様を写真に撮るため洲々浜くんと一緒に休日出勤したのだ。撮影が滞りなく終了したので、次は事件記者として我々のマリア捜索につきあうことになった。

「《不慮の死を遂げた仔犬の墓の前で涙ぐむ飼い主》、《母犬の行方をつきとめるまでは母校の土を踏まぬと誓いあう捜索隊のメンバー》……」

次々にシャッターを切りながら口は自動的にキャプションを入れている。次号の〈学院ウィークリー〉のヘッドラインは《不遇の仔犬変死、母親謎の失踪》くらいだろうか。万一マリアが見つからなかった場合、鶴島新聞に広告を出してみたらどうかと、青木くんが洲々浜くんに話している。

「ほじゃけど、dogs《ドッグズ》, hah《はぁ》, can't《キャント》 read《リード》 newspaper《ニュースペイパー》よ」

お、ラジオ講座聴いてるな、と弓削くんに小突かれ、洲々浜くんはエヘヘと首をすくめた。

「剽窃《ひょうせつ》はいけんで」

と津々浦くんに言われて、洲々浜くんは、

「僕この頃、インスピレーションが湧かんのよぅね。才能がミテたんかいねえ?」

さてこの『ミテタ』（終止形『ミテル』）は、決して『見てた』ではない。私は鶴島へ移住して以来、『ハブテル』、『ジャマイ』、『タワン』、『ミヤスイ』、『ブチ』、『バリ』、『ベリ』等々、様々な外国語に遭遇して苦労してきたが、中でも『ミテル』は最も混乱させられた言葉の一つである。満ちるどころか『尽きる』、『無くなってしまう』という意味で、用法は、たとえば津々浦くんと洲々浜くんが今使っているように、『フィルムゥまだ残っとるんね?』、『ありゃー、もうミテトラー！』の如く用いる。標準語では、『フィルムはまだ残っているの？』、『あれ、もう無くなっている！』。参考までに『ハブテル』以下の会話実例と標準語訳を紹介すると、『あんたぁ、はぁ、何ハブテとるんね？』（訳『あなたは何をむくれているのだ？』）、『ジャマイのお』（訳『邪魔だなあ』）、『手がタワンノンジャー』（訳『手がとどかないんだ』）、などとなる。『ブチ』、『バリ』、『ベリ』は英語の〝very《ヴェリー》〟（シャレではない）に相当する強調の副詞。『ベリみやすいで』と言えば、〝That's《ザッツ》 very《ヴェリー》 easy《イーズィー》〟ということだ。

思わぬ脱線をした。捜索は三グループに分かれて開始された。弓削・津々浦・洲々浜組は学院敷地の外回り、特に坂下の電車通りを担当することになり、鵜くんが色鉛筆で描いた犬相書きを持って自転車で出発した。花小路・青木組は学院の構内、そして鵜くんと私は裏山へ向かった。

八六　竹《たけ》に雀《すずめ》

捜索に加わるなら暖かくしてこい、と花小路くんに言われて、鵜くんはセーターやオーバーコートをありったけ着込んできた。それで、昨日ポップコーンを奪いあっていた雀の子のように着ぶくれていた。裏門に続く銀杏並木は既に上り坂である。並木道が終わるとジャングルが始まる。上はクレタケ、下はクマザサの、前人未踏の原生林が行く手を阻んでいる。呉竹《クレタケ》は真竹《マダケ》のことで、この辺で見かける竹藪はほとんどこのタケで構成されている。クマザサは『熊笹《クマザサ》』かと思っていたら、本当は『隈笹《クマザサ》』で、秋に葉の縁だけが白く枯れるから、まるで役者の『隈《クマ》』笹《ザサ》だとか。（この説明を口頭ですると何のことやらさっぱりわからない。）

私はポケットから軍手を取り出して着けた。鶇くんはミトンをはめた。笹の葉で手を切ると痛いからだ。息を切らしてよちよち坂を上がってきたふくら雀は、今度は先に立って勇ましく笹群をかき分けつつ進み始めた。体育祭の仮装行列の登場人物から判断すると、竹に雀は上杉謙信や伊達政宗の御紋だ。要するに、縁起がいい。私は楽観的になった。じきに雀のお宿でも見えてくるようなこのときめき。捜索はきっと成功するに違いない。

鶇くんはかわいい声を張り上げてしきりに「マリア！」と呼んだ。私は裏門から充分遠くへ行くまで大声を出すのは控えた。裏山は山というより丘であるから、間もなく頂上を越えて向う側の斜面に出た。依然として密林である。しかし所々、夏の間に伐採された竹の切株がドミノのようにニョキニョキ突っ立っていて、危ない。鶇くんが突然あっと叫んで、とある切株に駈け寄った。《学院の裏山にかぐや姫現わる》？

「これ、マリアのだ！　まちがいっこない。僕が結んでやったんだもの」

切株には一筋のリボンが絡みついていた。水色の絹地は雨露と埃にさらされて薄汚れ、結び目ではない箇所で引きちぎられている。私も近づいて切り口をよく調べてみた。

「マリアが自分で引っ張って切ったんだね。ナイフや鋏を使ったみたいに、スッパリ切れてないから。仔犬と遊んでる最中に引っかけたのかもしれない。ひょっとしたら、一日か二日、ここに足止めされたんじゃないかな?」

「あ、それで……」

「ビッコを引いてたって言ったね? 怪我がひどかったのなら、そんなに力いっぱい引っ張れなかっただろう。絹は案外丈夫だから――ああ、このギザギザになった所に引っかかった時、布地が裂けたんだ。あとは簡単だよ」

私の内部でエラリー・クイーンの思い出が騒いだ。『竹取スパニエルの謎』くらい書けるかも――しかし、肝腎の犬はどこにいるのだ?

「もっと探してみよう。それからね、リボンをつけてやる時は気をつけなくちゃ。何かに引っかかったらすぐ解けるように、結んどくんだよ。でないと、最悪の場合は首がしまる。切れたのは運がよかった」

鶫くんは、リボンの切れ端を握りしめて、しょんぼり頷いた。

「こんなに呼んでも出てこないということは、声の届く範囲にはいないいんだね」

と私は言った。あるいは声が届いても既に聞こえない状態になっているか——という可能性には敢えて触れなかった。

「麓まで下ってみよう。山裾をぐるっと回って行けば、あっち側で弓削くんたちに合流できるから。まだ歩ける？」

「はい」

「疲れたらちゃんと教えるんだよ」

前進を続ける前に、鵜くんはしばしもたついた。シャカリキに歩いてきて暑くなったのだろう、コートのボタンをはずそうとするのだが、ミトンをはめた手ではうまくいかない。見兼ねて私が手伝った。コートからもぞもぞと脱皮した鵜くんは、水蜜桃のような頬を紅《あか》らめて、ふうっと深呼吸した。下には救命胴衣型の黄色いダウンヴェストを着ていた。その下にはクリーム色のふかふかしたアンゴラセーター。雀がヒヨコに変身である。

下りは上りよりも傾斜がよほどきつかった。夜半の驟雨《しゅうう》の名残で土が湿っているため、油断するとどんぐりころころ下まで転落する。斜面の傾斜角度によっては、ヒヨコと私が手に手を取ってメヌエット風に下らなければならない難所もあった。

麓には人間の通る道がある。そこをてくてく進むと丘の裾をぐるっと回って電車通りに出る。ただし、最後の難関を突破すればの話だ。道の途絶える所に、鶴万川《つるまんがわ》という幅およそ八メートル、水深五十センチの大河が洋々と流れている。誰の発案か、周到に橋がかけ渡してあるのは親切だが、大人の掌を二つ並べたほどの幅の丸木橋だから、渡る時はほとんど曲芸になる。それで、通常は三個の飛び石づたいに向こう岸へ横断する方が安全である。長雨の季節には、石が水面下に没していることがあるので、止むなく平均台の練習をすることになるけれど。

鶴万川のほとりに着いた時、対岸では何か騒ぎが持ち上がっていた。小学校三年くらいの屈強な児童が数名、群がってわあわあ喚《わめ》いている。何ものかの周囲に輪を作り、棒でつついたり囃《はや》したてたりしている気配である。私と鶫くんは一つ、二つと石を跳んで状況を目近《まじか》に確認しようとした。ところがどうしたことか？　最後の石が見当らない。水没しているのかと流れの底に目を凝らすが、そんな様子もない。この第三の石は、他の二つより小さいながら、最後の足がかりとして鶴万川横断には欠かせない要石であった。それが忽然と、跡形もなく消えうせている。もしや今まで河童《かっぱ》か川獺《かわうそ》が化けていたのであろうか？　狼狽のあまり、そんなファンタスティックな疑惑までが一瞬脳裏を走った。最後の数メートルを助走なしで跳ぶことができるだろうか？

屈強な児童の中でも一段と容貌の荒くれた男児が、川中島で立ち往生している私たちに気づいた。子供は全員、地元の球団鶴島クレインズの赤いヘルメットを模《かたど》った帽子をかぶっていた。

「あんたら、そがいなとこで何しょうるん？」

軽蔑に満ちた声音でその子が言った時、もしや彼は女の子なのかと意外の感に打たれた。そういえば、髪は三つ編みでスカートをはいている。私は彼女の質問を無視した。

「君たちの方こそ何をしてるんだ？　何かいじめてるんじゃないの？」

「ウチらがつかまえたんじゃけぇ、どうしょうと勝手よね！」

女の子はあぐらをかいた鼻を傲然とそびやかした。彼女が集団から離れて岸辺に寄ったので、人の輪に僅かな間隙《かんげき》が生じた。ちらりと見えたのは、炉辺の敷物かしみだらけのバスタオルを、くしゃくしゃ丸めたような塊に過ぎなかった。が、その刹那、

「マリアだ！」

と鶫くんが甲高く叫んで、水中へ踏み出そうとした。私はセーターの首をつかまえて危うく引き戻した。

獅子鼻の女の子は警戒の色を見せた。他の子供たちを振り返って、ヤバい！とか何とか呟いた。仲間うちで一番大柄な少年が――こっちは半ズボンに刈り上げだから、たぶん男であろう――ジャンパーの袖で洟《はな》を拭きながら悠々とこちらを眺めた。女の子が合図をすると、彼は即座に例のボロ切れの塊に巻きつけた縄をぐいぐい引いて歩かせようとした。それは間違いなく犬であった。いや、マリアであった。長い絹のような毛は目も当てられぬほど汚れ、縺《もつ》れて、泥がこびりついている。下半身が麻痺しているのか、腰が抜けたように地面に這いつくばっているが、それでも時々、前肢だけで懸命に踏ん張って、引きずられまいとする。これだけ乱暴な扱いを受けている

のに、唸りもしなければ牙もむかない。遮二無二《しゃにむに》引ったてて行こうとするハナタレ小僧を、辛抱強い褐色《かっしょく》の眼がじっと見上げる。その瞬間、私にはほとんど犬が口をきいたように思えた。（どうしてこんなことをするのですか？　どうして私に？）鶫くんは私の手を振りほどこうとじたばたもがいた。私自身、アマゾン河でも跳び越せそうなほど、憤りが募ってきた。

踏み切った足が滑って浅瀬に着水、靴とズボンの裾を濡らしてしまったが、そんなことには構っていられない。縄を放り出して逃げようとしたハナタレ小僧の首根っこをムンズとおさえたところへ、折よく自転車部隊が通りかかった。私の捕虜以外、悪ガキ連はクモの子を散らすように逃げだしたが、素早く自転車を降りた弓削くん、洲々浜くん、津々浦くんに逃走経路を阻まれ、難なくつかまえられた。かの女ボスだけは追跡者の手を巧みにかいくぐり、一定の距離をおいて憎々しげにこちらを睨みつけた。

「おまえらぁ、はあ、足の悪い犬を集団で苛《いじ》みょうったんか？　いけんやつらじゃのー！」

私から事情を聞いた津々浦くんが強面《こわもて》で近づいていくと、女ボスは後退しながらキイキイ叫んだ。

「ウチらの犬なんじゃけえ！　ウチらが山で見つけてかわいがりょうったんじゃけえ！」

「テッちゃんのバナナも半分やりょうったんじゃけえ！」

「ほんで、逃げんようにぐるぐる巻きに縛っとったんじゃけえ！」

仲間が熱心に加勢した。しかし津々浦くんは容易に懐柔されない。

「この犬にはちゃんと飼い主がおるんじゃ」

「へえ？　ほいじゃあ、その証拠見せんちゃいや！」

女ボスが言い放つと悪童どもはこぞって雷同した。そうじゃそうじゃ、ショーコじゃショーコじゃ、ショーコがないんじゃったらワシらの犬じゃ、バナナ返せぇや、云々。

私たちは一斉に鶫くんを見た。（垂直跳び、幅跳び、三段跳びの学年記録保持者である弓削くんに抱えられて無事こちらの岸へ渡ってきていた。）鶫くんはおどおどと先輩の顔を見回した。頼りない眼差しが私の所へさまよってきた。励ますように頷いてやると、少し自信がついたのか、悄然と踞《うずくま》っている犬に向かって「マリア」と静かに呼びかけた。すると犬は、頭をはっと擡《もた》げ、前肢で体を支えて起き上がり、鶫くんをひたと見つめて嬉しげに舌を出した。腰が抜けていなければ尻尾《しっぽ》を振っていたことだろう。安堵した津々浦くんが、

「ほれ見い。飼い主に呼ばれたけぇ――」

と言いも終わらぬうちに、女ボスは負けじと声を張り上げた。

「ゲンタロウ！」

犬はくるりと向き直り、幸せでたまらないという顔で彼女を見上げながら、いっそう長々と舌をつき出して見せた。

「マリア！」

「ワン！」

「ゲンタロウ！」

「ワン！」

「マリア！」

「ゲンタロウ！」

「ワン！　ワン！　ワン！　ワン！　ワン！　ワン！」

埒《らち》があかなくなってしまった。犬は元来主人に忠実な動物だが、おおらかで社交的なスパニエル気質が禍《わざわい》して、マリア＝ゲンタロウはどちらが本当の飼い主であるかわからなくなり、両者に忠実であろうと決めたらしいのだ。皆が途方に暮れていると女ボスの方から、いつの間にかこちらのスポークスマンになった風情の津々浦くんに提案があった。

「ほいじゃあ、勝負して勝った方のもんにしょう」

「勝負いうてなんじゃ？　相撲じゃったら負けんで」

「ちがうよぅね。勝負いうたら大ウソごっこに決まっとるじゃろう？」

決まっているのだろうか？　小学校における勝負事の現場から遠ざかって早や数年、何とも言いかねる。津々浦くんが不審そうに問い返した。

「大ウソごっこ?」

「うん。何でもええけぇ、一番すごいウソついた方の勝ち。ウチ、学校で負けたことないんじゃ。お兄ちゃん、先に言いんちゃい」

〈学院ウィークリー〉編集部では、エホバの使者の如く、厳正な報道精神を以て聞こえる津々浦くんだ。たちまち気色《けしき》ばんで背筋を伸ばした。

「いやじゃいいや。お兄ちゃんは絶対に嘘なんかつかんのんじゃけえ!」

赤ヘル軍団はどよめいた。女ボスの自信満々の顔が驚愕に歪んだ。彼女の腹心の手下どもの間から、

「嘘ーゆーてじゃ」

「あー、ほんま! うそーゆーてじゃ」

「お兄ちゃんの勝ちー!」

という賛嘆の声が上がった。勝敗はおのずと明らかになった。大ウソごっこにおける歴戦の女傑は、唇を噛みしめて無念の涙を堪《こら》えた。そして、ウチの負けじゃ、とマリアの縄を津々浦くんの手に押しつけ、一味を率いて寒風吹き荒《すさ》ぶ鶴万川をトボトボ立ち去っていった。

八七　乳母父《そだてのちち》

怪我の巧妙でマリアを奪還した捜索隊は、その足で動物病院へ赴いた。自転車部隊が鶴万川方面へ回って来る途中、立ち寄って犬相書きを見せてきた獣医さんだ。構えはボロいが診察室は大変几帳面に片づいていた。

先生はマリアを触診し、レントゲンを撮り、脊髄損傷のため下半身が麻痺しているようだと言った。どこか高所から転落した模様である、前肢は何ともないから飼育環境次第ではまだ生きていけるかもしれないが、野良ではとても無理、安楽死させた方が……

「いやです！」

鶫くんはブンブンかぶりを振った。

「せっかく見つけたのに――いやだ！　絶対いや！」

「ほじゃけどのう、運動神経も知覚神経もやられとるんじゃ。君は学校があるし、つきっきりで世話するわけにはいかんじゃろう？」

鶫くんはぐっとつまった。

「なんぼかわゆうてもフンニョウタレナガシのペットはのう……」

獣医さんはブツブツ一人で呟いていたが、急にポンと手を打った。

「そうじゃ！　あの男じゃったらひょっとすると――君ら、ちょっと待っとってくれえや。電話してくるけぇ」

数分後に戻ってきた先生はニコニコ顔だった。犬の里親が見つかったというのだ。隣町に住む大工の棟梁《とうりょう》で先生とは旧知の間柄。四、五年前、飼っていた三毛猫が根太《ねだ》から落ちて腰を打ち、下半身不随となった。猫が高齢だったこともあり、この時も獣医さんは安楽死をほのめかしたが、子供のない棟梁とその奥さんは絶対に聞き入れず、持てる技術の全てを駆使して愛猫のために顎乗せ台つきの特別な車椅子を考案してやった。猫はその車椅子でカラコロと生活して二年後に老衰で大往生を遂げた。それ以来棟梁夫妻は身体障害動物をことのほか憐れみ、特に半身不随の生き物には同情的であるという。

「体重十キロを超す巨大重量猫じゃったけぇ、車椅子も特大じゃ。犬でも充分乗れるけぇ」

と、獣医さんは請け合ってくれた。

「それにこの犬は牡にしては小柄な方じゃし――」

「牡？」

私と鶫くんは顔を見合わせた。

「待って下さい、先生。これは牝ですよ。子供を連れてたもの。ねえ、相原くん?」

鶫くんは頬を赤くしてもじもじ頷いた。先生はハッハッと笑った。

「生むとこは見んかったんじゃろ? 間違いなく牡犬じゃ。ただし去勢してある。なんじゃったら、確かめてみんさい」

全員で代わるがわる確かめた結果、先生の意見が正しいことが証明された。鶫くんは哀れなほど恥じ入って、それとなく私の後ろに隠れてしまった。

「時々おるんじゃ。牝に負けんほど面倒見のええ牡が。その仔犬もおかあさんにはぐれるか死なれるかして、保父犬にお守りしてもらいょうったんじゃないかのう?」

棟梁は土曜日の午後に犬を連れてきてほしいと希望していた。奥さんが女学校時代の同窓生とハワイへ旅行に出かけていて週末まで帰らないから、ということだった。

「よかったのう」

獣医さんは診療室の窓を開き、裏庭らしい所で何か仕事をしていた女の人に、おいキヌコ、ちょっと手伝《てつど》うてくれぇや、と声をかけた。女の人はエプロンで手を拭き拭き中へ入ってきた。

「今、手が放せんのじゃけどねえ――」

「この犬、半身不随なんじゃ。おシメ当てちゃって」

「まあ、かわいそう！」

先生の奥さんらしいキヌコさんは、戸棚からてきぱきとパンパースの包みを出してきた。

「君らもよう見ときんさいよ。将来役に立つけえ」

マリアは（今となってはもっと男らしい名前を考えてやらなければなるまい）ワンともクンとも言わず、おとなしくされるがままになっていた。パンパースの上には、ピンクの花模様のおむつカバーまでしてもらった。

「一日に二、三回、替えてやりんちゃいね」

キヌコさんは私たちに優しく笑いかけ、中断した裏庭の仕事に戻っていった。先生は、棟梁の自宅の電話番号と工務店への簡単な地図を書いて、紙おむつの袋と一緒に渡してくれた。鶇くんがズボンのポケットを探って財布を出そうとするのを、ええけぇ、と手を振って遮った。きっとこの余裕が表の看板を寂れさせ、白衣の穴を大きくしているのであろう。

帰りがけに窓からキヌコさんにお礼を言った。見ると仕事は漬物であった。井戸端の流しのような所に、白菜、鶴島菜《つるしまな》、大根の葉などが、手術器具のように整然と並べてある。先日、冬のコートを物色しに祖母と町へ出た折、一休みしたカフェの窓から飛び散らう枯葉を眺めながら、そろそろ茎漬《くきづけ》の季節なんじゃねぇ、と呟くのを聞いた。毎年、茎漬用の桶をきれいに洗《あろ》うて乾かして、形のええ重石《おもし》を探してくるんが楽しみでねえ……

キヌコさんがせっせと葉や茎を漬け込んでいる桶の傍らに、なるほど手頃な石が一つ転がっていた。まさか？と私は目を凝らした。あれはたしか――いや、そんなはずは――しかしやはり、もしかすると？

「その石、どこで見つけられたんですか？」

「これ？　お父さんが近所の川から運んできてくれたんよ。なかなか力持ちじゃろう？」

そうだったのか。やっぱりカッパもカワウソもいなかったんだ。鶴万川の交通を不便にしたのは獣医さんの、妻への愛情だったのである。

私たちは電車通りをぞろぞろ行列して学院へ戻った。並んで自転車を押している洲々浜くんが、犬を抱えた鵜くんに尋ねた。

「その犬、ほんとに毎日子供連れてごはん食べに来ょうったん？」

「はい。ごはんも、昼寝も、散歩も、遊ぶのも、いつ見ても一緒でした」

「まるで子連れ狼じゃねえ。人間ならともかく、動物がそこまですることはねえ。わが子でのうても、赤ちゃんはやっぱりかわいい思うんじゃろうか？」

「性格の問題じゃないか？　わが子とかなんとかいうより。動物は遅かれ早かれ、血のつながりなんか忘れちまうよ」

と、弓削くんが言った。

「うちの近所にもそういうのがいた。猫好きのおばあさんとこの飼い猫でさ、新しいのが拾われてくると、他の先住猫はみんな嫌って仲間はずれにするのに、一匹だけ興味を示して遊んでやる奴がいる。それがなんと牡猫なんだよ。理想的な保父さんだって、おばあさんは喜んでたな」

学院の坂を上って竹林にさしかかると、青木くんが藪を棒でつついたり、バシバシ叩いたりしているところへ来合わせた。どうも捜索方法を誤っているようだ。

「おうい、青木、もうええんじゃ！　犬、おったで！」

津々浦くんが大声で報せた。

「花小路は？」

「チャペルとメイプルロッジ方面を探しょうる。さっきペン先生が来て、それらしい犬の糞がポーチに置いてあったいう情報を提供してくれたもんじゃけえ」

捜索隊はルカ寮玄関で解散した。花小路くんはいなかった。捜索打ち切りを告げに行った洲々浜くんから朗報を聞き、そのままメイプルロッジに居残ることにしたのだ。シュヴァイツァー先生の部屋でGSSの会合があるという。犬が見つかってよかったというお慶びのメッセージだけが届いた。鶫くんは帰ってゆく一人一人に礼を言って頭を下げた。同じくルカ寮に住む私も、行きがかり上、ありがとうを繰返しながら友人を送り出した。さて、残る問題は犬の寝場所だ。ルカ寮の舎監は温厚なエヴェレット先生だった。仔猫を四匹いっぺんに圧死させた人である。

おむつカバーを着けた犬を見て大いに同情された。里親の家に連れて行く土曜日まで、玄関の隅に寝箱を置いてはいけないでしょうか、と尋ねると、玄関は人の出入りが多くて犬も落ち着かないだろうから、舎監室に寝かせなさいと言われた。仔猫の事件を知らない鶫くんは、私を見上げて嬉しそうに笑ったけれど、知っている私の心境は複雑であった。

夕食の後、ちょっと立ち寄って覗いてみた。エヴェレット先生は不在で、鶫くんが餌と水と牛乳を与えているところだった。

「食欲はあるみたいだね」

「ええ。これ、さっき青木さんが特別に作って届けてくれたんです」

餌皿には何かのシチューがたっぷりよそってあった。ミートボールをたくさん浮かべてほかほか湯気をたてている。色といい香りといい量といい、寮生に供された今夜の夕飯より、数段贅沢な趣きがある。食堂の残飯からこれだけのものを作り出すとは、青木くんはやはり食卓の魔術師だ。

私の羨望の眼差しを尻目に、犬は悠然とシチューを平らげてゆく。その傍らに跪《ひざまづ》いた鶫くんが、小声で言った。

「僕、遠野さんにお願いがあるんです」

「なんだい？」

「土曜日――大工さんの所へ一緒に行っていただけませんか?」

「一人では行きたくない?」

「行く時はいいんだけど……」

帰りが淋しいのだろうと私は推測した。

「土曜か。今のところ何も用事はないはずだけど」

目が自動的に舎監室の壁を探す。どこかに二学期の行事予定表が貼ってあるはずだ。あった。今週は月曜日が創立記念日、火曜日―何も無し《ブランク》、水曜日―防火訓練、木曜日―ブランク、金曜日―期末テスト日程発表、土曜日―ブランク。

「いいよ、行こう。動物用車椅子ってやつを僕も見てみたいから」

私たちは土曜日の放課後、舎監室で落ち合うことにした。私は日記帳に『土 13:00 マリアを大工へ』と書きとめた。私は誕生日以来、なんと日記をつけているのであった。正確には雑記だ。祖父母から、短剣の形をしたペーパーナイフと豪華な革装のブランクブック(中に何も書いてない本)を贈られ、初めは九月何日何曜日晴れなどと律儀に書いていたのだが、すぐ面倒になった。いつの間にか雑記帳に化けた本には、テストの範囲、テニスのスコア、レポートの下書き、本箱の設計図、買物メモ、電話番号、昨夜見た夢の覚書、等々脈絡のない雑多な記載が連綿と続いている。ナイフには表紙と同じ金銀の箔を押した黒革の鞘がついていた。ナマクラな刃の表にアカンサスの葉の打ち出し模様があり、擬物《まがいもの》の大きな翡翠《ひすい》が束《つか》に嵌め込んであった。作りが派手で実物大なので、演劇部が本当に『ロミオとジュリエット』を上演することになった時に頼まれて貸して以来、とうとう戻ってこなかった。

鵜くんとの約束の他に私はもう一つメモをした。『期末（二）公民、現国、倫社、生物』――テスト第一日めの試験科目である。上月くんや津々浦くんという優秀な諜報部員を抱えているため、高ＩＣの生徒は、金曜日の正式発表を待つまでもなく、既にテストの日程を知っていた。これは試験勉強の計画を立てる上で大変重要なポイントになる。知るのは早ければ早いほどいい。と言っても、現国などは勉強のしようがないし、倫社は毎回一夜づけと決まっている。（その頃、倫社の試験勉強に延べ三十分以上費やする者は変人と見做《みな》されていた。）とりあえず公民のノートを大佐古くんから取り返しておかなければならない。（「参議院と衆議院の違いがようわからんのじゃあ」と持って行かれてから、早や一週間経つ。）生物のノートはたしか、棘皮《きょくひ》動物の授業以来、青木くんに貸し出し中だ。（「ヒトデとナマコの違いは一体どんなんなんじゃあ……？」）

寝る前に何気なくラジオのイヤフォンを耳に当てると、いきなり賑やかなディスクジョッキーの声が飛び込んできた。

「……なんですよね！　一切を与えられても、一切を拒まれても、変わらなくてこそ本当の愛なんですよね！　いやあ、ゲーテってすごいなあ！　ローラーズもすごいなあ！　福島県のマサヨちゃん、ステキなお便りどうもありがとう！　ではお別れに、僕の感謝をこめてこの曲を！」

（ベイシティ・ローラーズの最新アルバムの冒頭を飾る曲のイントロが流れてきた。）

私はチューナーを調節してＮＨＫに変えた。英会話の再放送の時間だ。講師の先生が前回の復習をしている間、私は上の空で部屋の天井を眺めていた。マサヨちゃんは、一体どんなステキなお便りを書いたのかなあ――？

八八　雪冠《ゆきのかんむり》

金曜日のクラブが雨で流れた。クラブハウスでのミーティングも早めに解散になり、私は夕食までの時間を持て余した。寮の部屋に戻ってふと卓上カレンダーを見ると、翌日土曜日の日付けが丸で囲んである。鉛筆で急いで書いた薄い跡だ。いつそんな物を書いたのか、覚えがなかった。祝日でもない、掃除当番でもない、宿題の提出日でもない――と順々に考えていって、突然思い出した。野瀬さんの退院日だ。学校に戻るとすぐ試験週間に入ることになるが、出席日数の心配はさておき、学業の遅れに関する不安はないようだった。Ｔ先生という思いがけない家庭教師を得て、学校の授業に出るより効率のいい勉強ができたかもしれない。

私は癌の園長先生をK大病院に見舞った折、プロフェッサー某《なにがし》という人の退院風景に出くわしたことがある。正面玄関前に待機した黒いメルセデスベンツ（というのは後で知った）の周囲に、ぎっしりと人垣ができていた。大半は白衣姿のお医者さんであった。誰かが、「＊＊先生のご全快を祝って！」と音頭を取って皆で万歳三唱をしていた。その時は幼稚園の先生と友達が一緒だったので、あの中に父がいたらどうしようとハラハラした。野瀬さんはそんなのは期待してないだろう。入院も退院もほとんど身一つでできる昨今、荷物持ちが多すぎても足手まといになるだけだ。しかし、もしエスコートが必要だと言われたら行くつもりだった。それをうっかり忘れて、鶫くんと約束してしまったのだ。大工の棟梁は土曜と指定してきたし……代わりに今日、ちょっと病院へ顔を出しておこうか？　上月整形外科までは、学院の坂の下から鶴電バスに乗って片道約四十分。今すぐ出かけてあまり長居をしなければ、寮の食堂が閉まるまでに帰って来られる。万一夕食にあぶれても、青木くんの調理実習の日だから、ヨハネ寮へ忍んで行けば何かしら夜食があるはずだ。

私は祖母が見立ててくれた新しい冬コート、及び祖父から譲り受けた蝙蝠傘《こうもりがさ》で武装して学院を出た。雨の糸が氷柱《つらら》のように顔を打つ。坂を下る途中、時折思わぬ方角から強風が吹きつけ、傘の柄にしがみついた私は、普段取らないポーズを幾つも要求されて、大変な苦労をしながら進んだ。

西病棟へ通じる廊下でT先生に会った。病院の中まで傘を持って入る奴があるかと叱られた。振り返ると私の後ろには、船の澪《みお》かナメクジの這った跡のような、一筋の水路が歴然としている。傘立てのある所まで戻ってもいいが、そうすると水路が二本に増えるだけのような気がする。モップを借りて拭いておきましょうかと申し出ると、いいから早く行きなさい、君がしばらく来てやらないからお冠だ、と苦笑された。私はまる十日間姿を見せなかったのだ。

野瀬さんは起きて椅子に掛け、シャープペンシルの端っこを噛りながら本を広げていた。数Ⅲの参考書らしかった。見たところ、まだ包帯をしているのは左腕だけだ。頭の怪我はとうに抜糸がすみ、頭髪も順調に生え揃っている。こめかみから眉の上にかけて微かに傷跡が残るそうなのだが、当人は平気だった。（嫁に行くわけじゃなし、とT先生もさかんに慰めておられた。）

私を見た野瀬さんの目は、なるほどお冠であった。その視線を避けて、こんにちはとか何とか口ごもりながら、コートを取る――水滴がパラパラと零《こぼ》れて床を叩く音に、いよいよ恐縮した。

「あの……モップか雑巾はありませんか？」

「掃除道具を借りにバスに乗ってわざわざ来たのか、君は？」

「違います」

野瀬さんは怒ってシャープペンシルを放り出した。それは勢いづいて机からコロコロ転がり落ちて行こうとした。私は止めようと手を出した。その手がちょうど包帯をした肘に当たった。野瀬さんは、あっと息をのみ、激痛に耐えかねたように顔をゆがめた。私は大慌てで謝った。

「まだそんなに痛いんですか？」

「ああ。経過が悪くてね。ちょっと動かしただけで、飛び上がるほど痛い。やっぱり三角巾で吊っておいた方がいいかな。鬱陶《うっとう》しいから、さっきついはずしたんだ」

頼まれて、私はロッカーの棚から三角巾を出してきた。本当に悪いことをしたと思う。リハビリ訓練の時なんか、さぞ辛く苦しかったことだろう。退院してもしばらくは自宅からの通院が続くと聞いた。私は椅子の後ろに回り、保健体育の授業で得た知識をもとに、心をこめて結び目を作った。しかし、美しい結び目くらいでは野瀬さんの機嫌は直らなかった。

「先週なんか、土、日、月と三日間ずっと待ちぼうけだぞ」

「え？　今までいつも、待っててくれたんですか？」

「当然じゃないか」

「すみません」

「連休に旅行にでも行ったの？」

「いいえ。ただちょっと、いろいろすることが重なって」

「たとえば？」

「犬の埋葬とか……犬の捜索、犬の看病、犬の里親探し……」

「いつから犬の福祉事業に乗り出したんだ?」

「そういうわけでは――」

野瀬さんは焦《じ》れったそうに脚を組みかえた。私は"cabin《キャビン》 fever《フィーバー》"という語を思い浮かべた。室内飼いの犬や、雨の日に外へ遊びに行けない子供は、鬱積したエネルギーを持て余して悪さを始める。スリッパやカーテンを噛りだす前に、屋内でできる運動をさせるなどして気を紛らせてやらなければならない。野瀬さんは運動はまだできないから、気が紛れるかどうかわからないけれども、私は後ろから肩越しにちょっとキスをしてみた。いつもなら微かな笑くぼができるはずの所に。笑くぼは浮かんでこなかった。

「待っててもらってるなんて知らなかったんです。たびたび来ると勉強の邪魔になるんじゃないかと思って――」

野瀬さんは前を向いたまま、軽く溜息をついた。

「前から一度訊いてみようと思ってたんだ。君の生活の中で、僕の存在にはどれほどの意味があるというんだろう? 僕は一体、君の何なんだ?」

この質問をされるのは少なくとも十回めである。野瀬さんは本の濫読で疲れた時とか、乾燥機が本当に故障してシーツや靴下が乾かない時など、厭世的になってこんなことを尋ねてみたくなるようだった。最初は驚いて真剣に答を考えたものだ。しかし間もなく、これは一種のゲームであることがわかってきた。ゲームあるいはテストだ。どんな答を書いても合格になる。僕は君の何だと問われて「太陽」と答えようと「蝙蝠傘」と答えようと、野瀬さんは実は少しも頓着しない。思いつくままに私が何か言えば、満足して気分が晴れるらしいのだ。

ところで今回はゲームが少し複雑になっていた。質問に続きがある。

「君は今までに、僕たちのつきあいを——異常だと思ったことがある？」

私は思わず顔を離してぽかんと野瀬さんを眺めた。今更そんなことを尋ねるなんて——よっぽど退屈しているのかしら？

「僕のホモスピリチュアル説なんか忘れて正直に答えたまえ。僕らの関係を、これまでに一度も、厭《いと》わしいものだと思ったことはない？」

大変真面目な口調だった。私はにわかに事態がゲームから真剣勝負になっていることを悟った。どんな理由があるのか知らないが、真剣に答えることを期待されている。

「野瀬さんは——？」

「僕が先に質問したんだ。先に答えてくれ」

「異常とか正常とか——考えてみると、よくわかりません。ただ僕は……とても自然に好きになったんです。これが異常なのなら、きっと僕自身に変なところがあるんです」

「そして僕にも、ってわけか」

生白い疑惑がじわりと湧いてきて、牛乳を飲みすぎた時のように突然気分が悪くなった。野瀬さんが遠隔地の大学を選んだ本当の理由は、まさかそんなことではあるまい。

私たちの〈関係〉は、これまで一度も中傷や非難の的になったことはなかった。それは互いの慎重さの賜物であるか、周囲の無関心の賜物であるか、もしくは単に運がよかっただけのことかもしれない。殊更に秘密主義を守っているつもりはないけれど、日中に天下の公道を腕を組んで散歩するような大胆な行為にも走らないからだ。しかし相手が女の子だったらどうだろう？　野瀬さんの態度はどう変化するだろう？　たとえば隘路《あいろ》で通行の邪魔になっても、摂氏三十度を超える暑い日でも、二人で外出する時は必ず肩に手を回す。そしてお揃いのトレーナーを着て、野球観戦や歩行者天国やウィークエンドのツーリングに赴く？

確かに我々は、一般市民の目のある駅の構内でしかと抱き合ったり、広場の噴水の前でキスをしたりするカップルではない。ヘテロの恋人たちに許されたその種のデモンストレーションは、私には実はなくてもすむ娯楽の一つだったのだが、野瀬さんはもしや徐々に昼型、アウトドア、オープンエアへと志向が移ってきたのであろうか？　そう思うと、やにわに自己憐憫が怒濤のように押し寄せてきた。男に生まれた自分の境遇が、たいそう不公平に思われた。そうだ。か弱く、優しく、淋しがり屋の女の子なら、約束もなく一人ぽっちで後に残して行くなんて、そんな心ない真似はしないに決まっている。文通、婚約、結納、結婚……

「もう答えたから、一つ訊いてもいいですか？」

「どうぞ」

「僕が女の子だったら――」

口に出してみるとあまりにも情けない仮定である。私は唇を噛んだ。野瀬さんは向き直って私を見つめた。眼底《まなそこ》に何か炎のような、氷のような、清らかに輝くものがある。その光が、ほとばしる水のように私を浸し、慄《おのの》かせ、後悔と羞恥に私は危うく涙ぐみそうになった。それなのに、言葉は変に乾いた声に乗って、訥々《とつとつ》とまろび出た。

「女の子だったら……離れなくてもいい？　いつか迎えにくる？　それとも、さらっていく？　そして――そして――いつまでも一緒に暮らそうって言うんですか？」

「男同士だって一緒に住んじゃいけないってことはないだろう」

「でも、世間の人は、いろいろ噂しますよね」

「ああそうだね。それじゃ家中にポルノ雑誌をバラまいて、スウェーデン直輸入のヌードポスターを貼って、週に一度は家政婦協会から美人の家政婦さんに泊まりにきてもらえばいい。それで立派に、ノーマルだって証明できるさ」

ひりひりするような辛辣さでたたみかけられ、私はすぐそこまで来ている涙を必死に押し戻した。

「どうしてあんなことを訊いたんですか？　厭わしいなんて」

野瀬さんは立ち上がり、窓辺へ行った。

「さっき、ちょっと藤井と話してきたんだ。それでムシャクシャしてるんだよ。ごめん」

「どんな話を——？」

答はなかった。こんなふうに黙って背中を向けているなんて、いつもの野瀬さんではない。私は傍らに寄って、腕に手をかけた。丈夫な方の腕に。

「どんな話？」

何時ともはっきりしない銀鼠色《ぎんねずいろ》の時刻が、部屋の内にも外にも森閑と立ちこめていた。窓に向けた野瀬さんの横顔は、彫り刻んだ大理石の静けさをはらんでいた。全ての線が、形が、厳しいほどに純粋だった。船首像のようにまっすぐな視線の果てには、どんな未知の大陸を見ているのだろう？

私が不安気に腕を絡めたので、野瀬さんはようやく口をきいてくれた。

「あいつが、君のことを——いや、一般に、下級生のことを、本物が見つかるまでの玩具《おもちゃ》だなんて言うものだから」

声は叱られた子供のようにうち萎れていた。が、私はなぜかほっとした。もっとずっと恐ろしい知らせを想像していたのである。

「言わせておけばいいじゃないですか」

私は絡めた腕を軽く締めつけて、自分の安堵を伝えた。野瀬さんは私の頭に、思いがけない熱を帯びた頬をそっと押し当てた。

「僕は君を女の子の代用品だなんて、一度だって考えたことはない。僕が遠野緑《とおのりょく》という一人の人間を、自分にとってかけがえのない人だと思う理由は、そんなことじゃないんだ」

私はうつむいて窓の桟を見つめた。「かけがえのない人」……

「僕はね——時々、きょう君の顔を見なかったら、心の糸がぷっつり切れてしまうんじゃないかと思う日がある。でも、そんな気持ちでさえ、僕にはむしろ当たり前なんだ。なぜって……」

野瀬さんは急に言葉を切り、腕をほどいて、呼吸でも苦しいかのように襟元を押さえた。

「こんな感情を人に押しつけるべきじゃないね。きょうは本当にどうかしてる。自分でも手に負えない。嫌いになった?」

私は黙ってかぶりを振った——何度も。

「なられても仕方がないよ」

野瀬さんは少し皮肉な目をして、うっすらと微笑んだ。

「嫌いになんか——なれません」

「どうして？」

たしかこれと似たようなことを、弓削くんからも訊かれた。あの時は、「どのくらい」好きかという質問であった。今度は「どうして」。私はどうして、野瀬さんを嫌いになることができないのだろう？　からかわれても、知らん顔をされても、時には〈ナマコの胎児〉なんてひどい渾名《あだな》で呼ばれても、どうしてこんなに好きなのだろう？　好きな点はいっぱいある。しかし、何故《なにゆえ》それらの点が好きかと、一歩突っ込んで理由をば問われると——私は探求し、分析し、検討し、混乱した。

「野瀬さんは——何でもできるし、知ってるし——」

「できないよ」

「でも——」

「僕が社交ダンスをしたら、きっと左脚が二本あるんじゃないかと言われる。その他いろいろ、できないことだらけだ。料理もできない。赤ん坊も生めない。雑巾すら縫えない」

「そ、そんなことは、できなくっても……」

「知識にしろ全部受け売りだ。情報収容力が決め手になるのなら、君はむしろコンピューターにキスをしたいと思うはずだぞ」

得意のヘリクツで攻められてはこちらは分が悪い。もっとマシな答はないか？　私はひたすら模索し、霊感の飛来を祈った。宿題にして下さい、と降参しかけた時、それは訪れた。

「変わらない、と思うから——」

「何だって？」

「この前の晩、ラジオを聴いてた時に誰かが言ったんです。出典はゲーテかローラーズか福島県のマサヨちゃんかよくわからないけど——『一切を与えられても一切を拒まれても変わらないのが本当の愛だ』というようなことを」

「ゲーテだろう」

「どういう文脈でそれが出てきたのかわからない。たぶん普通の恋人たちについて言ったのかもしれません。でも僕は、なぜだかキリストのことが頭に浮かんできたんです。イエス様はきっと、主なる神のことを、そんなふうに愛していたんだろうなと思いました。僕の——僕の野瀬さんに対する気持ちには、それと似たところがあって……」

私は一旦よそを向いて深呼吸しなければならなかった。こんなことは心の中で暖めている分にはなかなか気がきいて崇高にさえ思えるのだが、口に出すと芝居の台詞のように大仰で空々しい。

「たとえば僕が……僕の方から質問を……つまりあの、僕のことを好きですかって訊いたとして、万一好きじゃないと言われても、そりゃがっかりはするだろうけど、僕自身の〈好き〉という気持ちにはあまり影響ないと思うんです。そしてこんな感情を他の人には一度も感じたことがないんです。友情だって恋愛だって、たった一つの嘘や拒絶で壊れてしまうかもしれない——だけど僕は、野瀬さんが僕に何をしても、反対に何もしなくても、好きなのはきっと変わらない。こんなふうに思わせてくれる人は初めてだから——それで、好きなんだと思います」

我ながら拙劣なスピーチであった。第一、少しも答になっていない。野瀬さんが長いこと何も言ってくれないので私は非常に気がもめた。調子に乗って余計なことを喋ったのか？　それとも肝腎な点を言い落としたのか？　制限時間をオーバーしたのか？　窓の外では氷雨が霙《みぞれ》になり、霙はいつの間にか雪に変わっていた。野瀬さんはロッカーから自分のコートを出して、羽織《はお》るのを手伝ってくれと言った。

「屋上に行ってみよう」

「看護婦さんに叱られませんか？」

「構わないよ。初雪だから」

看護婦さんは納得しなかったかも知れない。が、私には充分な理由に思われた。エレベーターで最上階へ行き、短かい階段を上る。狭い鉄扉《てっぴ》があった。試しに細く開けてみると、織《こま》かな雪の粉が歌うようにさらさらと降り込んできた。寒気は千も万もの見えない針となって顔や耳を刺した。

私たちはがらんとした屋上の中央に出て、薄荷《はっか》の風味のある空気を呼吸した。何の気紛れか、野瀬さんは私に、目をつむってごらん、と優しく命じた。私は素直に言われた通りにした。羽のようなものが一ひら、二ひら、舞い降りて睫毛にかかる。瞬きしたいのを我慢していると、冷えびえと淡い大気の中へ、いきなりすっと滲《にじ》んで消える。そんなことが何度か繰返された。野瀬さんは私に触れもしなければ言葉もかけなかった。私の髪や瞼に密やかに降る雪を、ただ眺めているようだった。私は微かな寒さを覚えた。冷気よりもたぶん沈黙のために。

「もう目を開けても……？」

出し抜けに、すっぽりとコートの中にくるみこまれた。私の頭をうっすらと被《おお》っていた白い冠が、雪よりも繁く降る接吻の下で儚《はかな》く崩れていった。

「もし明日になって君の気持ちが変わったとしても――」

野瀬さんの声はほとんど声ではなくて、私たちを取り巻く粉雪の調べのような、ささめきに過ぎなかった。けれどもどこか深い所では、今にも溢れようとする流れが、懸命に堰《せ》き止められていた。

「そんなことになっても――決して昨日の自分を嫌いにならないと――僕たちが出会ったこと、触れあったことを、悔やんだりしないと、約束してくれる？」

私は哀しくなった。私の言葉はそんなに頼りなく聞こえたのだろうか？　明日にも心変わりしてしまいそうなほど？

「僕の言ったこと、ほんとにしてもらえないんですか？」

私の額を、こめかみを、頬の上を、温かな唇が震えがちになぞっていった。

「信じてるよ。どうして信じないでいられる？　君の、今の、きょうこの時の誠実を疑うなんて、人間業ではできないことだ。だから……たとえいつか、もうそんなふうに僕のことを好きじゃなくなっても、きょう言ったことを後悔しないでほしいんだ」

いつの間にか丈夫でないはずの腕までが、しなやかに私の体を巻いて、生きた蔓草《つるくさ》のように、私を私の愛する人に絡みつけていた。次第に強くしめつけられ、私は呼吸が苦しくなった。空気を求めて喘ぐと、一瞬だけ腕の力が緩んだ。その隙に私は、身をもがいて伸び上がり、窒息してもこれだけは言っておかねばと思った一言を、絶えだえの息の下から囁いた。野瀬さんはそれを聞いて、いっそう強く私を抱きしめた。私はもう一度目をつむり、野瀬さんの胸に深く顔を埋めた。どこよりも暖かく、どこよりも安全だった。私の宇宙の中心はここだ。至る所でこの一つの思いだけが炸裂した。炎のように。痛みのように。星々の叫びのように。信仰のように。

ずっと後になって、私はある冬の夕方、窓の外に白いものがちらつくのを見て、大学病院の屋上に上がってみたことがある。コンクリートの空地には人影もなく、背中で閉まる扉は私を同僚との歓談から、職業から、現在から、静かに隔ててくれた。私は一人で歩き、時折足を止めて空を仰ぎ、耳を澄ました。降りしきる静寂《しじま》に。私の内なる声に。青らむ記憶の果てからふと谺《こだま》を返す、短命で純粋な幸福の鼓動に――幸福とは、どこかに真珠めく仄光り《ほのびか》のする言葉だ――雪暗れ《ゆきぐ》た胸の奥にその響きを転がすと、心は巣に戻る鳩のように、過去のあの一つの場所へ、まっしぐらに飛び帰った。他に誰も連れがいなかったので、私は感傷的になることを恐れなかった。

鼻をかもうとポケットにハンカチを探った時、野瀬さんの耳元で囁いた私自身の言葉が、ふと聞こえたような気がした。私は目を閉じて、白い伽藍《がらん》のような明るい闇に、年月に柔らかく暈《ぼか》された少年の声を幾度も反響させた。『さっきの三角巾の演技は最高でした』――と。

八九　消防夢《しょうぼうむ》

天国の待合室で天使が一人喫煙中である。

「灰皿持ってない？」

いいえ、と首を振ると、天使は肩をすくめ、指先でシガレットを軽くトンと叩く。細長く溜った灰が、ほろほろ崩れて足元の雲の白さに溶け合う。

「やれやれ……これでまた雪が降る。君が灰皿をくれなかったせいだよ」

恐縮。

「すみません。でもあの――ここ、《禁煙》って書いてあるんだけれど」

「そうか。漢字の読める奴は気の毒だな」

「読めないいんですか?」

「天使は文盲だって知らないの? 読めないいんだよ。《面会謝絶》の札が下がっているにもかかわらず面会に行ったりするし、《火気厳禁》と五ヶ国語で書いてある場所なんかでも、平気で燃えさかる炎の剣を振り回したりするだろう? この間も、異常乾燥注意報が出ていたエデンの東でそんな真似をするから、垣根に飛び火してパラダイスが大火事になるところだった」

「消防団はないいんですか?」

「あるよ。でも消火器がない。雲の製造に使ってしまうから、肝腎な時は中身がからっぽ」

真珠のような肌と水晶のような眼をした天使の一群が笑いさざめきつつ通りかかる。各自ゴム長を履き、手にバケツを下げている。先頭は、抜きん出て背が高く、美々しい長靴を履いた天使。金糸銀糸を織りまぜたようなまばゆい蓬髪《ほうはつ》を打ち振り、厳しく詰問する。

「君らは今日、訓練に参加しなかったな?」

「何の訓練ですか、キャプテン?」

スモーカーは二本目のシガレットをくわえた。

「訓練といったらバケツリレーに決まっているだろう！」

「水もないのに？」

「もちろん本番の時は水を入れる」

「ケルビム、ちょっと火を貸してくれ」

頼まれた一人がおずおずと進み出て剣のようなものを掲げる。ボッ！という点火音に、天使の群れはきゃーと叫んで後退。キャプテンが地団駄を踏む。

「恐がるな！　火を見て逃げる消防士があるか！」

「遠隔操作のできる消火器を買ったら——？」

つい口をはさむと、輝く瞳でジロリと睨まれた。

「甘やかしちゃいかん。それにこんど救出梯子を新調するんだから、その上そんな物を買う余裕はない」

「だけど、ある程度火を食い止めないと救出作業も難しいじゃないですか」

「来年度の予算編成はとっくにすんでいるんだ。ヤコブの梯子は高いんだぞ」

「ええ、天まで届くそうですね」

天使たちが声を震わせて笑った。キャプテンは苦い顔をした。

「訓練にも出なかったくせに、天国の国家予算案に文句をつける君は何だ?」

ラベンダーブルーの煙を燻《くゆ》らせていたスモーカーがキャプテンに近づき、何事か耳打ちした。

聞き手は美しい眉をアーチ形につり上げ、

「あ……なるほど。そういう人物か。それならまあ、予算先議権ぐらいは持っているかもしれないな」

と、納得した模様。編成疎漏があったら早めに予算返上して下さい、と、こっちへ軽くお辞儀をして歩み去る後から消防団がスキップでついて行った。一同の退路に、箒星《ほうきぼし》で掃いたような光の澪《みお》が、しばらくキラキラしていた。

「どうやって僕の身元を保証してくれたんですか?」

「君はキリストの再来だと言ったの」

「わ、大ボラ!」

「君の場合はほんとなんだよ。何しろイエス様と同じ生まれ方をしたんだから」

「ええっ?」

「手を見せて」

スモーカーに片手をつかまれ、丹念に観察される。

「一、二、三、四、五本——ちゃんと揃っているね。あれ! やっぱりおかしいぞ。こんなところに管足《かんそく》が。君、もしかして、染色体の数がナマコと同じじゃない？」
ギョッとして目が覚めた。このごろよくこんなヘンな夢を見る。

（一九七＊年十二月某日の日記より）

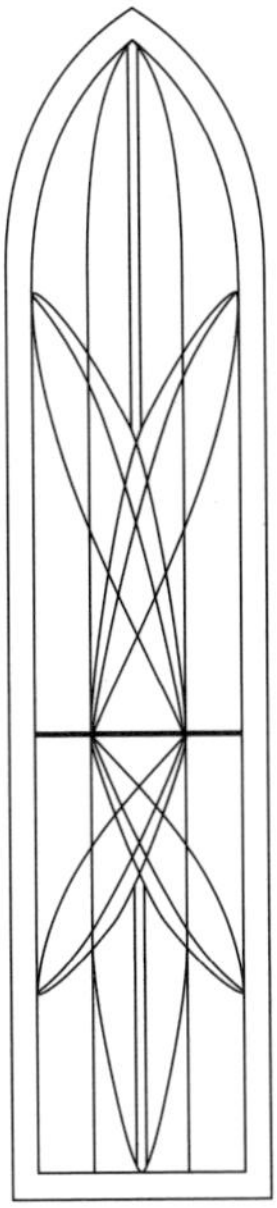

Ⅳ

雪花《せつくわ》の章

冬休み

三学期

卒業式

Epilogue〈告別式〉

九〇　事始《ことはじめ》

出席日数の不足を補うために、野瀬さんは三日間だけ補習を受けることになった。クリスマスのイヴと当日を含む三日間である。本人の落胆はなかなか深刻だった。

「理不尽だ。猫も杓子もジングルベルで浮かれ騒ぐというのに、僕だけお祝いができない」

「どうせキリストの誕生日は十二月二十五日じゃないんだ、って普段から言ってたじゃないですか」

「でも、スパークリング・ワインは好きなんだ」

函館にいるお母さんの計らいで、去年、おととし、先おととし、と、クリスマス前には必ず、シャンペンを一ダース詰めた箱、並びに〈Speklazius《シュペクラーツィウス》〉と呼ばれるアニス味のクッキーが届いた。今年に限って届かないということがあろうか？と野瀬さんは反語を使うのである。クリスマス・イヴから二十五日の朝にかけて長田先生と一緒にしこたま飲み、一眠りした後、なおも脳中にたゆたう宿酔《ふつかよい》は、迎え酒の泡沫に乗せて吹き払う。このちょっとブルーなシャンペン・ブレックフアストが、三年連続恒例となっているのだ。

二十五日の午前中は数学の補習がある。担当は長谷川頼光《はせがわよりみつ》先生。酒と煙草と麻雀とパチンコを蛇蝎《だかつ》の如く忌み、早寝早起き腹八分を信条とし、研究室の机の抽斗《ひきだし》には、アテネの骨董屋で掘り出したという、ピタゴラスのチョークの断片とやらを大切に保存しておられる。酒気を帯びて授業に臨むのは、確かに憚られるお方であった。

「二十五日の夜に飲めば？」

「二十六日に模試がある」

それはいよいよお気の毒である。更に踏んだり蹴ったりなことには、長田富美子《おさだとみこ》さん（旧姓金《かね》満《みつ》）がしばらく実家に帰る。夫婦喧嘩をしたからではなく、老齢のお父さんが年を越せるか越せないかの状態にあるので、嫁に行った娘やよそで所帯を持った息子を含め、一族郎党が招集されるのだという。幸《みゆき》さんは同行を切望した。曰く、「おじいちゃんが心配じゃけぇあたしも行く！」

富美子さんは後妻だから幸さんと血の繋がりはない。が、金満氏にすれば親戚中ただ一人の女の子なので大変かわいがられ、幸さんもおじいちゃんを（適当に）慕っている。「あたしも行く」と言ったのは、それにしても殊勝だと私は思ったけれど、富美子さんの留守中、家事一切を押しつけられるのがいやさに逃げ出す算段をしたのだ、と野瀬さんは鋭い分析をした。病院をたたむわけにいかない長田先生は、年末年始のみ休診にして、隣県にある金満家《かねみつけ》の豪邸で正月を迎える。

それまでは富美子さんに代わり、受験生である野瀬さんのために毎日の炊事を担当する。聞くところによれば、カップラーメン、カップヤキソバ、レトルトパウチ入りカレーにシチューにハヤシライス、キャンベルの缶スープ各種、と幅広いレパートリーを誇っておられ、得意料理は茹で卵だそうだ。復活祭《イースター》ならまだしも、クリスマスに茹で卵はあまりに寂しい。

「模試の後で盛大に飲んでやる。つきあわない？」

「ええ。二十六日だったら」

「じゃ、午後うちへおいで。何時に来てもいいよ。入ってヤドリギでも飾ってて」

と、野瀬さんは私に鍵の隠し場所を教えてくれた。二十二日のことである。

学院はこの日から冬季休暇に入っていた。私はひとまず手回り品をまとめてO村に戻った。祖父母の邸では、十二月十三日の〈事始《ことはじめ》〉とやらの日から、暇にまかせて正月の準備をぼつぼつ始めていた。

ただいまと玄関を開けた途端、出入りの植木屋のおじさんと鼻をつき合わせた。おじさんはトレードマークの鉢巻きに、豆絞りの手拭いを首に掛け、笹で拵えたハタキのような物をつかんでいる。

「ありゃー、坊ちゃん、今帰りんさったか？」

「こんにちは」

「わしゃー、ハァ、きのうから、嬶《かかあ》と二人で煤払いのお手伝いに来ょうるんでがんす。ほじゃけえ、ハァ、お玄関からも出入りご免にさしてもろうとるわけで」

「ご苦労様です」

「ええあんばいでがんすのう。坊ちゃんが帰って来ちゃったけぇ、ご用もだいぶん片づきまさぁのう」

「え——ええ。何をすればいいのか言ってもらえれば」

植木屋さんは、手にした女竹《めだけ》を私に差し出した。

「神棚の煤は、ハァ、坊ちゃんが払うてあげんさいやー。奥様がエッと喜びんさるけぇ」

私の鶴島弁の知識はだいぶ豊富になっていた。だからこの時も、私が神棚の掃除をすれば祖母がエッと驚くのではなく、「たいそう喜ぶ」という意味であることを承知していた。奥から誰か小走りに近づいてくる気配がした。植木屋さんはハッと身をすくめ、ちょっくらハァお迎えに行てきますけぇ、わしゃー年男じゃけぇ、とモグモグ呟きながら門の方へ駆け去った。何のお迎え?

跫音《あしおと》がcrescendo《クレッシェンド》に高まり、これも顔見知りの植木屋さんの奥さんが、姉《あね》さんかぶりに襷《たすき》がけの歳末ルックで現われた。

「まあ、坊ちゃま、よう帰りんさった！　おじいさまもおばあさまも、朝からハァ、待っとってですよ！」

普段の週末に帰って来てもここまで熱狂的に歓迎されることはない。よほど人手が不足しているのだと私は踏んだ。こちらの手元を見て、植木屋夫人は額にキッと青筋を力ませた。

「いましがたうちのオッサンがここ来ょうったでしょう？　どっちへ行きょうりました？　ご門から外へ？　それともお勝手の方？」

「たしか──門の方へ。何かの『お迎え』をしなきゃいけないって」

「またそがいなええかげんなことぉ言ょうる！　お松様は、もうハァ、とっくにお迎えして、足も洗うたげましたのに。へータラコータラ言うて、頼んだ用事はひとっつもしょうらんのですよ」

地元の人なら、ここでたいてい「マメゲニナーノー」等、相槌を打つ。（「働き者ではありませんね」＝「甲斐性なしですね」という意味。）抑揚に今一つ自信のない私は、笹箒片手にただ頷くのみ。松の足を洗うとは何のことであろう？

ツネさんというその人は、私が靴を脱いでいる暇に、上がり框に置き放した私の風呂敷包みを抱え上げ、さっさと奥へ入った。宿六めが御神酒徳利《おみきどっくり》を二つとも落として壊して、坊ちゃまに煤竹《すすだけ》を押しつけて、逃ぎょうりました、と祖母の居間のあたりで報告しているのが聞こえた。

いつものことだが、邸の門をくぐると生活様式は一世紀逆戻りする。一九七〇年代も後半、自室に火桶と炭斗《すみとり》を備えつけている高校生なんて、全国に私一人ではないだろうか？　私には茶の湯の心得があるでなし、上等な炭の銘柄を何べん聞かされても、一向にありがたくない。火つきの悪い白炭なんか当てがわれた日には、イライラのあまり、こっちの頭が先に燃え上がりそうになる。胴炭《どうずみ》の横に菊炭《きくずみ》を添え、燃え尽きた灰の形がめでたけれなどという境地に至っては、ほとんど病気としか思えない。それでもいつだったか、備長《びんちょう》と佐倉《さくら》とどう違うのかと祖父に尋ねてみたことがあった。「ビンチョウはウバメガシ、サクラはクヌギ」と即座に教えられた。後日祖母に同じ問を出してみると「四千円」という答が返ってきた。χkg当たりの差額のことらしかった。

祖父母に挨拶をして離れへ荷物を置きに行くと、火桶には、ありがたいことにもう火が入れてある。いいと言うのに風呂敷を持ってついてきたツネさんが、そこへ更に炭をついだ。

「着替えんさったらすぐまた母屋の方へおいでんさい。お座敷にええもんがありますけえ」

この時、一服の抹茶と楓饅頭《かえでまんじゅう》以外の何物をも私は期待していなかった。祖母の居間に隣合う十畳に、所狭しと繰り広げられた蚤の市には、だからすっかり度肝をぬかれた。色とりどりのモール、豆電球、玉飾り、星飾り、金銀の鐘《ベル》、柊《ひいらぎ》の実、赤と白に塗り分けた松毬《まつぼっくり》、蠟燭《キャンドル》、花輪、仔羊、天使——クリスマスの装飾一式、ぶちまけられている。他愛ない金ピカ物の山の中、綿で作った雪だけが仄かに黄ばんで、昔の品々であることを物語っていた。

折しも祖母が懐かしげに蓋をとった箱には、ナマコの胎児と同じくらい異様な物体が、薄葉紙の覆いから半分のぞいていた。小枝か蔓を編み合わせたような鳥の巣状のもつれ――大きな手毬《てまり》くらいある。こちらは綿よりも更に黄灰色に乾《から》びほうけて、一体ミイラだか化石だか、もとは動物なのか植物なのか、さっぱり見当がつかない。

「何ですか、これ?」

「これは、ホヤ」

「ホヤ?」

「ヤドリギのこと」

「木なの?」

「さあ……銀《しろがね》がもろうてきた時は青かったけぇ、木というたら木なんじゃろうねえ。なんでも、他の木にくっついて養分を吸うて暮らす悪い木」

「そりゃあ、ハァ、宅の、宿六で!」

廊下を拭いていたらしいツネさんが障子ごしに叫んだ。女房の働きばっかしあてにして、と独りごちる声が段々と廊下の果てへ遠ざかり、毎日毎日テレーグレー、と折り返してきた。

「おばあさま、『テレーグレー』は何だっけ?」

「はて、あたしも聞くのは初めてじゃ。ツネさん!」

タタタタ、と近づいてきた働き者がぴたりと停まる。

「『テレーグレー』いうて、何のことじゃったかねえ？」

障子の向こうの一瞬の沈黙。やがて、

「『テンヤーサンヤー』でございます！」

雑巾がけ、再開。

私の父がまだ子供の頃、何回かこの座敷でクリスマスをしたそうだ。学院へ行くようになってからは、もっぱら学校のミサや寮のパーティに出ていたので、家ではあまりお祝いもしなかったけれど、ツリーだけは習慣で毎年祖母が飾った。見よう見真似の西洋料理も一品二品こしらえてみた。婦人雑誌の付録である怪しげな分量書きの他、婚約時代、祖父を横浜に訪ねて二人でホテルのクリスマス・ディナーに出かけた夜の記憶が頼りだ。不思議な匂いのする香味野菜やら、栗を詰めて焼く野禽《ジビエ》料理が珍しかった。いっとう気に入ったのは焼き林檎《りんご》。とろける牛酪《バタ》の風味に肉桂の香りが甘くからんで、お菓子よりもずっといいと思った。白い服の給仕が、温めたバニラ・ソースの鉢を捧げてくる……

話を聞く私の胸は躍った。去年鶴島へ来た時には既にクリスマスが終わっていた。それで覚えているのは、ただ年越し蕎麦とお節料理。正月三日めには雑煮も食い飽きて、変わらず魅力的なのはきんとんばかりであった。重箱の一隅からきんとんが去ると、私も早々にO村を脱出し、京都の旅館で母と一緒に過ごした。けれど村に戻ると、間もなくまた、七草粥と称して奇妙な離乳食の膳が出たので、いっそう閉口した。今年はその埋め合わせができそうだ。

買物があるなら行ってきます、と私は遠回しに催促した。

「買物はツネさんがみなしてくれるけぇ」

「それじゃ他に手伝えることない？」

ほうじゃねえ、と祖母は思案した。

「トリでも絞めてもらおうかねぇ……」

何食わぬ顔で言われたので、私はうっかり、いいよと承知しかけた。

「ト——トリ！」

祖母は豆電球のコードを弄びながら眠たげに微笑した。

「嘘々。トリはあたしが自分で、柿畑でひねるけぇ」

「おばあさまが？」

「おじいさまは絶対ようせんけぇねえ。あがいに、ハァ、鶏肉《かしわ》が好きじゃのに」

トンカツを好むことは一事。豚の屠殺をやってのけることはまた別の一事。両者の間には天地の開きがある。鶏を「ひねる」ところをライヴで見た直後は、いかに風味絶佳の鶏数寄《とりすき》、親子丼、あるいは香草詰めローストチキンといえども、容易に喉を通らなくなるのではないだろうか？

実際、産卵場面を偶然目撃したばかりに卵が嫌いになった人を私は知っている。洲々浜くんである。

表が何やら騒がしくなった。奥様、と呼ばわる声がする。植木屋さんだ。私は立って廊下側の障子を開けてみた。よっこらしょと腰を上げて祖母も出てきた。

「奥様、山で、ハァ、いっとうええのぉ探してきましたわェ！」

植木屋さんが息をはずませて抱えてきたのは、全長一メートル半くらいの針葉樹だった。私は針葉樹に詳しくはないが、松でないことだけはわかった。

「種類がなんやら――」

祖母が訝しげに眉を寄せると植木屋さんは、

「杉の木ほうがエッとようがんす！」

と、唐獅子に似た顎を張って断言した。

「若いもんに手伝わして、門松とおんなじように、ていねいにお迎えしましたけえ。あとは、ハァ、根っこィ塩ォ塗って洗うたげたら、縁起がええですわェ」

祖母は吐息まじりにご苦労さんと頷き、座敷へ引っこんだ。植木屋さんは首の手拭いをはずし、

「ようがんしたのう、坊ちゃん。メリー・クリスマス！」

と、金歯豊かなめでたい歯並びを披露した。

九一　鳥獣戯画《てうじうぎぐわ》

遠野家の動物は、主に来客のために飼育されていた。山間《やまあい》の寒村にもたまさか訪れる人はある。客はまず座敷に通され、茶菓や季節の果物などの接待を受け、やがて四方山話も種が尽きる頃、亭主《あるじ》が徐《おもむ》ろに、庭に出てみませうかなどと提案する。これは祖父の担当である。祖母はいつしか客の視界から消えている。瓢箪池《ひょうたんいけ》の鯉が観賞されている間に、裏の鶏小屋《とりごや》から鶏が一羽、柿畑へ拉致《らち》される段取りなのだ。

私は魚類にはあまり親近感を持てない。学院転入当初、シュヴァイツァー先生に金魚が大好きと宣言したのは嘘である。鶏と鯉ならば鶏の方にまだしも同情が深い。だからたまには、客が鶏小屋を視察する間に、太った鯉が一匹丸揚げになってもいいのではと思うのだが、そうはいかない。鯉は観賞用、鶏は食用、先頃飼い始めた犬の「権《ゴン》」は防犯用。序列は既に確定している。選ばれた鶏は、柿畑のはずれで速やかに処刑され、井戸端で内臓《ハラワタ》を抜かれて刻まれ、葱や大根をお供にくつくつ煮られて、その日の晩餐の席に変わり果てた姿をさらす――風味絶佳。

客がしばらく途絶えると鶏の寿命も延びた。そこで彼らは、ここを先途と繁殖に勤しんだ。私がクリスマス・ツリーの飾りつけを終えて何となく裏庭に赴くと、冬季の住居《すまい》である納屋の中から、鶏の激しい羽音と口論が聞こえてきた。こわごわ窺ってみれば金網のあちらは満員御礼。止まり木のスペースを争って、負けた方の牝鶏《めんどり》が今しも転落する最中だ。隣家の烏猫《からす》が明かり取りの鴨居に座り、脂《あぶら》の乗った冬毛をつくろいながら、ちらり、ちらり、その模様を観戦している。

キミたち、じたばたしなくっても、もうじき場所が空くよ……

ドッドッと地響きがして、振り向くと、母屋の西縁を回ってゴンがこちらへやって来るのだった。飼い主からトビと呼ばれている黒猫は、一瞬すくんだけれども、思い直した。ふてぶてしく薄目をあいて懐手に構える。仮に襲われたとしても、向こう側の、自分の家の牛小屋の屋根へ飛び下りてしまえばいい。第一ゴンなどはいつでもまくことができる、と自信満々である。

ゴンは生後六ヶ月の秋田犬だった。立派な血統書にもかかわらず、見るからに駄犬の素養が総身に溢れていた。鼻面の大半が赤く、耳は片方しか立たず、顔はいつも困っていて精悍なところがひとつもない。尾は〈?〉マークを斜めに倒したような、変な巻き上がり方をしている。人が来ると、威嚇するどころか、誰彼なくなついて涎《よだれ》をつける。脳は胎児だが体格と食欲は成犬なみ。コドモのままでオトナになった哀れな生き物だった。祖父母は不憫がって甘やかしたが、ツネさんやトビからは露骨な蔑視を浴びせられていた。ゴンが霜除けの枯れ松葉をドカドカ蹴散らして接近する様を見ると、それも謂われのないことではなかった。

「西縁《にしえん》」は西側の濡れ縁の略称、また、そのあたり一帯の庭を指す。玉砂利を敷き詰めた東の前庭の紫木蓮《しもくれん》、泰山木《たいさんぼく》、金木犀《きんもくせい》、源平桃《げんぺいもも》に対し、こちらは白木蓮《びゃくもくれん》、譲葉《ゆずりは》、銀木犀《ぎんもくせい》、臘梅《ろうばい》などで閑寂に拵《こしら》えて苔を生やしてある。祖父母は親の代からここに暮らしているので、庭造りにも二世代に渡る家族の我儘《わがまま》が行き当たりばったりに反映されて、脈絡がない。概ね自然風の逍遙《しょうよう》庭園。そこへ比較的後世になってから参加した花畑、柿畑、苺畑がつく。納屋はその昔《かみ》の厩《うまや》で、隣接する雪隠《せっちん》は、今はもう訪れる人もないけれど、長年手拭い掛けに忘れられた一片の襤褸《ぼろ》が、冬来《きた》れば、死後硬直と弛緩を飽きずに繰返している。雪隠の傍らに、誰かの南国趣味が突然植えさせた蘇鉄《そてつ》。その蔭で、ゴンはいつも自分の大小の用を足す。猫にも私にも目をくれず、一散にそこへ飛び込んで腰を落とした。

犬のよほど後から、頭陀《ずだ》袋を一つぶら下げた祖母がゆるゆる従《つ》いてきた。

「緑さんに郵便来とったよ。机の上へ置いといたけえ」

私はそそくさと鶏小屋に背を向けた。(郵便も気になったが、それよりも、これから始まる鶏の受難劇を目撃したくないという、卑怯な動機に駆られて。)

私の離れには、どこかの部屋からのお下がりらしい紫檀《したん》の書き物机がある。一応それを勉強机に充てているが、そこで本を広げることはほとんどない。むしろ何も置かず、クマンバチやイクシオザウルスや、いろいろな動物を連想させる面白い木目の形を眺めていることの方が多かった。私が〈宇宙人〉と名をつけた一際珍妙な木目を、二通の白い封筒が隠していた。上にある方をまず開けると、相原鶇くんからのクリスマス・カードだった。絵柄はお定《き》まりのキリスト降誕の図だが、色調が枯淡で美しい。蠟燭《キャンドル》の火《ほ》明かりに浮かぶ人物の表情や、秣桶《まぐさおけ》のデッサンも秀逸である。特に牛の顔が気に入った。

印刷文字の下に手書きの短信が見える。『犬のことで、たいへんおせわになりました。もうすっかり大工さんの家でかわいがられています。ときどき電話でようすを教えてもらいます。そのときワンと言うのが聞こえたりして、おかしくなります。本当にありがとうございました。かぜをひかないで下さい。つぐみ。P.S. よかったら二十四日のミサに来て下さい。それから犬の新しい名前は〈ヨセフ〉です』

私は鉄砲町のH工務店へ犬を連れて行った日のことを思い出した。棟梁と奥さんは、ドッグフードからパンパースまで、必要な品を全部揃えて温かく迎えてくれた。しかし名前だけは用意していなかった。二人とも、既にあるものを使おうと思っていたからだ。三毛猫の遺品の特製車椅子を見せてもらう傍らで、奥さんが犬の長い耳を撫でながらしきりに呼び名を考えていた。何と呼んでも返事をするからかえってむずかしい。決まったら報せますと鶇くんに言っていた。車椅子は、スケートボードに首枷《くびかせ》とシートベルトを取付けたような体裁で、要領を覚えれば簡単に操縦できそうに見えた。三毛猫は三日で発進のコツを覚えたそうである。方向転換もじきにできるようになった。ただし、死ぬまでに一度もバックしたことがなかった。今度は犬であるから、ぜひバックをマスターしてほしい、と棟梁は語った。

二通目は大きめの、少しかさばった封筒だった。宛名の書体を見て私の胸ははずんだ。野瀬さんから何か届くなんて意外だ。二十六日に会えるからと思って、クリスマス・カードを出さなかったことが悔やまれた。封筒の中には〈All《オール》 Yours《ユアズ》〉というカードを添えた薄紙の包みが入っていて、包みを開くと金色と銀色の二種類の鍵が出てきた。走り書きの伝言に曰く、『先日教えた煉瓦塀のヒビを、左官屋が埋めてしまった。あそこに鍵を隠すことは家の伝統で、近所に誰ひとり知らない者がないくらいだったのに、残念だ。君を信用して合鍵を送ります。金の鍵で門を、銀の鍵で玄関をあけて入って下さい』

私は鍵を一つずつ掌に載せて眺めた。こんなささやかなことが、私にはしみじみ嬉しかった。

退院後の野瀬さんは、極めて淡々とした態度で私に接していた。試験中はろくに言葉も交わさなかったと思う。日曜の散歩は休みだった。終業式の日にチャペルで偶然顔を合わすまで、野瀬さんは私の存在を安らかに忘却していたようである。初雪の日の終わりの輝く数刻が、まるで嘘のように。

最も愛情こまやかな気分の時ですら、野瀬さんは完璧に自由であった。限りなく慕わしい人は、限りなくわからない人でもあった。何かの拍子にむこうを向かれると、私にはもう取りつく島がない。そうしたいと思えば、野瀬さんはいつでも独りになれる。ふいに身も心も、透明石膏に薄々とおおわれて。

私は半ば諦め、半ば焦《じ》れながら、玲瓏と拭われたような横顔に淋しく目を凝らす。傍らにいる人の精神が、突然もっと広い野へ飛び立つのを感じる。ほんの一瞬の変化でもう手が届かない。魂はあらゆる思い出から浄《きよ》められて水のように澄んでいる。幸福はたぶん、眼下に柔和《やさ》しく霞む風景を作り、ぼんやりと色あせて、やがて消えるのだ。何気ない一言や微笑みの記憶が、私にはまだ痛いほど鮮やかなのに。

私は虫でも追うように勢いよく頭を振った。考えまい、と、もう百ぺんめの決心をした。この問題に関する限り、思考回路をどこかでブロックして、三月まで凍結させておかなければだめだ。私は鍵と鶫くんのカードを机の抽斗にしまった。抽斗はガタピシとうるさく軋んだ。ただでさえ閉まりが悪いのに、もとから入っていた藁半紙《わらばんし》や昔の回覧板に重ねて私の成績表、採点済みの答案用紙の類がぎっしり詰まっているのだ。こんな物をためこんでおいても仕方がない。年末大掃除のついでに処分した方がいい。抽斗はあと二センチのところでどうしても閉まらなくなった。奥に何かつかえている様子だ。私は箱をすっかり抜き出して、ついでに中身を整理しようと思った。

空ろになった机の奥を覗くと、くしゃくしゃの紙切れらしい物が見える。定規でかき出して広げてみた。画帳から破り取ったような象牙色の上質紙に、活字かと思ったくらい、大きさのよく揃った文字が細々《こまごま》と列《つら》なっている。見覚えのある筆蹟だった。

『十六才の私の心はいつも内側に淡い曇りを点《さ》している。嫩葉《わかば》の吐息の籠《こも》る温室のように。そこには愛と賛美が豊かに繁茂している。青い愁が鬱々と漲《みなぎ》っている。私の心は主の園である。主なる神が、私をここに訪《おとな》われる。エバはまだ来ない。蛇《サタン》は草に潜《ひそ》んで夢をみている。私とともに園を巡るのは、ただ主なる神のみ――』

私は食い入るように紙片を見つめた。これは父の書いた文だ。この同じ几帳面《きちょうめん》な字で、私と母宛の航空便が、時には数週間遅れで届いたものだ。父は英語の論文の草稿なども筆記体よりブロック体で四角四面に書くことが多かった。これは何かの草稿だろうか？　父もまた私のように、日記代わりの覚書をつけていたのかもしれない。淡い菫色《すみれいろ》の文字は所々変色して読みづらい。一体何年、いや何十年、こんな場所に忘れられていたことだろう？

『だが、園の奥深く、恩寵に背を向けて、一本の馨《かぐわ》しい樹が伸びている。主なる神の静かな、厳かな怒りを逃れ、この樹は夜育つ。この上ない幸福も、この上ない不幸も、夜に育つように。陽が落ちて、丘が紫に沈む頃、私はこの樹を訪ねる。まどろむ野の涯から露を砕きつつ近づく者がある。私はその軽やかな歩みを迎え、神を忘れる。許されぬ霊が私の傍らに来て座り、儀式を始める。薫り立つ緑の樹が、闇の中で誇らかに枝を張る。交感は夜通し続く。さやめく星の看取《みと》りのもとに、最後の言葉が呟かれ、硝子《ガラス》の向こうですべてが朧《おぼ》ろに沈黙するまで……。私は日暮れを恐れる。日没は私の命を穏やかならぬ精霊《スピリット》にする。私の信仰は何かもっと烈しい、草いきれに似た、光を放つしなやかなものに変わって、神でない人に向けられる』

私は紙片を裏返した。裏面には何も書いてない。文章はそこで終わっていた。私は紙の皺を丁寧に伸ばした。それまで、父はどちらかと言えば即物的で滑稽な文章を書くと思っていたので、読後の感想は「意外」の一語に尽きた。耽美的、象徴的な文体は、母が笑いころげながら読んでくれたジャカルタやプノンペン発の手紙とは、全く趣が異なる。卒業文集ともまた違う。父がずいぶん前に放棄して顧みなかった文体《スタイル》なのだ。私もまた十六才でなければ、そして、草いきれのような恋をしていなければ、紙を伸ばす指がこんなに震えることもなかったろうと思う。

九二　星月夜《ほしづくよ》

「僕、前にね——もうずうっと前に、学院以外の所で遠野さんに会ったことがありませんか？」

白い息を吐いてココアを冷ましていた鶫くんが、出し抜けに尋ねた。

「ない——と思うけど？」

「そうだなあ……おんなじ人ならもうおとなのはずだし……やっぱり違うんだな」

「誰のこと？」

「公園で会った人」

床の間に杉の木を据えた座敷でクリスマス・イヴの晩餐をすませ、私は腹ごなしを兼ねて学院の深夜礼拝に出かけることにした。チャペルに入ると、香《こう》の薫煙と蠟燭《ろうそく》の煤《すす》の匂いが、ふうわりと混じりあう中に、ミルフォード神父さん始め、寝ぼけ眼に白衣《サープラス》を着けてシャチホコ張った聖歌隊も勢揃いしていた。寮の残留組である花小路くんや鶫くんの顔も見えた。讃美歌を幾つも続けざまに歌って気分が盛り上がったところで、メイプルロッジにて出席者全員に夜食が振る舞われた。私は花小路くんとしばらく歓談した後、ココアを飲んでいた鶫くんにクリスマス・カードのお礼を述べに行った。ペン先生が胡桃《くるみ》を割って、オレンジの砂糖漬けやマジパンと一緒に、私たち二人に分けて下さった。

真夜中過ぎに大勢の人が火のある部屋に集い、ゆらめく炉明かりの中で笑い興じる様には、何となくこの世のものならぬ妖しさがある。微かな煙の帳《とばり》の向こうで、全ての顔は仮面になる。あらゆる身振りが演技になる。ふとした扉《と》の開《あ》け立てや人の出入りに、走馬灯めいた華やぎと虚しさが去来する。私はしかし、どちらかと言えば浮かれ気分に傾いていた。熱いココアで舌を焼いた鶫くんに、ポーチへ（舌を）出しておけばすぐ冷めるよと冗談を言った。すると彼はマグを持って、本当に部屋から出ていった。また病気になりでもしたら大変だ。追いかけて表に出れば、一面の星月夜《ほしづくよ》――裸木の楔《くさび》のような梢が、霜でほんのりと明るい。どこかの常冬《とこふゆ》の森で、銀の鈴がりんと鳴ったような気がした。

鶫くんはポーチの手摺《てす》りに寄って思い切り頭を反《そ》らしていた。私も彼に倣った。冴えざえと、響き渡らんばかりの夜空を仰いだその時、心は地上を離れた。次第に疾《はや》く、次第に高く、次第に軽く、上ってゆく。青い星を過ぎ、赤い星を過ぎ、虹のように燃える七芒星《しちぼうせい》の光の穂先をかすめて、無窮の天の彼方へ、一路引き寄せられる。銀河系外にワープする寸前、眼の前に白じろと立つ柔らかな呼気に触れて、私は減速した。爪先立ちに星を見る合間に、冷まし冷ましココアを啜っている男の子――彼のことを、もう少しで忘れるところだった。

「寒くない？」

「平気です」

（と言いながら、鶫くんは軽く私にすり寄った。この矛盾は、もっぱら私の身を案じての防寒対策であろうと解釈した。）

「公園で誰に会ったの？」

「遠野さんみたいな人」

「僕のはずはないよ。そうだったらきっと覚えてる」

「ええ。違う人なんだけど、でも……」

鶫くんが小学校に入った年、初めての夏休みを過ごした海浜の宿の近くに公園があった。公園の一角にプラタナスの林が繁り、林の奥には児童図書館があった。多角形のガラス張りの建物は、図書館というより大温室のようだった。ガラスの壁はプラタナスの葉を映していつも青く翳《かげ》っていた。兄の鵆《ちどり》くんは、すぐに土地の子と仲よくなり、程なく彼らの大将に祭り上げられ、日焼けした海水パンツの兵隊たちを指揮して、毎日砂山の攻防に忙しかった。鶫くんは公園へ行ってひとりで遊んだ。(徴兵検査で不合格とされたからである。)

海へ一緒に来たお母さんは、日よけを深く下ろした部屋で終日ぐったりしていた。夜は夜で、頭が痛くて少しも寝《やす》めないらしい。お母さんは病気だから我儘《わがまま》はいけないよ、と兄弟は言いふくめられていた。遠くの町に残ったお父さんから。お父さんは駅に見送りに来てくれなかった。そのせいか、旅の初めは少し心細い感じがした。冷房のきいた禁煙車に乗っているのに、お母さんはずっと眼を閉じて、指先でこめかみや瞼を時折そっと押さえていた。鵆くんは靴を脱いで座席に上がり、窓敷居に肘をつき、車内に背を向けて外の景色ばかり睨んでいた。妹はまだ生まれていなかった。

　季節柄、子供はみんな浜へ出かけて、公園で遊ぶ者は稀だった。虫籠と捕虫網を携えた麦藁帽子の親子連れなどがたまに通りかかった。しかしたいていは、お昼頃から夕暮れにかけて、誰も来る人はない。公園はまるで鶫くん一人の庭のようだった。林の近くを小川さえ流れていた。昼間は川床がむき出しになるくらい水量が少ない。けれど夕方には、上げ潮の水が岸まで溢れることもある。正午のチャイムが鳴ると鶫くんは宿に戻った。お母さんの部屋で言葉少なに昼食をとり——衛くんは毎日のように友人宅でおひるをご馳走になっていた——小一時間昼寝をさせられ、目が覚めると、宿のおばさんが用意してくれたおやつを水色のバスケットに詰めて、また公園に行く。いつの間にかそれが日課になった。一番熱中したのは砂場にお城を造ることだった。お城は三階建てで、周囲にお堀を巡らせ、塔屋はむずかしいので省略したが、その代わり天辺にユニオンジャックを掲げた。

　ある日、難題にぶつかった。お堀に水を引こうとあれこれやってみたのだが、どうしてもうまくいかない。水筒に汲んできても汲んできても、喉の乾いた人が氷水やビールを飲むように、砂がすうっと吸い込んでしまう。水汲みに飽きた鶫くんは、明日もう一度挑戦してみることにした。水飲み場で手を洗って半ズボンの尻で拭いた。ポケットには色々な物が入っていたけれど、なぜかハンカチだけがなかったのだ。プラタナスの林のほとりでしばらくぶらんこを揺った。じきにそれもつまらなくなり、こぐのをやめて勢いが弱まるに任せていると、後ろから誰かがそっと背中を押した。

「ほら、今度は強く押すよ。しっかりつかまって」

鵜くんは慌ててぶらんこの鎖を強く握りしめた。

「だあれ?」

「風だよ」

「ウソだあ!」

「そう。ウソッパチさ」

「じゃあほんとはだれ?」

「鬼だよ」

鵜くんはギョッとした。あるいは、という気がしたのだ。恐くなった。涙が出てきた。降りる、と、ぐずり始めた。両足が再び地を擦るのを感じてほっとしたが、気が緩むと涙腺も益々緩んだ。(走って逃げても、きっと追いかけてくる。つかまったら、食べられてしまうのかしら?)ぶらんこは遂に完全に停止した。誰かの手が鵜くんの頭上で鎖を押さえていた。その手がするする下がってきて、鵜くんの体をヒョイと前へ抱え下ろした。

「次、僕が乗ってもいいかな?」

睫毛に涙をいっぱい溜めて振り向いてみると、ありがたいことに鬼ではない。普通の身なりをした普通の人が、早くもぶらんこに片足をかけて微笑んでいる。年齢はどうもよくわからなかった。笑い顔は兄さんと幾つも違わないように見える。でも背はずっと高い。お父さんや先生と同じように、長いズボンを穿いている。草色のシャツも長袖だが、肘の上まで袖を折って着ている。そこからすらりと表われた腕を見て、鶫くんはいよいよ鬼でないとの確信を深めた。鬼は太って、赤くて、手足が曲がって、毛むくじゃら。この人はまるっきり反対だ。鶫くんはいくらか勇気が出たが、まだ用心して、少し離れた所から、どこのひと?と訊いてみた。

「あっち」

その人はいかにも楽しげにぶらんこを揺すりながら、プラタナスの木立の方へ顎をしゃくった。

「としょかんのひと?」

「違うよ。もっとあっち」

児童図書館の向こうには、のっぺりした白い建物があった。陽に晒《さら》された壁に張りつくようにして、石榴《ざくろ》の花が朱々《あかあか》と咲いていた。ここへ着いた晩、お母さんが大儀そうにこのあたりの地理を尋ねた時、宿のおばさんが、公園の隣に病院がありますと教えていた。(「あすこは長期入院の患者さん方ばかりです。お気の毒に、もう治らない人もたくさんおられるそうで——お疲れがひどいようでしたら、一度診《み》ておもらいになりますか？」）お母さんは、さも厭わしそうに、両目を固くつむっていつまでも頭を振っていた。森の色の服をきた人は、すると、「もう治らない人」の病院から来たのだろうか？

「おびょうきなの？」

と、鶫くんは遠慮がちに尋ねた。でも、具合がよくないなら、あんなに勢いよくぶらんこをこげるはずはない。ぶらんこは実際、恐いくらい高々と、前に、後ろに、風を切っていた。

「僕は病気じゃないけど、お母さんがね！」

と言う声が、天使のラッパのように空から降ってきた。

「つぐみのおかあさんも、びょうき」

「つぐみくんていうの？」

　ぶらんこがぐうっと前方へ舞い上がった。鶫くんが肝をつぶしたことに、乗り手は体が最も高い位置に達したところで、いきなり両手を放した。翠玉《エメラルド》色の光がきらりと虚空を飛ぶ。鳥のように優美な弧を描いて砂場に降下する。だが着地はあまり優美ではなかった。前のめりに手をついたはずみに、鶫くんの労作が、ユニオンジャックもろとも落城してしまった。びっくりしたのと無念なのとで、鶫くんの瞳には、またもや涙がこみ上げてきた。城の破壊者は跪《ひざまず》いて謝罪した。

「ごめんよ。でも、また作ればいい。もっとすてきなのを。あした、一緒に作ろう」

鶫くんの新しい友達は、土木工事の基礎知識を備えており、新築したお城の堀に水を引いて、ボートまで浮かべてくれた。鶫くんは大満足だった。公園に行くのがいっそう楽しみになった。

衜《ちどり》くんが久しぶりに昼餉《ひるげ》の卓に加わった日、お父さんいつ来るの？とお母さんに尋ねた。お母さんは急に片手を上げ、何かを押しのけるような仕草をした。それから衜くんのことを「悪い子」だと言って、泣きだした。衜くんは顔を真っ赤にして部屋を飛び出していった。お母さんが食卓を乱暴に払ったので、お皿やコップが床に落ちて砕けた。鶫くんは恐くなり、自分もベソをかきながら表へ走り出た。足はひとりでに公園へ向かった。ぶらんこに腰かけて友達が本を読んでいた。鶫くんが顔をドロドロにして、しゃくり上げながら現われたので、驚いたようだった。

「どうしたの？　転んだの？」

家庭の一大事がそんなありふれた災難に間違えられたことが悲しく、鶫くんは俄然本格的に泣きだした。涙が涸れた頃、友達は冷たく濡らしたハンカチで顔を拭いてくれながら、きょうは林の木にハンモックを吊ったから行ってみよう、と誘った。鶫くんはまだハンモックに寝たことがなかった。枝から枝へ掛け渡された網の舟を大変珍しく思った。足元の頼りない、ふわふわした感じが素敵だ。仰向いたり腹這ったり、姿勢を変えて遊んでいるうちに、つらいことをだんだんに忘れ、小さい蜘蛛《くも》になって空中に棲家《すみか》を作ったような、いい気持になった。友達が小声で読んでくれるお話と、夏の木立が空から囁く青い物語がいつしか溶け合い、鶫くんは眠りに落ちた。

建築作業以外にも二人は色々な遊びをした。友達が水彩絵の具とスケッチブックを持ってきて、プラタナスの斑《まだら》の幹や木洩れ日のさざめく小川を、びっくりするほどきれいに写してくれたこともあった。ある午後には、急に夕立がやってきたので、児童図書館で雨宿りをした。司書室の脇の小部屋に足踏みオルガンがあるのを鶫くんが見つけた。友達はオルガンを弾いて二つ三つ歌を教えてくれた。黄色いリボンで髪を結んだおねえさんが、ドアの隙間からちょっと顔をのぞかせて、じょうずね、と笑った。

友情はちょうど一週間続いた。出会った日から数えて七日めのこと、友達は午前中ずっと姿を見せなかった。鶫くんは昼寝を三十分で切り上げて公園に駆け戻ったが、埃っぽい広場は相変わらず人気《ひとけ》なくしんと静まりかえっている。鶫くんが淋しく待ちあぐねていると、友達は午後もずいぶん遅くなってからようやく現われた。紺のブレザーを着て、おとなのようにきちんとネクタイを締めている。いつものように林の中からではなく、公園の門の前に止まった黒塗りの自動車から降りてきた。黒い背広を着た男の人が運転席に座り、後ろの座席にはやはり黒装束に真珠の首飾りをかけた年寄りの女の人が見えた。

友達は鶫くんの手を引いて小川のほとりを歩いた。歩きながら、僕うちに帰るんだよ、と告げた。ぶらんこのところまで来ると、いつものように、そっと抱えて乗せてくれた。鶫くんは初めて逆らったが、何だかちっとも力が入らない。すぐに人形のように手足をだらりとさせて、おとなしくなった。友達は微風《そよかぜ》ほどの優しい力で背中を押してくれた。

「おうち、どこ？」

「ここからずっと遠いとこ」

「きしゃで帰る？」

「ううん。車で」

鶫くんは素早く門の方を窺ってみた。黒い車は死んだ甲虫《かぶとむし》のようにひっそりと不気味に構えていた。男の人は煙草を吸っていた。鶫くんは砂場に視線を移した。新しいお城は（友達の貢献により）四つの堂々たる尖塔を誇っていた。今朝がた鶫くんが水を足したお堀の水面に、海から吹いてくる風が、きらめく精緻《こま》やかなレース模様を広げた。

「ボート……」

と言ったきり、鶫くんは後を続けられなくなった。友達は漣《さざなみ》よりもきらきらと朗らかに笑った。

「ボート、あげるよ。僕はもういらないから」

鶫くんは小さな胸いっぱいに煩悶した。自分だってボートが絶対必要なわけではない。いや、事によったらお城だってなくても構わないのだ。レオナルド・ダ・ヴィンチのような万能の友人が、いつまでも一緒に遊んでくれさえしたら！

いきなり自動車の警笛《ホーン》が鳴った。鶫くんも友達もびくっとした。友達はぶらんこを止め、鶫くんの前に来て片手を出した。鶫くんは、その手を握らなければならないのはわかっていたけれど、どうしても自分の手を差し伸べることができなかった。握手をしたらさよならだ。さよならと手を振って、行ってしまう。それでももう会えない。鶫くんは、鎖が柔らかい掌に食い込んで痛くなるほど、ぶらんこにしがみついた。また警笛が鳴り響いた。今度は少し長めに。

「行かなきゃ。みんな待ってるから――」

友達は鶫くんの肩を軽く抱えて、額にふわりと唇をつけた。そして駈け足で、黒衣の人々の待つ車に戻っていった。

「……これはね、おにいちゃんと僕しか知らないことなんです」

話の終わりごろになると、鶫くんはだいぶ疲れてきていた。小鳥めいた頭を私の腕に凭せかけ、眠気のさした子供のような、うとうととした調子で喋った。

「夜お風呂に入ったとき、どうして顔を洗わないのかって叱られて……それで公園の人のことを話して、おでこにキスをしたよって言ったら、おにいちゃんはびっくりして、怒って、僕の顔をタオルでうんとこすったの。すごく痛かったなあ……僕、それっきり誰にも話さなかった」

微かな痙攣に似た憤りが胸を貫いた。それは撃たれた鹿のように、一瞬高く跳ねて、じきに動かなくなった。私が鶫くんの額に接吻したことを知ったら、鶫くんはもう一度、弟の顔中タオルでこすり回すだろうか？　私が少年の寂しさに強く感応したのは、私自身少年であったから、そしてたぶん、大好きな人を見送る時の気持ちを、（予感としてではあれ、）幾らか知っていたからなのに。孤独者の中には、触れなければ癒されない傷を負っている者がある。人間でも、動物でも。それがわかっていながら手を差し伸べないのは、慎みでもデリカシーでもなんでもない。ただ卑怯なのだ。私は鶫くんに、こんなところで原罪めいた「不浄《けがれ》」の観念を学んでほしくなかった。公園の友達のキスは君の額に捺《お》された星なんだよ、と言ってやりたかった。君が彼にとって、とても大切な人だったという印なんだ。洗ってもこすっても、それは消えない。いつまでも、どんな遠くへでも、君と一緒に行くよ——

鶫くんは瞼をこすり、凍てつきそうな手摺りに両手をかけてまた夜空を仰いだ。

「〝Abide with me《アバイド ウィズ ミー》〟って『私といっしょにいて下さい』という意味でしょう？」

「うん」

「オルガンでこの曲も弾いてくれました」

「ふうん——教会に行ってたのかな？」

「ときどき、あの人の夢をみるんです」

「そう……わかるよ。僕にも——そんなふうな友達がいるから——」

「花小路さんですか？」

星明かりにひっそりと照らされた顔が、蒼白い蕾のように、震えてうつむいた。私は鶫くんのか細《ほそ》い手を一つ、自分の手と一緒にポケットにしまった。

「そうじゃない——別の人だよ。もうすぐ遠くへ行ってしまうんだ」

冷えきった小さな指が私の指をさぐり、そっと握りしめた。

九三　北欧樹《ノーウェイジアン・ウッド》

二十五日に私は〈町〉まで使いに出された。祖母の作成した正月用買物リストの中で、ツネさんにはどうしても調達できなかった品々を補足するために。正月には関係ないけれど、特に忘れてはならないと念を押されたのが、ポートワインと紫キャベツとスグリのジャムである。

祖父の昔の教え子の一人から、お歳暮と称して高麗雉《こうらいきじ》が一羽届いた。もう三日早く着いていれば鶏小屋から犠牲者を出さずにすんだのであるが、二、三日寝かせておくようにとの但し書きがついていたため、イヴの晩餐には間にあわなかった。〈Faisan à la Sainte-Alliance《ファザンアラサンタリヤンス》〉というレシピらしきものを印刷した包装紙にくるまれていたので、私は虎斑《とらふ》のきれいな尾羽根と一緒にその紙も貰っておいて、休みがあけたら青木くんに進呈することにした。

祖母は鳥を倉の前の差掛《さしかけ》に吊るして三日間熟考した末、『婦人画報』のカラーページに魅了されて、ポート風味のローストに挑戦することに決めた。付け合わせは紫キャベツと林檎の煮込み。(ジャムはこちらに加える。)そして出来上がった料理は、ナプキンを敷いた籠に詰めて私が長田家へ持参する、という趣向である。まるでサンタクロースだ。

祖母にとってはサンタクロースもイエス・キリストも西洋のお伽話の登場人物である。だが七夕祭からの類推で、聖樹を飾って祝う気持ちは何となく理解される。そして祝い事には宴がつきものだ。野瀬さんが殉教者のような口調で語ったレトルトパウチetc.の件が本当なら、是非とも私がサンタを務めねばならない、と祖母は主張した。お祭にご馳走がないというのは、結婚式に新郎新婦が出ないようなもので、祖母の価値観と様式感覚を大いに揺さぶる事態であるらしい。

歳末の雑踏を縫って〈アンダルシヤ〉に辿り着く。食料品売場は、お節料理の予約受付で常にもまして混雑している。紫キャベツとポートワインは、各々一種類しか在庫がなかったので、大事なく購入できた。だがジャムとなると別問題だ。スグリのジャムの輸出国が世界に二つ以上あろうとは、予想していなかった。イギリス産のスグリとフランス産のスグリはどちらが優良なのだろう？　ラベルだけ見ると、ドイツのスグリが一番粒揃いに描《か》いてある。ソヴィエト連邦のスグリジャムには、何か特別なところがあるのだろうか？　USAのそれとは製法が大幅に違っているのか？　第一、レッドカラントとブラックカラントと、どっちを買えばいいのだ？

殺到する主婦に肩や腕を容赦なく小突かれているうちに、少しずつ頭に血が上ってきた。一番近くにあったアメリカ製に手を伸ばしかけた時、思いきり背中にぶつかられた。そのまま順調に運べば瓶詰缶詰の山の中へ頭から突入するところを、誰かがぐいと腕をつかんで後ろに引き戻してくれた。息をはずませて振り向いた私の目に、茶色のコートの襟を立てた長田《おさだ》光《ひかる》先生の笑顔が映った。

「珍しい所で会うね。まさか君も——料理を?」

私はプラスティックの店の籠を下げていた。シェリー酒の色をした眼鏡のレンズ越しに、穏やかな好奇心を湛えた目が中身をちらと窺う。そこにはポートワインの壜と数種類のハーブと大玉の紫キャベツが入っていた。そして存在感という点では、ワインとハーブはないも同然であった。私は急に顔がほてってくるのを感じた。

「いいえ——あの——頼まれて——あとジャムを買ったらおしまいなんです」

長田先生の買物はもう終わりなのか、片手には大きな四角い紙袋がある。見下ろせば足元にも一袋。富美子《とみこ》夫人といい、長田家の人にはどうもこういう場所で出会う運命らしい。私はふと胸騒ぎを覚えた。「歴史は繰返す」というのが真実ならば——

「実はまだ樅《もみ》の木を買わなきゃいけないんだ。手が二本しかないのに、どうやって持って帰ったものかね——」

ああ、やっぱり！

かつてムラオカ商店で奥さんの荷物持ちをかって出た手前、〈アンダルシヤ〉で同じ状況下にある旦那さんに知らん顔するのは、道義上都合が悪い。比較的小さな自分の買物を恨めしく思いながら、蚊の鳴くような声で、お手伝いしましょうかと申し出た。

「そいつはありがたい」

と、長田先生は微笑んだ。

「インターナショナル・ホテルの裏まで運んでもらえると助かる。路上駐車をしているんだよ。この辺の駐車場はどこもいっぱいでね。でも、まず君のジャムを選びたまえ」

路上駐車——レッカー移動。私は右手に赤スグリのジャムを、左手に黒スグリのジャムをつかんで絶望的に見比べた。長田先生はしかし別に急ぐふうもなく、自分でも英国製のビターオレンジのマーマレードを一壜取って、ラベルをつくづく眺めた。

「トーストなら私はこれが一番好きなんだ」

「トーストじゃないんです」

「ほう？」

私はいよいよ暑くなってきた。私が迷っているのは、恰も料理好きの人が、ブランドにこだわりつつ材料を選んでいるかのように見えはしないだろうか？（たとえば青木くんなら間違いなくそうするように。）このままではパイでも焼くと思われかねない。料理をするのは決して恥ずかしい趣味ではないはずなのだが、私はなぜともなく、やたらに決まりが悪かった。きっと、キャベツがいけないのだ。私は籠の中にジャムを二つとも放り込んだ。

「祖母はこれが好きなんです――」

取ってつけたようなことを呟きながらレジに並んだ。私が支払いをすませる間に、長田先生は花売場で樅の木を選んできた。

「どの木も半値になっていたよ。売れ残るよりはいいんだろうね。よかったら、君にも一本買おうか？　荷物を持ってもらうお礼に」

私は丁重に辞退した。（誰がそれをＯ村まで運ぶというのだ？）

「遠慮しなさんな」

「いえ、本当に――うちにはもうツリーを立てましたから」

「床の間に？」

私の怪訝な顔を見て、先生は愉快そうに笑った。

「松の木じゃなかったろうね？」

「杉の木です」

「それは進歩だ。で、プレゼントは？　三方《さんぽう》に載せてツリーの蔭に供えてあった？」

「よくご存じですね」

私はいくらか冷ややかに言った。

「昔からそう決まっているんだ――君の家では」

先生は私の手から買物包みを取って樅の木を離した。私の背丈より高い梢が、ゆらりと傾《かし》いで倒れかかる。慌てて幹にしがみつく。やはり買ってもらわなくてよかったと思った。こんな物と連れ立って電車で帰る気はない。〈アンダルシヤ〉を出てインターナショナル・ホテルへ向かう道々、すれ違う人という人は、バーナムの森がダンシネインにやって来るのを見たマクベスの顔つきで私を振り返った。

グリーンのローヴァーは健在だった。駐車違反のステッカーさえ貼られていない。長田先生はむしろ意外そうだった。

「不思議だね。この界隈はいつも厳重にマークされて――」

先生が言い終えぬうちに、二人組の婦人警官が、ホテルの角を回ってこちらへ歩いてくるのが見えた。

「そら来た。早く早く！」

長田先生は買物包みを助手席とフロアに放り投げ、速やかに発進した。樅の木と私は後部座席に押し込まれていた。ローヴァーが安全地帯に達してから、私は樅の葉っぱを吐き出して徐ろに抗議した。駐車禁止区域に車を停めたのは私ではない。婦警さんを恐れる筋合いはない。私は逃げる必要がなかったのだ。まだ丸善にも行こうと思っていたのに――

「君をあそこに残していって、私の身元をあかされると困るからな」

この時初めて、やはり野瀬さんのお父さんだと実感した。そっくりじゃないか！　運試しの規則破りも、予測不可能な行動も、軽口も、笑い声も。

「でもこれで僕の立場は、先生の共犯者ということになるんですよ」

「とんでもない！　途中で警官に止められたら、私に誘拐されるところだと言いなさい」

ドライバーはあくまでも朗らかである。警官が追いかけてくるのはありえないことではなかった。私がどんなふうに支えても、樅の木の先が二十センチばかり窓からはみ出してしまうのだ。あれこれ姿勢を変えたが、無駄だった。先生はバックミラーで私の奮闘を眺め、背中がずいぶん柔軟だねと言った。

「サービスの時、少々後ろに反《そ》りすぎるのはそのせいかな？　まっすぐ上に伸び上がる気持ちで打ってごらん。あとは大体いいフォームだよ」

それきり私はオサダ医院に着くまで口をきかなかった。精一杯の非難をこめた沈黙だったが、果たして気づいてもらえたかどうか？　先生は口笛を吹きながら裏門に停車して、荷物と私を先に降ろした。車庫入れがすむまで、私は門の前で依然として樅の木を支えて待った。向かいの家へ器を取りに来た寿司屋さんから胡乱《うろん》な奴と思われ、散歩の途中の二匹のダックスフントに激しく吠えつかれたが、耐えた。

野瀬さんはまだ補習から帰っていないようだった。私は長田先生と力を合わせて樅の木を書斎に運び入れた。暖炉の横に、赤土とおが屑をいれた樽が待機していた。下枝をナイフで払って木を樽に植えこみ、先生が梢に手を添えてバランスをとっている間に、私が幹の周囲を土でしっかり固めた。

「上出来、上出来！　どうもありがとう。これでやっと恰好がついた。君たちのパーティも盛り上がるだろう。医師会の忘年会さえなければ、私も仲間に入りたいくらいだよ」

「パーティはツリーなしでもできます」

「いや、できない」

私のエピクロス的見解は言下に否定された。

「樹木の神性はキリストの教えよりも古い。祭礼——つまり宴会は、すべからく大樹の蔭で行なわれたんだ。木の下で汲みかわす酒は一段とうまいぞ」

先生は小枝を拾い上げて鼻の前にかざした。

「ほら、いい香りがするじゃないか。明日は洌に《きよい》〈Norwegian Wood《ノーウェイジアン・ウッド》〉でも歌わせるといい。至らぬ点は多々ある奴だが、声だけは天下一品だ」

「フィトンチッド中毒になりますよ」

「何の中毒?」

私は樹脂で汚れた自分の手を嗅いでみた。ノルウェイの樹木の匂いは、なるほど爽快だ。でも、きっときょう一日、石鹸でいくら洗っても指の間がさっぱりしないだろう。

九四　紫甘藍《むらさきキャベツ》

家まで送ろうという長田先生の申し出を受けて、私は紫キャベツらと共にまたローヴァーに乗り込んだ。初めて見た時は足回りが鈍重《おも》そうに感じられたこの車は、乗り心地が実にいいということを発見した。運転がじょうずだったせいもある。私は小学生のようにドライブを楽しんでいる自分に気づいた。父が亡くなって以来のことだ。

網屋町の交差点で一時停止した時、煙草に火をつけながら、先生が尋ねた。

「お父さんは何に乗っていたっけね?」

「ポルシェです。911」

「それはすごい！」

「アメリカへ行かれたオーベンの先生に押しつけられたんです。初めは預るだけという話だったのに、向こうに永住されることになって、コルベット・スティングレーに惚れたからって。格安で譲ると言われて買ったんです。でも、重いから疲れるって父は言ってました」

「そうとも。神のように重い。だが、乗りがいはあるよ。お父さんの人徳の賜物だね」

先生は屈託なく笑った。私はちょっと黙って、再び動きだした街の風景を眺めるふりをした。天馬屋《てんまや》のクリスマス装飾は、等身大の人形を使った馬小屋の聖家族だった。趣味といい、衣装と小道具の精巧さといい、三越の平凡なサンタクロースに大差をつけている。アイデアは、隣の八丁堀バプテスト教会から貰ったのかもしれない。私は最近みた夢のことを考えた。くわえ煙草の天使が、私はキリストの再来で手にナマコのような管足がある、と告知する夢だ。私は月足らずで生まれ、しばらく保育器の中で過ごした、と父から聞いたことがある。その記憶が秣桶《まぐさおけ》につながって、あんな夢となったのであろうか？

長田先生相手に父のことを話すのは、おそらくあまり賢明とは言えなかった。しかし一度口に出すと、私はもっと話したくなった。先生の方も同じ気持ちであるように感じた。

「車は、ウォリック先生に譲りました。母は運転しませんから」

先生は頷いて、灰皿に灰を落とした。

「僕には何だか――納得できませんでした」

「車を上げたことが？」

「ええ――というより、たぶん、父が死んだってことが。あっちで火葬にされて、灰だけが帰ってきた。ほんの一握りあるかないかの、ふわふわした塵の山です。そんなものが父だなんて――母も僕も、全然ピンときませんでした」

「私にはいまだにピンとこない」

先生はやや乱暴にハンドルを切った。車は急カーブで歳末の繁華街を振り切って、橋を渡り、A郡に向かう幹線道路に入った。あたりの景色が急に冬じみてきた。先生はしばらく言葉をつがずに運転に専念した。ギアチェンジで両手が必要になると、煙草を素早く口の角《すみ》に押し込み、操作がすんでもしばらくそのまま忘れている――シャープペンシルを噛み噛み数学をやっていた野瀬さんを思い出した。半分くらいまで吸ったところで、先生は煙草を灰皿に揉み消した。

「君は、私と洌《きよい》が親子だって知っているだろうね？」

「――はい」

「私たちが初めて顔を合わせたのは、洌が七つの時だった。信じられるかい？　そんなにも長い間、養育費だけ送って、放《ほ》ったらかしにしていたんだ。悪い父親だろう？」

道路に凹みでもあったのだろうか？　エアポケットに落ちこんだように、車が突然ガクンと沈み、また跳ね上がった。はずみでころがり落ちそうになったキャベツの玉を、私は慌てて押さえた。

「だが、もっと悪いことがある。生まれる前に、私はエーファ＝マリアと――洌の母親である人と一緒に君のお父さんを訪ねた。理由はわかるね？　彼女の家は北ドイツの旧家で、家族史まで編纂している、いわゆる名門なんだ。本人はそんなことに頓着していない。むしろ、一族の変わり者で通っていたようだ。曾祖父《ひいじい》さんが医官として明治の日本に赴任したことがあるというだけで、東洋文化に憧れて留学してきたくらいだからね。でも、まあ、名門は名門――極東の島国で間違いがあったことなんか、家族に知られてはいけなかったのさ。私は女房持ちだったし」

先生はちらりと横目で私の表情を窺ったようだった。私はキャベツをしっかり押さえて、落ちないように見張っていた。

「君は実際、お父さんそっくりだ」

私が顔を上げると、先生は可笑《おか》しそうに唇の端をぴくりとさせた。

「どんなことを打ち明けても驚いた顔をしない。だからつい、何かとんでもない話をして、びっくりさせてやりたくなる。学院の校長さんに知れたら大事《おおごと》だ。やめようか？」

私はキャベツを抱えて首を横に振った。長田先生は、片手で器用に、新しい煙草を取り出した。

「昔はあまり丈夫な方じゃなくて――洌のことだよ――母親にも、君のお父さんにも、ずいぶん心配をかけたな。会ってみると、首の細い、眼の大きい子で、吹けば飛ぶような瘠せっぽちだった。そのくせ実に姿勢がいいんだ」

先生が気持ちよさそうにゆっくり吐き出した煙が、私の方へ漂ってきた。私はちょっとだけ吸い込んで、くしゃみを堪《こら》えた。

「母親の方は――君のお父さんに言わせれば、彼女の祖国にとって非常に貴重な存在だそうだよ。ユーモア精神旺盛ということらしい。たいていのドイツ人は、酒の席でジョークは飛ばすが、自分の運命を本当に笑うことができないからね。写真を見せようか?」

写真は大型の紙入れの中から、手品のようにすぐ出てきた。私は初め、男の子――それも、私と年のあまり違わない外国の少年が写っているのかと思った。少し癖のある鳶色《とびいろ》の髪を、肩より上で短かめに切り揃え、水兵服《セーラー》を着てヨットの舵輪《だりん》に手をかけているところなのだ。果実のように引き締まった、みずみずしい顔立ちだった。蒼白く澄んだ額から鼻にかけて、仮面のように静かで生真面目《きまじめ》だが、口元には羞《はにか》んだ優しい表情がある。まっすぐにこちらを見ている眼は、私のかつて見た欧米人の誰よりも切れ長で、光線の悪戯《いたずら》なのか、瞳孔の周囲に奇妙な金褐色《きんかっしょく》の斑点が見える。この不思議な眼が、柔らかい微笑と華奢《きゃしゃ》な手首と、花の茎のようにほっそり伸びた姿を裏切り、途方もなく生き生きした、ほとんど野生動物に近い活力と輝かしさの印象を与える。嵐の夜にも平気で船を出してゆくだろう、と私は思った。

「こっちは私が撮したんだ」

先生はもう一枚、モノクロの写真をよこした。石のベンチに腰かけたプロフィールで、古い絵のように美しい。服装は同じだが、今度は少し前屈みになって、膝の上に置いた小さな箱のような物をじっと見下ろしている。睫毛に濃く蔽《おお》われた瞳の色は、沈んでいた。

「何だか、悲しそうですね」

「大いに悲しんでいる最中なんだよ。彼女のライカが壊れたんだ」

先生の声が一階調《ワントーン》明るくなった。

「その背景に見覚えはない？　旅行会社のポスターなんかによくあるだろう。函館の、ハリスト ス正教会。学院時代の友人でギリシャ正教に改宗した人が、一時そこに務めていた。札幌での学会のついでに訪ねていった時、聖堂の前の庭で彼女を見つけたんだ。いい構図だと思ったもので、生垣のこっち側から盗み撮りしたんだよ。うまくやったつもりだったのに、気づかれてしまった。相手は立ち上がって、まっすぐこちらへ歩いてきて、私があたふたしている間に、生垣の隙間から頭を突き出した。髪の毛が、紫色の繻子《サテン》みたいに見えたね。そしていきなり、"Mein《マイン》 Kamera《カメラ》 ist《イスト》 kaputt《カプット》"と言ったんだ」

「『カメラが壊れた』ってことですか？」

「そう。君には到底――ああ、いや、君だったら、まだ信じてくれるかな？　私のカメラが壊れましたと言われた瞬間に、人を好きになるような、そんなことが実際にあるというのを」

私は本一冊届けただけで野瀬さんを忘れられなくなった。マインカメラがカプットくらいよくある話だと思う。しかし、長田先生にそうは言わなかった。その代わり、写真の人に関する質問をした。

「一度ドイツへ帰られたんでしょう？」

「ああ。父親の看病をしにね。ちょうど今の富美子《とみこ》みたいなものだ。その時、洌をどうするかが問題になった。エーファがまず相談したのは、私でなく遠野先生だったよ」

「父に？」

「うん。真っ先にね。そして結局、遠野先生の忠告に従って、子供を日本に――私の保護下に、残すことにした。当時の私の家庭には色々と問題があったから、それが落ち着いて洌を引き取れるようになるまで、義兄《あに》夫婦の家に預けるということにも、同意してくれた。これもまたお父さんの人徳だ。私だけではとても説得できなかっただろう。洌も母親も、何かにつけ遠野先生をとても頼りにしていた」

私は礼を言って写真を返した。先生は、自分で撮影した方をもう一度しみじみ眺めて、嘆息した。

「エーファが発《た》つ日、冽を羽田まで連れに行ったことを覚えているよ。その頃は国際線もまだあそこだった。母親は実に度量の広いところを見せてくれてね。まるで自分の親父の旧友にでも会ったみたいに、丁重で感じがいいんだ。私の方は、穴があったら入りたい心境だったが――」

「父も一緒に行ったんですか?」

「いや――私たち親子だけだった。私は実は、赤ん坊を堕《お》ろしてくれと頼みに行った時以来、お父さんには会っていない。もちろん電話や手紙のやりとりは頻繁にあった。だけど会って顔を見るのは……なぜだか、ひどく辛くてね。私の方に疚《やま》しい気持ちがあったせいだと思うけれど。勇気を出して会いに行こうと思っているうちに、どんどん時が経ってしまった。そしてマラリアだ。私がいまだにピンときてないわけがわかっただろう? 亡くなったなんて、とても……」

ところで、私はもはや長田先生の声を聞いていなかった。話の途中でひっかかった一つのことが、頭の中で堂々巡りを始めたのである。『赤ん坊を堕ろしてくれと頼みに行った時以来、お父さんには会っていない』――という言葉が真実なら、AIDの一件はなかったことになる。母は何か思い違いをしているのだろうか?

九五　田鶴《たづ》

十六才の少年の、妊娠と出産に関する知識は存外に乏しい。どうすれば子供ができるか、どうすればできないか、漠然と知らされてはいても、詳細な情報はなかなか入ってこない。人工授精となると、ほとんどＳＦだ。いかような条件下で、いかなる手段を以て、卵子と精子をめでたく結合させるのであるか、実態はあくまでも神秘のヴェールに覆《おお》われている。よほどその方面に関心がない限り、そんな術語《ターム》を一度も口にしたことがないまま高校生活を終了する者だって多い。私は特に関心があったわけではないけれど、名称だけはずいぶん早くから知っていた。出所《でどころ》は犬屋のおじさんである。

それは、私の父に、アメリカ生まれのブルーマールのコリーを売ったおじさんであった。ペットショップ経営の傍ら、都下の某獣医師と結託して、数種類の大型犬の自家繁殖をしていた。私がドッグフードを買いに行くと、ゲインズやペディグリーチャムなどの試供品をくれた。ある時、たぶん蚤除《のみよ》け首輪を探しに行った際ではなかったかと思うが、店先で、おじさんとお客が親しげに会話をしていた。セント・バーナードの見合いがなかなかうまくいかないとかいう話だった。私は蚤取り粉やシャンプーを物色しながら、聞くともなく聞いていたのだが、やがておじさんはなめらかな口調でこう言った。

「人工授精という手もあるね。うちの二回めの仔犬は実はそれなんだ。ひとつ、医師《せんせい》に相談してあげましょうか?」

私は耳慣れないその言葉を平仮名で記憶した。そして翌日、学校で書かされた作文で、自分の家のコリーを紹介するついでに、『犬屋さんのところのセント・バーナードは、じんこうじゅせいです』とつけ加えた。この作文は職員室で一大センセーションを巻き起こしたらしい。担任の淑やかな女の先生が、放課後に私を呼び止めた。

「〈じんこうじゅせい〉って、どういう意味か知っていますか?」

「知りません」

「知らない言葉を言ったり、書いたりしてはだめよ」

「はい」

先生は私の頭をちょっと撫でて微笑み、車に気をつけてお帰りなさいと言った。家に着くと私は早速、国語辞典で〈じんこうじゅせい〉を調べてみた。『人為授精に同じ』。〈為〉以降が読めなかったために、探求はそこで挫折した。まだ漢和辞典を引く能力がなかった頃の話である。

その言葉は、私がもっと高学年になるまで、犬にまつわるミステリーとして記憶の底深く沈殿していた。やがて、月々購読していた『学習』と『科学』のどちらかに――両親は、キンダーブックに始まり、教育委員会推薦の大概の雑誌を購読させた――〈人為授粉〉という一語を発見した。（雑誌の傾向から言って、おそらく『科学』だったろう。）親切にもルビが振ってあった。長年の謎が氷解し始める兆しに、私の心は"EUREKA《エウレカ》!"と歓呼した。そうか、このようにして、セント・バーナードのこどもが咲いた、いや、生まれたのか。しかしまだ全てが解明されたわけではなかった。まだ、〈粉〉と〈精〉の違いが残っていた。理屈《セオリー》は大体頭に入った。でも、その実際は？　犬の体のどこに、花粉を作ったりする器官があるというのだ？　私は庭先で戯れるコリーたちをそれとなく観察してみた。そして、うちの犬にはおしべもめしべもないのかしら、と思った。

「どうした？　気分でも悪いの？」

軽く肩を揺すられ、私は我に返った。ローヴァーは道端の空地《あきち》に停車していた。

「舗装道路はここまでだ。これから上りになるから、気分が悪いのなら、少し休んで行こうか？」

「大丈夫です」

「ほんとかい？　顔が蒼いよ」

「ほんとです。すみません。ちょっと考えごとをしていたので――」

「その調子で考え続ければノーベル賞がとれるな」

先生は車をスムーズにターンさせて空地から出ると、杉林に挟まれた坂道に乗り入れた。あと二十分も走ればO村に着く。この二十分を、有効に使わなければならない。母が思い違いをしているのだとしたら、それは正されるべきだ。母は文反故《ふみほご》を読んで、AIDの計画を知ったと言った。〈D〉は Donor《ドナー》の〈D〉。父から（精子の）提供者に当てて書かれた手紙――だが、万一そんな手紙の下書きがあったとしても、出されなかったという可能性だってある。文反故は文反故で終わり、陽の目を見なかったかもしれないのだ。私が机の奥で見つけた、あの紙片のように。

私は母に、父のことを嫌ってもらいたくなかった。讃美歌を歌う声や、快活な手紙や、病気の犬を夜通し看病した繊細な手や、優しさだけを覚えていてほしかった。私の幼い瞳に映った父は、間違いなく優しい人間だったのである。

「僕は――」

私は固唾《かたず》を呑んだ。二十分以内に、どのように話を展開させて、真相に近づこう？　カマをかけるのは苦手だ。しかしまさか、雄《お》しべ雌《め》しべの喩《たと》えで訊くわけにもいかない。キャベツを押さえた手が、じっとりと汗ばんできた。

「僕は――あの――父も――父の方でも、先生のことをとても頼りにしていたと、思います」

「そんなことはないよ。相談を持ちかけるのは、いつも私だったんだ。一緒に学院に通っていた頃からそうだよ」

「でも、やっぱり――先生に助けていただかなければ、実現できないようなことも、あったと思い――」

「ああ、そりゃあ、いくつかはあったとも！　匙《さじ》とスポイトのことを言ってるんだろう？」

「匙とスポイト……」

「そうそう。あの時は確かに、助けたのは私の方だった。よくそんな話を聞き覚えていたね。私はもうすっかり忘れてしまっていたのに」

高等部に進学した父と長田先生は、硬式庭球部に入部した。そして、雨が降った日に備えて、化学部にも。その年の学院祭で、化学部ではファンシー・グラスウェア・ショップという企画を実行することに決まった。実験室を工房《アトリエ》に装い、ガラス細工の実演、及び作品の展示即売会を行うのである。

ガラス工芸の基礎を習得するには、もちろん何年もかかる。しかし、化学実験に携わる者は、専門の職人にはなれないまでも、簡単な細工物くらいはできなくては困る。では、何の細工が簡単かというと――これはもう、ダントツは匙、次はスポイト、に決まっている。この二品なら、火加減に注意すれば、ブンゼンバーナーでだって拵《こしら》えられる。学院祭に、新入部員は各自ノルマとして、匙幾本、スポイト何個を製作して展示しなければならない。(もう少し腕に自信のある者は、本式のふいご付きバーナーを駆使して、濾紙《ろし》受けやT字管やペンギンの置物に挑戦する。)斯《か》く、決定された。長田光《おさだひかる》と遠野銀《とおのしろがね》が高一の年、化学部のニューフェイスは彼らしかいなかった。それで、匙とスポイトのノルマは、二人だけの肩にかかることとなった。具体的には、めいめい匙を五十本、スポイトを三十個、作るようにと厳命された。

その頃の学院はおおらかだった。守衛さんや舎監の先生も寛大だった。祭が近づくと、生徒たちは、寮生を中心に、毎晩遅くまで学校に残って準備に精を出した。特に前日は、生徒の姉妹やお母さんなどから差し入れが届くこともあり、それを肴に大いに気炎を上げた後、突貫工事で仕事が進められるのであった。学院祭前夜になってもまだノルマが残っていた二人は、差し入れの相伴《しょうばん》もそこそこに、化学教室に忍び込み、燈火が洩れないように暗幕を張り巡らせてこっそり作業を続けた。いくら何でも、夜中に実験室を使っているところを見つかったら厳罰処分だ。今にも人が来ないか、暗幕を引っぱがされやしないか、戦々兢々とした仕事ぶりは作品に着実に反映された。

「君はガラス細工なんて、やったことあるかい?」

「ありません——僕は化学部じゃないので」

「肝腎なのは、加熱の時、ガラスを均一に、充分に軟化させることなんだ。水飴《みずあめ》状に、こう、トロ～リとなるまで」

そのためには、もとになるガラス管の軸が微動だにしないように、滑らかに回転させながら加熱することが不可欠である（と、長田先生は続けた）。椅子に浅く腰かけ、背骨を伸ばし胸を張り、左手でガラス管を上から握り、手前へすくい上げるような気持ちで手首を直角に曲げて……

（私は助手席で、絶望的に身をよじった。ここまで話が逸《そ》れては、軌道修正はもはや不可能だ。）

秘密に仕事をする二人には、管を微動だにさせぬ落ち着きがあるはずもなく、ひたすら歪んだ匙とひしゃげたスポイトばかりを営々と生産することになった。それでも、どうにかノルマの半分以上をやり遂げた。長田光が四十五本めの匙の先端を素焼き板に挾んで平たくしている時、背後に不思議な物音を聞いた。振り返ると、相棒が床に座りこみ、細工台の脚に凭れて眠っている。安らかに鼾《いびき》をかきながら。

「差し入れパーティで卵酒を飲んだのがいけなかったらしい。風邪気味だと言ったら、寮の食堂のおばさんが作ってくれたんだ。とにかく、ひどく気持ちよさそうな鼾でね。私はどうしても起こす気になれなくて。それで、銀《しろがね》くんはそのまま寝かせておいて、やり残した分を全部作ってやった。出来上がった時は、ほとんど夜が明けていたよ」

「――ご迷惑をおかけしました」

「好きな友達のためだ。迷惑じゃないさ」

車は切り通しの峠を越えた。O村が一望に見渡せる。冬ざれた田畑に点々と、人家を囲む常緑樹の島が浮いている。祖父母宅には落葉喬木《らくようきょうぼく》を多く植えてあるので、夏はすっかり青葉に隠れる母屋が、一部露《あら》わになっていた。在所の目印である樹齢百年の松だけが、四季を通じて青く、高く、天を衝《つ》いている。

「あの松の木は変わらないね」

と、長田先生は言った。

「昔、時々遊びにきたことがあるんだよ。自転車で。松の木が見えると、やれやれと思った。あと一息だ。でも、あと一息のところで——安心するんだろうか、ちょっと道草を食いたくなる。いつもこの辺で自転車を止めて、五分ばかり松の木を眺めながら色々なことを考えた。それから、一気に最後の坂を下るんだ」

この回想に、私は一縷《いちる》の望みをつないだ。どこかに五分間停車できる場所はないか？　車は既に下りにさしかかっている。このままずんずん下りて行き、三叉路《さんさろ》を右に折れたら、じき家の前だ。直進すれば、もう一つ山を越えて隣村へ。そして左へ行けば——左の道は、枯野のただ中を、何が住むとも知れない暗い丘の方へ蕭条《しょうじょう》と伸びていた。丘の麓には、たしか川が流れていたはずだ。

突然、車の前方を黒いものが過《よぎ》った。

「鴉《からす》だ！　危ないなあ。デュ＝モーリアの小説じゃあるまいし──」

長田先生は微かに眉を曇らせ、ローヴァーはスピードを落とした。右から左へ流れた鳥影は、翼を平らに低く滑空して、畦《あぜ》の近くで遊ぶ同類の頭上をかすめ、狐色の短かい草がツンツン立っている土手の上で、二、三回はずんだ。冬田の果てる所に、見慣れない鳥がいた。杖のような脚を泥の中に斜めに突き刺し、凍てついたように立ちつくしている。灰霞《はいがす》む胴体から、白い首がひょろりと伸び上がり、頭頂はくすんだ赤で、嘴《くちばし》が錐《きり》のように鋭い。私は窓に寄って目を凝らした。初めに見つけたのと、その少し後ろにいるのと、全部で三羽。いずれの鳥も、立派なガラス職人のように、微動だにしなかった。

「驚いたな。この辺にも鶴が来るのか」

先生は車を益々ゆっくり走らせた。

「もう少し近づいてみたいね。いいかい？」

車は三叉路を左折した。鴉どもが喧《やかま》しく畦道の左右に散った。鶴はそれでもじっとしていた。接近しすぎて脅《おど》かしてもだめだからと、先生は適当な場所で停車した。私たちは静かにドアを開けて外に出た。

「あれはたぶん鍋鶴だ。体が小さいから。天然記念物だよ」

「ええ──初めて見ました」

「県内で見るのは私も初めてだ。鶴島なんて名前だけだと思っていた。Y県から流れて来たのかな？　鶴は身内どうし仲がいいっていうから、きっと親子だね。三羽だから、核家族だ」

「ええ――」

私はちらと腕時計を見た。まだ四時すぎなのに、分刻みに夕凍《ゆうじ》みてくる景色が、焦りをかき立てた。道草は五分以内だ。それ以上長引くと、神経がもたない。長田先生は、早や天然記念物一家に堪能して、車に戻ろうとしている。運転席のドアが開く。片手片足はもう車内にある。

「先生――」

ドアの向こうに隠れようとする茶色のコートに、私は必死で声をかけた。

「あの――あのぅ――少しお尋ねしたいことがあるんです」

先生は、体半分座席にかけたまま、ドアを閉めかけた手を止めてこちらを向いた。

「先生は――父のことを、本当に――本当に、お好きでしたか？」

呆気《あっけ》にとられたような微笑が浮かんだ。

「ああ。好きだったよ、とても。あんないい友達はいなかった」

「それでは――あのう、父のお願いしたことなら、何でもきいて下さいましたか？」

「さて、お願いされたことはあんまりなかったんだが……うん、頼まれれば、できるだけのことはしていたつもりだ」

「先生がもしそれをして下さったら、父は喜び母はそれほど喜ばないようなあることをして下さいと、お願いしたことがなかったでしょうか？」

「すごい謎々だな」

先生は再び車を降りて、開けたドアに寄りかかった。眼鏡をはずし、中指と人差指でほっそりした鼻梁をつまみ、軽くマッサージした。と、眼鏡をダッシュボードの上に放り、ドアを離れ、緩やかに二足三足歩いたかと思うと、もう目の前に立って、澄みきった裸眼《らがん》で真っ向から私を見た。

「率直に言いなさい。私に気を遣わないで。何が知りたいの？」

私が率直になれるまでに更に二分を要した。そして私は、母が父のことをどう思っているか、なぜそう思っているか、大急ぎで物語った。長田先生は一言も口を挟まずに聞いていた。時折、僅かに唇の端をぴくつかせるだけだった。

「素晴らしいね——」

話が終わると、先生はぽつりと呟いた。

「おそらく、そんなふうにして歴史が作られていくんだろうね。で、君は、私がその、選ばれた〈D〉だと思っているのか？」

「そうでなければいいと思っているんです！　全部、母の誤解だったらいいと——」

「ドナーなんて必要なかったはずだよ。通常のＡＩＨだ」

「ＡＩ……Ｈ？」

「Homologous《ホモローガス》 artificial《アーティフィシャル》 insemination《インセミネイション》——配偶者間つまり夫婦同士での人工授精の略称。私はＡＩの計画は知っていたけれど、それについて相談を受けたこともなかったし、況《ま》してサポートしたわけでもない。それに、私がお父さんから聞いた限りでは——」

先生はポケットからキャメルの箱を取り出し、また一本くわえた。風を遮《さえぎ》りながら火をつける間に、慎重に言葉を選んでいる様子だった。

「ご両親がＡＩを実行した理由……原因は、お母さんの方にあったんだ」

「それは——どういうことですか？」

先生は苛立たしげに何度もライターを押した。ガスが切れかけているのだろう。弱い炎が、上がるそばから吹き消されてゆく。

「そう詳しく話してもらったわけじゃない。こちらから根掘り葉掘り訊けることでもなかった。たしか、受精卵の着床困難のことを、ちょっと聞かされたんだ。私は——たぶん、頸管因子《けいかんファクター》か何かだろうと想像していた」

煙草にようやく火が移ると、先生は私の肩を叩いて、車に戻るように促した。

「ここから先は、君が医者になってから話そう。もし、なるとしたら、ね」

「ならなかったら？」

「ならなかったら——忘れてしまいたまえ。とにかく最悪の疑いは晴れたんだろう？　私は、銀《しろがね》くんの家庭を崩壊させるようなことをした覚えはないよ。何だったら、お母さんにそう言ってあげなさい」

先生はさっさと運転席に乗り込んでエンジンをかけた。私はのろのろと助手席に納まった。シートベルトがなかなか締まらない。厄介なキャベツめ！

「もちろん彼は——」

くわえ煙草の煙と共に、もの憂《う》げな呟きがふと洩れた。

「彼は——私の初恋の人だったけれど」

キャベツがフロアに転落した。私が膝から取り落としたのだ。長田先生は少しも騒がず、私の顔とキャベツの玉を交互に見比べていた。そして、

「ああ、やっと……！」

と言いかけて、言い終えず、ギアも満足に入れられないほど、ひとしきり笑い崩れた。

私は耳まで真っ赤になって唇を噛んだ。時ならぬ若やかな笑い声は、弾《はじ》けるような、燦《きら》めくような、得も言われぬ明るい色に満ち満ちて、高さといい、響きといい、まるで野瀬さんそのものであった。

九六　月下交霊《げっかのかうれい》

野瀬さんが耳打ちした。

「僕たち、もう百回はキスをしてるね」

「百回はまだじゃないでしょうか？」

「そうかな？　鼻の上にするやつも数えるんだよ。少なくとも九六回は確実だ。九十七、九十八、九十九——」

私は笑って逃げ出したが、温室の入口でつかまってしまった。昨日は裏玄関から書斎に入っただけなのでわからなかったけれど、長田家には新しく温室ができていた。家の南側の壁に沿って付設された細長いガラスの箱だ。パセリを摘みに行くのに便利なように、食堂のサンルームからも出入りができる。

温室を作るプランは前々からあったという。このたび二つのことがそれに拍車をかけた。私が見舞に上げた葡萄の木を枯らしてはいけないこと。長田先生から富美子さんへのクリスマス・プレゼントである、イギリス産の白ばらの苗——〈結婚記念日《ウェディング・デイ》〉という品種だそうな——を、無事に越冬させること。ざっと見物してきたところでは、通路の両側に少なくとも十種類の羊歯《しだ》が溢れ、ライム、オリーブ、オレンジの木など、適度な地中海乃至《ないし》瀬戸内海趣味も取り入れられて、ちょっとした冬季人工楽園である。サンルーム側の入り口には大きな柊《ひいらぎ》が二本、細かな白い花と真紅の実を同時につけた枝を差し交わし、そこから、火屋《ほや》が特大の金魚鉢ほどもある本物の船《ふな》ランプが吊り下がっている。私がつかまったのは、その真下である。

野瀬さんは急に両手を自分の背中に回し、真面目くさった顔で要求した。

「百回目はそっちからだ。いつも僕の方が力づくで押さえ込むというのは感心しない」

「力づくで押さえ込まれた覚えなんかありませんけど……」

(無粋《ブスイ》なことを言うなよ、と肩をすくめられた。)

「まあいい。許そう。百回目を実行してくれたら」

私は素早く柊の向こうに後退した。

「あとで」

「何のあと?」

「野瀬さんが——力づくで——」

先程から馬鹿に愉快であった。何を喋るにも、くすくす笑いの前奏がつく。シャンペンが効果を発揮しつつあるのだろう。

「力づくで——鼻の上に——」

「キスしたらどうする?」

さっと伸びてくる手をかわして、私は温室の奥へ逃げ込んだ。船ランプの強い光が灯台の明かりのように追いかけてきたけれど、すぐに葉繁みに遮られ、和らげられて、気にならなくなった。突き当たりの小広場まで来ると、滑らかな石の床はほとんど影に閉ざされていた。暗い水の上を渡っていくようだ。一番奥の天井は穹窿《ドーム》になっている。ガラスごしに冷えびえと瀝《したた》る月が、雪白の四弁の花と丸い蕾をいっぱいつけた灌木《かんぼく》を照らしていた。さっき一巡りした時には気にも止めなかったのに、月光の下では何と甘く薫るのだろう!

野瀬さんは途中から走るのをやめたらしく、最後の数歩を猫のような忍び足で歩いて、背後からそっと私を抱えた。

「いい香りだろう?」

「ええ——少しクラクラする。何の花ですか?」

「ジャスミン」

さて、竜宮城の温室でも〈Jasminum Sambac《ジャスミナム・サンバック》〉と名札を差した鉢植えを見かけたけれど、似ても似つかぬ植物だった。先の突《とが》った楕円形の葉は、肉厚で硬く、光沢があり、ビニルコーティングした針金みたいに、丈夫そうな蔓を出していたと記憶している。つまり、見るからにインド原産であった。この木はたぶん、従兄弟《いとこ》ぐらいに当たるのかもしれないが、花も葉も薄々として、微風《そよかぜ》が誘えばさやさやと応《こた》えるであろう温帯性デリカシーを感じさせる。匂いも少し違う。竜宮城のジャスミンは中華飯店の食後のお茶の香りで、薬めいた渋みを帯びた癖のある甘さだった。

「日本語の名前は知らない。でも、ドイツでは、Jasmin《ヤスミン》――つまり、ジャスミンだよ」

野瀬さんは私を抱いたまま片手を伸ばし、花をつけた小枝を一つ、私の鼻先に引き寄せた。いきなり香水壜の蓋をとったような強い香気に搏《う》たれて、私はくしゃみをした。

「――聚繖花序《しゅうさんかじょ》ですね」

「そう？　気がつかなかった……」

野瀬さんは笑いながら枝を離した。どちらかと言えば、私の鼻の方に、より興味があるようだった。（しかも、聚繖花序や総穂花序《そうすいかじょ》などの観点からではない。）くしゃみをしたバツの悪さに、馬鹿げたくすくす笑いはやっと治まった。が、今度は無性にもじもじ体を動かしたくなった。背中が暖まると私はなぜかもじもじしたくなるのである。そこで遠慮がちに身じろぎしてみたけれど、離してもらえないので、どんどん暖かくなる一方だった。暖かくなると、頭も朦朧《もうろう》としてきた。書斎でフィトンチッドに浴しながら盃を傾けた時には感じなかった酔いが、一気に回ってきたようであった。どうにかして、一度、思い切りもじもじしなくてはならない。

甘い液体にとっぷり浸されたような気怠《けだる》さと戦いながら、私は努めてはっきりものを言った。

「あの、僕、この前の晩、夢をみました」

「僕なんか、しょっちゅうみてる――今だって」

（シャンペンは野瀬さんにも順調に作用している。）

「寝てる時にみる夢です」

「寝なくっても、もう夢中だよ……百回目はまだ？」

「ちょっと変わった夢だったんです。話してもいいですか？」

「いいよ。登場人物を三人までにしてくれるなら」

「主要なのは三人だけです。キャプテンとスモーカーと僕。あとは、その他大勢――あ、でも、点火係のひとがいたな。名前を忘れたけど」

「なんとか思い出さないように頑張ってくれ」

野瀬さんは片隅から低い籐椅子を引きずってきて、ランプの光が木洩《こも》れの小さな陽だまりのように落ちている一角に腰を下ろした。（その間に私は存分にもじもじすることができた。）話をする段になると、私には月明かりの方が好ましかった。それで入り口に背を向けて、白い花の散り敷く床に立て膝で座り、天使の消防団のバケツリレーの話をした。

「――それでね、スモーカーは僕の手を見て――こんなふうに――そして、おかしい、管足《かんそく》がある、なんて言うんです。管足って棘皮《きょくひ》動物にしかない器官でしょ？」

「要するに、他人《ひと》と違っているということじゃない？」

「違っているんでしょうか？」

「キリストの再来なら、違ってて当たり前だろう」

「だって、それは、生まれ方がいっしょというだけ——それも、秣桶《まぐさおけ》に入れられたところだけが、同じなんですよ。つまり保育器です」

「保育器体験はそんなに珍しいことじゃないよ。仮死状態で生まれた子とか、体温調節のできない子とかは、みんな入れられるんだから。僕だってそうだ。生まれたての時は、体重二千四百g、身長四十五cmの立派な未熟児だった」

「どうして体重や身長まで知ってるんですか！」

「遠野先生に聞いたのさ。何時に生まれたかも知ってるよ。普通は母子手帳に全部記載してある。身長、体重、頭囲、胸囲、股関節の開排制限、黄疸の有無、臍帯《さいたい》の脱落日——」

私は自分の母子手帳など見たこともない。出生時の記録がそれほど克明に残されるものだとは知らなかった。ヘソの緒が何日目に落ちたなんて、そんなことが何か重要な意味を持つのかしら？　訊いてみようと思って上を向くと、野瀬さんは椅子に深く凭れて目を閉じていた。でも、眠ってはいない。その証拠に、私が何という理由《わけ》もなく拾って渡す葩《はなびら》を、やはり何となく受け取って、毟《むし》っているから。

私は奇妙な戦慄《スリル》を覚えた。野瀬さんが少し頭の位置を変えたので、ランプの明かりは足元にしか届かない。上半身は急に呼吸すら止めたように見える。眠りというより、一種の夢幻状態《トランス》に陥った人を思わせた。どこかの宗教儀式で、司祭が香を焚き、巫女《みこ》さんをそんな状態にして神託を得るというのを聞いたことがある。野瀬さんが今、何かと交感しているのだとしたら——ジャスミンの白い花に招《よ》び出されるのは、どんな霊だろう？　私は息をひそめて、青い月の光に洗われた顔を見守った。静謐な輪郭と仄かに薫るような陰翳との調和が、長田先生に見せてもらったプロフィールに生き写しだ。肘掛に憩《やす》む手に唇を近づけると、花の移り香に、軽い目眩《めまい》がきた。

「生まれる前の記憶がないというのは、不幸なことなのかな……それとも幸福なんだろうか？」

野瀬さんは香《かぐわ》しい指を私の頬に触れながら、ぼんやりと呟いた。いつかもこんな調子で語るのを聞いたことがある。あれは、ダンディとレイディを川へ散歩に連れていった時——エンレイソウの宝庫で遺伝子の研究をするのも面白い、と言った時だ。

「自分はナポレオンの生まれ変わりだと思っている人もいますよ」

「いや、血統妄想や前世の記憶のことを言ってるんじゃない。母親の胎内にいる間の記憶だよ。卵子と精子が結合した瞬間からの。みんな、自分が卵だった頃のことを覚えていて、情報交換ができたら愉快だろうな」

「おんなじような話になるんじゃないかなあ……」

「それは、たいていのケースは似たりよったりだろうけど」

野瀬さんは目をつむったまま、謎のような微笑を浮かべた。

「イエス様の受精卵時代の回想なんて、きっと面白いと思うんだ」

私は目をパチクリした。

「僕のみた夢の話をしようか?」

「ええ」

「聖書の中に、大きな魚に飲まれた男の話がある。小学校の時だったかな、初めて聞いたのは。話してもらった日、早速その夢をみた。もう恐くて恐くて! でも、真っ暗な腹の中からようやく吐き出されてみると、その魚はノーチラス号だったのさ。どういうわけか、今ちょうどそれを思い出していたんだ」

私は曖昧に微笑んだ。でも、笑い話のつもりでこんな話をされたのではないことは、わかっていた。野瀬さんは相変わらず目を閉じている。微睡《まどろ》むスフィンクスのように。

「神学者は、聖書の記述——特に奇跡に関する箇所を、ありのままの事実としてでなく、象徴として読むべきだと教える。でないと、あんまりお伽話めいてくるからね。でも、象徴は予兆でもある。後世の者が、いささかこじつけめいてはいるけれど、ある程度蓋然性の高い解釈を試みることができる部分もあるんだ。夢でみた〈大いなる魚〉の正体みたいに。昔の人は鯨か何かのつもりだったろう。だけど、腹の中で三日三晩生きていて、無事吐き出されたのなら、潜水艦だと考えた方が合理的だろう？　僕らはそんなふうにして、あべこべに予兆を確認することしかできない。それだからこそ、面白いゲームだと思うんだよ。古代人が伝えた一見不合理な事柄に、何とか合理的な説明がつけられないものかと模索しているうちに、思いもよらない答が見つかったりする。そしてそれが文明の発展や没落につながる。そういう意味でなら、予言というものは確かに存在するんだ。もっとも、これは僕の意見じゃない。ある人の受け売り――ねえ、聞いてるかい？」

私は聞いているという印に、ジャスミンの匂う指を、ごく柔らかに噛んだ。スフィンクスは快い小さな笑い声をたてた。

「よかった。眠ってしまったかと思ったよ。その人はね、僕の夢ではヨナの鯨は潜水艦だったと言ったら、とても真面目な顔をして、自分は長いこと、イエス・キリストの受胎について同じ路線の夢をみてきた、と言ったんだ」

「キリストの――」

「聖母の無原罪の宿りだ」

私は野瀬さんの手を離した。その手は実際、ひどく冷たかった。私の唇が触れていたところ以外、温もりは少しもなかった。霊媒は、たぶんこんな手をしているのかもしれない。歌うようにとりとめなく語られる物語は、他ならぬ私への託宣なのだろうか？

「結婚前の娘が妊娠する――人々は思った――マリアはヨセフでない男と通じたに違いない――生まれてくる赤ん坊は私生児だ――『御使《みつか》いが現われて、私に神の子が宿ると仰せられました』――〈御使い〉とは誰だ？　そいつが父親なのかもしれないじゃないか？　きっとその男が、世間知らずの、そしてたぶん少しばかり空想的な、信仰心厚い娘を弄んで、そんな途方もない考えを吹き込んだのだ――当時の世間には、それ以上の臆測はありえなかった。でも、現代なら……器官や機能さえ成熟していれば、性交の経験がなくても妊娠する方法はある。男を全く知らずに母親になれるんだ」

「ＡＩ――」

独りでに唇が動いた。けれども何だか、自分が言ったことではなく、うんと遠い所から誰かが囁いてくれたような気がした。

「初めに、石女《うまずめ》が身ごもった」

野瀬さんは、奇妙にうっとりとした、男とも女とも、少年とも老人ともつかない声で、語り続けた。私は一生懸命、聖書物語とチャペルアワーの記憶をたぐり寄せた。石女――不妊の女――洗礼者ヨハネの母、エリザベツだ。

「それから処女《おとめ》マリアに試練がきた。天使が――白衣のひとが――現われて、あなたは神の子を生むと言う。自分の子じゃない。正体不明の聖霊なんだよ。つまり、マリアはその聖霊に胎を貸すだけなんだ。エリザベツよりも大きな試練だと思わないか？　エリザベツの方は、少なくとも、自分と夫ザカリヤの子供を生んだんだから」

「だけど――イエス様は、半分マリア様の子供じゃないんですか？　どの話にだって――」

「父と子と聖霊の三位一体はあるけど、母は出てこないよ。マリアは除外されてる。イエスは既に、一個の完全な種子としてマリアの胎内に入ったんだ。いわば、受精卵みたいな形で」

野瀬さんはようやく、ゆっくりと瞼を開けた。瞠《みひら》いた目は暗い鏡の奥のようだった。

「ヨーロッパの中世の宗教家は、〈庭〉を聖母の子宮の象徴と見ることを好んだそうだよ。寓意画としてよく出てくる。聖母子の背景が庭園なんだ。この代喩《たとえ》を借用するなら――父なる神は、他人の庭を借りて自分の苗木を育てようとしたのさ」

託宣は再び雲に包まれてしまった。大理石の手にそっと頬を押しつけてみると、ほんの少しだけ温かみが戻ってきていた。再びしなやかになった指で、野瀬さんは私の髪の毛を梳《す》いた。

「君はいつか、僕の誕生石のことを何とか言ってたね。宝石にまつわる言葉があるとか――」

「ええ」

「五月生まれは何だって？」

「エメラルド……『過去を示し、未来を予言する』」

晴れやかな笑いが空気を震わせた。

「よし。僕は今、君に過去を示した。今度は未来のことをちょっと覗いてみよう。来年、うまくいけば夏頃に、もう一人〈キリストの再来〉が誕生する。まだ男か女かわからないけどね。生まれる場所はわかる。ベツレヘムじゃなくてイギリスだ。こいつは予言より確かだよ。《Contemporary《コンテンポラリー》 Medical《メディカル》 Science《サイエンス》》の独占記事だ」

私はいつの間にか、座り立ちした犬みたいな恰好で、野瀬さんの膝に手をかけていた。

「そして成功すれば、公的にはその赤ん坊が、世界初の体外授精児として歴史に残ることになるだろう」

「体外授精――」

ガラスのドームから、空の星が一斉に落ちてきたようだった。

「体外授精児――体外授精って――」

「採卵して試験管の中で受精させてから、また体に戻すやり方のことさ。略称ＩＶＦ」

「僕……そうなんですか？」

野瀬さんは頷いた。私は文字通り動転した。とても信じられない！「おみどう」で聞かされた神様の「くすしきみわざ」と同じくらい荒唐無稽だ。十六年も前に、そんなことが可能だったはずがない。きっと、野瀬さんのいつもの冗談なのだ。こんな大ボラ、一気に笑いとばしてしまいたい——にもかかわらず、私には笑えなかった。年月の土台の上に、鮮明に、端正に彫り込まれた一つの像《イメージ》が、事態を滑稽視することを阻んでいたのだ。

薬の臭《にお》いがトコトンしみついた白衣——白衣を着て記憶の中で微笑みかける人。私にとって、彼は神聖であった。冒すべからざる秘教の司祭であった。その姿の前には、お伽話も、奇跡も、大ボラも、一切が厳粛なる事実に変容するように思えた。私には神を疑うことはできても、〈白衣のひと〉への信仰はなかなか捨て切れなかった。

「でも、まだ——よくわからない。〈庭〉の話が——他人の庭って——僕は母の——父と母の子でしょう? 父は神様じゃない、人間だもの。父だけで子供が作れるはずないもの」

「ご両親は間違いなく君のご両親だよ」

「だけど、さっき、マリア様はイエス様のお母さんじゃないなんて——」

野瀬さんはちょっと伏し目になった。

「君のお母さんのつもりでマリアと言ったんじゃない」

「なら、誰のことを……?」

野瀬さんは答える代わりに、つと椅子を立った。月に濡れたジャスミンの木に向かい、枝垂《しだ》れた花群《はなむら》を分けて祝福するように香りをかいだ。

「種子は完全でも、庭がなければ植えられない。庭を持ってない人は、どこかほかの場所で木を育てないと――」

もう比喩はたくさんだ。私は野瀬さんをつかまえて手ひどく揺さぶろうかとさえ考えた。でなければ、いっそ一人になりたい。しばらく一人になって、火照《ほて》る耳を鎮め、頭を冷やし、この謎をすっかり解き明かすのだ。私は立ち上がろうとした。翠緑《すいりょく》の闇の中から、しっとりと匂うように声が流れてきた。

「遠野先生は、大切な木――せっかく伸びようとしている宝物のような木を、どんなことがあっても枯らしたくないと思われた。たとえ、よその庭に植えることになっても」

「よその庭――」

私は腑抜《ふぬ》けのようになって、また座り込んでしまった。

「よその庭――ほかの人の――」

野瀬さんは静かに戻ってきた。跪《ひざまづ》いて私の顔を両手で掬《すく》うように挾んだ。私はなす術《すべ》もなく見つめ返した。これまで誰からも、こんな目で眺められたことはない。今にも息を引き取ろうとするもの、あるいは生まれでたばかりのものだけが、この眼差しにふさわしいのだ。不思議な畏怖にとらわれ、私は身を引いた。ランプの明かりがまともにその目を照らした。黒い水面《みなも》のように凪《な》いでいた瞳に、いきなり金褐色の斑点が閃いた。

私は息を飲んだ。風もないはずの室《むろ》に、溢れ咲くジャスミンのさやめきが満ちる。夜の涯から密かに、甘やかに、限りない愛《いつく》しみをこめて、私の名を囁くものがある。心の中で、何かがそれに応《こた》えて、なびき寄るようにそよぎ始めた。私は忘れてはいなかった。それは私が微睡《まどろ》みの内に過ごした、昔の庭からの呼び声であった。私は引き寄せられ、気が遠くなるほど優しく、深々と抱きしめられるのを感じた。

「君は僕と同じ庭で育ったんだ」

九七　猛兎《まうと》

私は知らない部屋で目を覚ました。窓は高く、空気は静かで、私は独りだった。一、二秒の間、自分がどこの何者であるかを思い出せなかった。長椅子の上に服が重ねてある。誰がこの真っ白いフランネルのパジャマを着せてくれたのだろう?

やがて諸々の記憶が、ゆうるりと伸びをして、深い海の底からのように、揺らめきながら上ってきた。私はまだ長田家にいるに違いない。野瀬さんと一緒にシャンペンを飲んだのだ——こめかみに微かな痛みが走った。両手で瞼を覆った。甘い匂いがした。月下に咲き香る白い花がありありと浮かんでくる。昨夜私も、知らないうちに、落ちた花弁を揉みしだいていたのかもしれない。一晩たったからか、澱んだような一抹の重苦しさが加わっていた。私はこっそり、指をシーツになすりつけた。それでも、鼻先に、湿った甘ったるいものが蜘蛛の巣のようにこびりついている感じが、しばらくとれなかった。

もう陽は高いようなのに、たいそう森閑としている。カーテンを開くまでもなく、私にはその静寂の正体がわかった。こんな質《たち》の静けさは一つしかない。雪だ。

起きて窓の方へ歩きかけた時、軽いノックの音がした。走って行ってドアを開けると、バスローブを着た野瀬さんが立っていた。髪が濡れて、幾条《いくすじ》もの鳶色《とびいろ》の房に分かれ、頬にはいつもより鮮やかな血の色が漲《みなぎ》っている。露をくぐったような目は、少しびっくりしていた。きっと、こんなにすぐに飛んでくるとは思わなかったのだ。私は考える暇もなく、野瀬さんの首に両腕をかけて、清々《すがすが》しいラベンダーの香りを胸いっぱい吸い込んだ。

「鯨の夢をみたの？」

「いいえ」

「こんな所に一人で寝かせてごめんよ。ひいばあさんが亡くなった部屋なんだ。何か出たかい？」

「いいえ。ちょっと頭が痛いだけ。こうしてれば――治ります」

「白兎《しろうさぎ》！」

野瀬さんは、するっと室内に滑り込んでドアを閉めた。

「長田先生は午前様だ。ここへ来る前に覗いてみたけど、とても石鹸の匂いなんかで治る頭痛じゃなさそうだよ。後で酢漬け鰊《にしん》でも持ってってやろう」

「ニシンの酢漬けが宿酔《ふつかよい》にきくんですか？」

「きくとも」

野瀬さんはカーテンを全部開けた。窓は二つとも、バルコニーに開くフランス窓だ。思った通り雪が積もっていた。まだ誰も庭に出ていないらしい。ふんわり敷き詰めた真綿《まわた》の上に、早起きな動物の笑《え》くぼのような足跡すらない。白無垢《しろむく》の朝だった。

私は嬉しくて、裸足のままバルコニーに踏み出した。冷たい砂糖菓子が、足元でさらさら崩れる。最初は素敵だったけれど、十歩も行くと、霜焼けの前兆の痺れが足の裏を刺し始め、私はぴょんぴょん跳ねて室内に戻った。ガラス扉に寄りかかって呆《あき》れていた野瀬さんは、飛び込んできた私をつかまえて、ベッドの上に放り投げた。そこで私たちは、本物の猟犬と兎のように、騒々しくころげ回った。私ばかりが獲物を務めたのでもない。このゲームでは、いつどうやってと説明はできないが、ある瞬間にプレイヤーの意見が電光石火一致して、たちまち攻守が入れ替わる。

パイとパイパーが遊んでいるのを見ると、どちらが追われているとも、追いかけているとも、よくわからない。破竹の勢いで突進して追い詰め、止《とど》めを刺すのかと思うと、いきなり敵に背中《うしろ》を見せ、逃げる方に回る。そのタイミングに似ている。

「枕は反則だ！」

野瀬さんが腕で顔を防ぎながら叫んだ。私は頭上高く振り上げ、振り下ろそうとしていた羽根枕を抱えて笑いこけた。お互い、なんてまあバカなことをしているんだろう！　マットレスの下にぴっしりとたくし込んであったシーツが、だいなしだった。

「こんな獰猛《どうもう》な兎が野放しになってるなんて――」

野瀬さんは、息を切らしながら私を睨んだ。

「きょうはステッカーを全部剥《は》がすぞ！」

（長田家には、トイレのドアを始め数箇所に、《鳥獣保護地域》のステッカーが貼ってある。）

私はせいぜい猛獣を装い、ヘッドボードに追い詰めた人間に四つん這いで近づき、威嚇するために鼻で小突いた。運動した後なので、紫めいた冷たい香気はいくぶん稀薄になっていた。獰猛な野生動物《ワイルドライフ》としては、風呂上がりにも増して、こんなふうに一遊びした後の人間を嗅ぎ回るのが好きである。温かく澄みきった皮膚は、果物の皮のように、何か明るい新鮮なものを包んでいることを思わせる。そして体中が、植物性とも動物性ともつかない、豊かな黄金色《おうごんしょく》を連想させる香りを放つ。これを嗅ぐと私はいつも、野瀬さんの胸や肩に頭をつけて、山羊《やぎ》の子のようにぐんぐん押してみたい気分になる。このしなやかな、まっすぐに伸びた樹を揺すり、落ちてきた金色の実にかぶりつき、ほとばしる果汁を味わってみたいという、ほとんど空腹に似た強い憧れを感じる。いつか野瀬さんも、私のことを丸ごと食べてしまいたいと言ったことがあった。愛するという感情は、互いの四肢に対するまぎれもない敬慕と、そしてちょっぴり、食欲から成っているような気がする。恋人たちはみんな、象徴的人食い《カニバリズム》の風習をどこかに持っているのだ。

「健ボー症かい?」

そっと髪を引っぱられた。私はいつの間にか爪と牙を納め、野瀬さんの胸におとなしく凭れていた。

「今度は何を考えていたの?」

私はバスローブの緩くはだけた胸元に鼻先を突っ込んだ。

「考えてません――おなかがすいたの」

「雉《きじ》がまだ少し残ってるよ。僕はもうつまみ食いしてきた。最高だ。おばあさんにお礼を伝えて」

私は目をつむったまま頷いた。

「動けないほど空腹なら、ここでピクニックをしようか?」

私はいっそう深く鼻を探り入れながら、かぶりを振った。

「僕、鳥はいらない。人間が食べたい」

野瀬さんはちっとも驚かなかった。後で落とし穴を見てきてやるよ、と楽しそうに言った。

「いつだったか、君を撃ち殺してしまおうって、本気で考えたことがあったな」

「ライフルで？」

「そう」

「どうして撃たなかったの？」

野瀬さんは私の手首の周りを指で計った。

「撃ってもまずいだろうと思ったからさ」

と、意地悪く微笑んだ。負けるものかと私も創作した。

「僕もいつか、撃とうと思ったことがある」

「いつ？」

「ええと――学院祭の時。前の晩にすごい風が吹いたんです。屋台のテントを全部、当日の朝に立て直さなきゃいけなかったくらい。櫟林《くぬぎばやし》はすっかり落葉になってました。それで、この下に埋めておけば、きっと見つからないだろうって……じき雪も降るから」

「ふうん。やっぱり同じ人の胎内にいたからかなあ――発想に驚くべき類似が見られる」

私はたちまち冗談をやめて座り直した。

「きのうの話、僕まだ全部本当にはしてないんですよ」

「ベル・エポックの気まぐれだとでも？」

野瀬さんは肩をすくめた。（ペリエ・ジュエ・ベル・エポックは昨夜飲んだ酒である。）

「僕だって、記録が残っていなかったら、絶対に信じないところだけどね」

「記録！」

「うん。母が保管してる。僕はそんな物があるなんて去年まで知らなかった。でも、進路のことを母に訊かれて、医学部へ行きたいと言ったら、見せてくれたんだ。膨大な量だよ。マレーシア行きの直前、遠野先生から委託されたって。全部ドイツ語だ。大学には一切データを残しておきたくないとおっしゃったらしい。と言っても、少しは残っているだろうけど——先生は不妊症研究グループに所属しておられたそうだから」

「長年の研究の成果なんだったら、どうして発表しなかったんでしょう？」

「発表してほしかった？」

私は一分ばかり思案した。ノーベル賞候補者の親を持つのは、どんな気分だろう？　野瀬さんは私の手を取り、今度は指を曲げたり伸ばしたり、開閉させたり、色々に動かして遊び始めた。

「聖書の時代には、不妊ってすごい屈辱だったみたいだね。今だって、子供のない既婚女性の中には、そう感じてる人がいるかもしれない。子宮《ウテルス》の異常、即ち女性の恥だというふうに。僕は君のお母さんを知らないから何とも言えないけど——公表されたら当然、世間から注目されるだろう？　君だって成長過程をずっとモニターされる。少なくともある期間はね。僕の父の話では、お母さんはＡＩに何度か失敗したことで、精神的にずいぶんダメージを受けていらした。その挙句、他人の腹に入れた途端にタマゴがすくすく育っていったんだから、普通の者には想像できない葛藤があったんじゃないかな……」

「タマゴがすくすく」という言い方がおかしくて、私はつい吹き出してしまった。何と不謹慎なのだろうと自分でも思った。笑い事ではない話をしているというのに。

「母はＡＩのことで、僕に嘘を言いました」

野瀬さんの眼差しが厳しくなった。

「嘘だってわかったのなら、それでいいじゃないか」

「でも——」

「お母さんはドイツ語が読めるの？」

「読めない——と思います」

「医局の秘書をしておられたと言ったね？」

「ええ。初めはラボにいたんですけど。ラットの断頭係がいやになって職場を変えてもらったそうです」

「実験助手《ラボランテイン》なら簡単な文章はわかるだろうね。手紙とか——母のところには、遠野先生に戴いた手紙もみんな取ってあるんだ。お母さんが読まれた文反故《ふみほご》って、たぶん、そんなのの下書きの一つだよ」

「半分もわからなかったと思うけど」

「全部わからないより悪い。あとの半分は想像で補いながら読んでしまうからね。計画が自分の背面で進行していると思ったら、誰だっていい気持ちは——」

「そんなの妄想だ。みんなに了解があったはずでしょう？　父と母と、野瀬さんのお母さんと」

「妄想は防衛だよ」

「何に対する？」

「さあ？　たぶん、子供が生めないことへの非難——に対する。実際には、そんなこと責めていたのは、お母さんご自身だけだったと思うけれど」

「でも、僕と話した時には、自分じゃなくて、まるで父ひとりだけのせいでＡＩをしなきゃいけなかったみたいに——」

「緑《りょく》」

私は口をつぐんだ。野瀬さんは普段あまり私の名を呼ばない。兎だとかナマコだとか小アダム《アダム・マイナー》だとか、その場の思いつきで勝手な呼び名をつけるけれど、本名はここぞという時にしか使わない。だから、使われた時には、いきなり清冽な水に打たれたように身が引き締まる。いわば、初心に還《かえ》るのである。

「そんなむつかしい顔をしなくてもいいよ。尻をぶとうというんじゃない」

と、野瀬さんは笑った。

「君は小さい時、お父さんとお母さんと、どっちの言うことをよくきいた？」

「どっちもきいてました」

私は大変よい子の顔になって答えた。

「そうか。素直な子だったんだな。でも、よく考えてごらん。しろと言われたことをする時、または、するなと言われたことをしない時、どっちの言いつけの方が守りやすかった？」

私はよく考えた。母はあまりやかましいことは言わなかった。だが、母が放任主義を完《まっと》うできたのは、実は父のおかげだった。三才児《みつご》の魂を形成したのは父で、母はそれ以降を担当したに過ぎない。「過ぎない」などと言ったら語弊があるが、少なくとも私が幼稚園の年長組を終えるまで、父は多忙な毎日の中で、可能な限り私との接触を保ってくれた。四谷のマンションからもよく電話をくれた。私はその頃から電話べただったので、会話はいつも短かかった。一分足らずで終わることもあった。たとえば遠足の前日にかかってきた電話――

「もしもし？　お父さんだよ」

「お父さん、どこ？」

「病院。きょうは帰れないけど、てるてる坊主作るよ」

「ふーん……バイバイ」

「バイバイ」

こんな具合である。それでも、一日に一度、就寝前に父の声を聞くだけで、私は夢見がよかった。

やかましくない母もたまには小言を言った。父が家にいれば、私は必ず「おかあさんがいじめた」と泣きついた。しかし、家庭以外の所で、先生に注意されたり、餓鬼大将に本当にいじめられたりしても、母のもとへいじめられたと訴えて出ることはなかった。「おとうさんがいじめた」記憶は——全くない。親である以上、父だって私を叱ったことがあったに違いないのに。

野瀬さんはもう優しい目をして、私の答を待っていた。

「父の言いつけの方が素直にきけました。言いつけられたって感じがしなかった」

「女親ってそういうのに敏感なんじゃないかな？　僕の母なんかも……」

濃青色の広い襟からすっと伸びていた、際立って白い首、そしてその上にまっすぐ載った少年のような頭部が、明瞭に思い出された。あの人物を誰かの〈母〉として想像するのは難しかった。

「遠野先生は、僕が父のことを恨まずに育つように、最善を尽くして下さった。でも母としては、やっぱり多少複雑な心境だったかもしれない。僕が先生から聞いた思い出話なんかを嬉々として繰返すと、笑いながら、お父さんの話をするのは構わない、でもあんまりいいことばかり言わないで、と言うんだ。『それじゃ、まるで熾天使《セラフ》よ』って。僕は遠野先生に、何でもいいから、父がいけないことをした時の話をして下さいとお願いしたのを覚えてる」

　私にはまだ納得がいかなかった。私の中の父のイメージを、母は故意に歪曲しようとした、としか思えなかった。もっと粗野な女であったなら、はっきりと告げたことだろう。お父さんには世間に言えないような恋人がいたのよ、〈D〉というのはその人のことよ、と。

　母を相手にホモスピリチュアルなどと説いてみても始まらない。私だって、野瀬さんとの交友を通じて、〈友愛《フィリア》〉と〈性愛《エロス》〉は無理に分けるより一緒に育てた方がみごとに花開くという熟練《ヴェテラン》庭師のような信念が固まっていなければ、母の暗示によってコロリと父親不信に陥っていたかもしれないのだ。

「だけど、やっぱり……母には、父の思い出を傷つける権利はありません」

「君がお父さんを神様みたいに崇めていることが、どこかでお母さんを傷つけていたのかもしれないよ」

釈然としない。でも、こだわらないことにした。（野瀬さんが、駄々っ子を見るように私を見て、笑いながら腕の中に抱え込んでくれたから。）

「あのね、代理母が誰だったか、お母さんは本当にご存じないんだよ。僕の母のことは、最初から最後まで厳重に伏せておかれたんだ。名前も年齢も国籍も。その点はＡＩＤと同じさ。倫理的なトラブルを未然に防ぐために」

倫理的にはたしかに問題があるに違いなかった。アパートを借りるように気軽に他人《ひと》のおなかを借りられる時代がきたら、ディズニー映画や精神分析であれほど幅をきかせている母性の神話が、根本から崩壊しかねない。父が研究成果の発表を時期尚早と思い、大学を離れて問題を再検討しようとした原因も、その辺にあったのかもしれない。だが、直接の理由は、やはり野瀬さんが言ったように、前代未聞のプロジェクトに参加した人々への、父の個人的な感情だという気がした。

研究者だって人間だ。人間である父は、母を愛するのとはまた別に、長田先生のことをずっと好きだったのだと思う。その父が、長田先生の愛した女性のことを、単なる匿名の協力者と割り切れたはずがない。愛する友人の恋人は、自然の玄妙な屈曲を経て、心の中に今ひとつの、愛と敬いの対象となる像を結ぶ。私は長田先生に見せてもらった二枚の写真をはっきりと記憶している。カメラが壊れたなんて言う前に、あの顔は先生の魂を魅きつけてしまったのだ。後年、父を、そして私を、一目で魅きつけたように。

「そういう職業上の守秘義務が、いっそうお母さんの不安や疑いをかきたてたんだろう。計画が計画だったから、きっと最後には、生まれてくるのが本当に自分の――」

突然言葉が途切れた。ラジオがぷつりと切れるように。

「停電ですか?」

と、私はふざけた。

「違う。閑話休題」

野瀬さんは頭の後ろに手を組んだ。次の話題が見つかるまで、私はまた雪を見に行こうかなと思った。でも、ベッドの端へごそごそ移動を始めるが早いか、パジャマの背中をつかまれ、引き戻された。

私の白いフランネルの肩に顎をくっつけながら、

「僕らのお母さん、よく似てるんだよ」

と、野瀬さんは言った。

「数字の上でね。遠野先生が残された研究記録《ドキュメント》は、僕にはまだ理解できない。専門知識がないから。早くわかるようになりたいと思う。血液検査一つにしても、あんなに種類があるとは知らなかったよ。拒絶反応のチェックなんかもね。〈二人の母〉に関する綿密なデータがある。いろんな検査で、面白いほど近い数値が出てる。まず、身長が同じ——母は大きい方じゃないから——血液型も当然同じ、通常の体重の差はプラスマイナス二kg以内。それから——」

「僕の母はずっと太っていますよ」

私は異議を唱えた。野瀬さんはにっこり笑った。

「僕のも、今はそうだよ」

九八　宿木《やどりぎ》

暗緑色《ダークグリーン》のシャンペン・ボトルとフルート型のグラスが二つ、すまして銀盆に載る。野瀬さんは恭《うやうや》しく盆を捧げて、長田先生の寝室のドアを叩いた。私は角氷の入ったアイスペールとミネラルウォーターを持って後ろに控えていた。陰《いん》にこもった唸り声がノックに応えた。熊出没注意！と、シャンペン係が振り向いてウィンクした。私はずいぶん気をつけて戸を閉めたつもりだったのに、

「うるさくしないでくれ……」

と、先生はまた唸った。野瀬さんは盆をナイトテーブルに置き、新しいベル・エポックのコルクを抜いた。先生の唸り声は呻き声に変わった。

「こんなに酔いが残ってるなんて、一体、忘年会でどんな飲み方をしたんだろうね？　乾杯《プロースト》！」

「おまえの知ったことじゃない……」

毛布の下から寝乱れた頭が、続いて首が、肩が、現われた。私がいるのを見て、やあ、と弱々しく前足を上げながら、熊――長田先生は、のっそりと体を起こした。野瀬さんは盆を指差し、

「水？　それとも、毒？」

「水なんかいらん」

野瀬さんが私に酌をせよと合図を送る。いそいそと注いであげると、先生はグラスを一気に乾して大きく息をついた。枕元に立つ野瀬さんは、まず本日の気象状況を穏やかに報告した。そして最後に、

「もう全部話してしまったよ」

と、さりげなくつけ加えた。

「全部とは何を？」

「ＩＶＦのことを」

「いつだ？」

「ゆうべ」

「どこで？」

「この家で」

「それはわかってる。この家のどこだ？　まさかおまえの寝室では――」

「違うよ。温室で」

「それならまだ風情がある。で、そのあと遠野くんの家に電話して、うちに泊まると断っておいたか？」

「うん。おいた」

「そうか……」

大儀そうにグラスが突き出されたので、私はまたお酌を勧めた。二杯目を半分ほどあけたところで、煙草を、と言われ、野瀬さんがどこからかキャメルとライターを探し出してきた。火をつけて一服二服、三服、吸ってから、親熊の口にくわえさせあげてた。

「あんまり話しがいがなかっただろう？　この人はなかなか――驚いてくれないから」

「そうでもないよ。話しただけのことはあったと思う」

先生は顎がはずれそうな欠伸をしながら、

「とにかく一つだけ誤解は解いた。年寄りにはそれで精一杯だ」

「誤解って?」

野瀬さんはのんびりと私を眺めた。私はうつむいてシャンペン・コルクを弄ぶ演技に熱中した。頬や耳が燃えるようであった。

「これだけは言っておく」

長田先生は、目の上に垂れてくる髪をくしゃくしゃとかき上げた。

「私はね、遠野くん、君のお父さんとは、試合の後の握手は別として、まともに手を握り合ったこともないんだよ。とにかく、あんまり好きだったものだから、それ以上の接近なんて思いもよらなかった」

「僕だったら、どんどん接近するね。ほんとに好きなら」

野瀬さんは、赤面が自動的に更新継続中の私に向かって、嫣然《えんぜん》とグラスを上げた。長田先生はそれを横目で見ながら、

「節操のない世代だ……」

と、青い煙を吐いた。

「節操の問題じゃなくて、抑圧が少ないのさ」

「抑圧のないところで恋なんかできるのかねえ――? 私らの青春時代には、抑圧こそ恋愛における不可欠のエレメントだった」

「我慢しすぎると体によくないもの」

「所詮、しがないプラトン主義《プラトニズム》の美学だろうかなあ……もう一眠りしたくなってきた」

「したら？　まだ正午《ひる》前だよ」

「それを早く言え！」

吸いかけの煙草を枕頭の灰皿に押しつけ、長田先生はまたしても駱駝《らくだ》の毛布下に没した。

野瀬さんと私は着替えてキッチンに下りた。

「さっきの、本当だと思う？」

「長田先生がおっしゃったことですか？」

「そう。まともに手も握らなかったという話」

それが真実であれば、私は以前に大変失礼な夢をみたことになる。（あの夢の中で、サティのメロディーを美しく奏でていた羊羹《ようかん》ピアノの音色と、「一線を越えよう」と迫る若く真剣な声は、今もって鮮やかに思い出すことができる。）

「本当なんだよ」

冷蔵庫からバターとオレンジ・マーマレードを取り出しながら、野瀬さんが真面目に言った。

「僕がもうすぐいなくなると思うせいか、今頃になってやっと、わりとこだわらずにいろいろ話してくれるんだ。学院時代の遠野先生との関係について。実は、君にＡＩＤの話を聞いて以来、どうも気になってしかたなかったから、ちょっとカマをかけてみたんだ。そしたら、すごい反応！　憤死するかと思った。何と言うか……病的に純情な世代なんだよね」

では、私がO村の田んぼ道で同じ質問をした時、先生はずいぶん自己を抑制しながら対応されたのだ。ありがたいことである。

「じゃあ文集はどうなんだ、フィクション？って訊いたら、あんなものまで読んだのか、油断も隙もない！って、また怒る。でも、怒りながら、全部事実だと言ってたよ。初詣に行ったのも本当だし、願掛けをしたのも、そのことでデマカセを言ったのも、善哉《ぜんざい》を食ったのも」

話を聞きながら、私はオーブントースターでビスケットを焼いた。（富美子さんがタネを作って冷凍していった物で、日光のKホテルで作る朝食用ビスケットに迫る味だと評判である。）

「ゲッセマネの孤独も本当ですか？」

野瀬さんは重々しく頷いた。

「でもね、隣に来て座られると、天国と煉獄が一緒に来たようで、ひたすら硬直して肩を貸すだけなんだってさ。アサガオのつっかい棒みたいに。遠野先生の方が少し小さかったというから、そんなふうにしゃっちょこ張って座っていると寄りかかりにくいらしくて、具合のいい位置が見つかるまで、ちょっとずつ姿勢を変える。つっかい棒は強《し》いて真っ正面ばかり睨んでいるけれど、目の端にちらりちらり、アサガオの一部が窺われるわけだ。そのうち、いい香りがふわっと鼻先に漂ってくる。花の匂いのような、薬草のような——タネをあかせば単なる舶来石鹸《はくらいせっけん》の香りなんだけれど、父にはそれが、何だか遠野先生の精髄《エッセンス》のように思えた。そのままずっとそうして、並んで座っていたら、もうちょっといい人間になれるかなあ、なんて本気で考えたそうだ。幸福だった——って。いっとう好きな友人のささやかな重みを肩先に感じるだけで、手を触れもせず、見つめもせずに……そういう世代もあったんだねえ」

野瀬さんは、ジュラ紀の始祖鳥《しそちょう》やアンモナイトを懐かしむような遠い目をした。

「自分だけじゃなくて、他の連中の接近も阻《はば》んでいたらしいよ——場合によっては」

昔々、寮のクリスマスに、誰かがヤドリギを持ってきて飾ったことがあったそうである。三学期のリーダーで読んだ《Under《アンダー》 The《ザ》 Mistletoe《ミスルトウ》》（『ヤドリギの下で』）などという小品《スケッチ》の記憶がまだ新鮮だったのであろう。パーティ会場である舎監室の鴨居に吊るしておいて、迂闊《うかつ》な奴がそこを通るたびに、一騒動持ち上がった。やがて、（迂闊な奴の最たる者）遠野銀《とおのしろがね》も通りかかった。通りかかったばかりか、立ち止まってしまった。ヤドリギの真下に。

「ちょうど〈牧師さんの猫〉というゲームがたけなわで、馬鹿が多いと思いながらも温かく観戦しておられるうちに、うっかり結界を越えてしまわれたらしい。最上の獲物がそんな願ってもない位置にいるのを、初めはみんな見過ごしていたが、そのうち一人気づき、二人気づき——室内の緊張《テンション》は高まった。ビスケットが焦《こ》げるぞ」

私は慌ててトースターのタイマーを0に戻した。野瀬さんは熱々《あつあつ》を一枚、角砂糖挟みで取り出し、トースト・ラックに立てかけて冷ました。

「無論、真っ先に気がついたのは長田光だ。あの時ほど恐ろしい葛藤に苛《さいな》まれたことはない、と言ってたよ。警告を発するか、あるいは自ら降ってわいたようなチャンスに乗じるか。だけどそこは、しがないプラトン学派の哀しさ、後者の場合を想像すればするほど全身硬直が進んでね。牧師さんの猫に飽きた連中が我れ勝ちに来襲する寸前まで、どうしても足が動かせなかった」

長田先生はしかし、間一髪で間にあった。押し寄せる集団の先頭馬に猛烈なタックルをかけ、後続がバタバタと将棋倒しに転倒するその隙に、迂闊者は無事、安全圏に逃れた。（なんと果敢な救出であろう！）パーティがすむと危険なヤドリギははずされ、長田先生が、忌々《いまいま》しいので焼却処分にしようとしていると、焼かないでくれと銀が頼んだ。そして、さっきはありがとうと言って、持ち帰ったという。

「ヤドリギの下と言えば——たしか百回目がまだ——」

コーヒーの湯気と一緒に、ほのぼのとした眼差しがこっちへ漂って来た。私は聞こえないふりをしてビスケットを噛った。

午前中の残り時間と午後の大半は、雪だるまの制作に充てられた。代診のアルバイトに来ていた先生も、午前診終了後しばし参加して、三人で遅い昼食をとった後、帰っていった。雉《きじ》のローストはすっかりなくなったが、〈アンダルシヤ〉と尼崎屋で購入した食料品が、冬ごもりできるくらい、食納庫《パントリー》と冷蔵庫をいっぱいにしているので、思いがけず豊かな午餐となった。

土曜日だから午後は休診である。長田先生は、私たちが雪だるまの頭部を完成し、鼻となるべき金時人参《きんときにんじん》を嵌《は》め込む位置を選定しているところへ、ようやくご起床であった。洗面所の窓から、依然、前髪をぱらぱら垂らして、奇妙に若く見える顔がのぞき、もっと右、と指示を出した。合意の場所に人参が納まると、雪だるまは大変立派に見えた。私たちは、三歩下がって、誇らしく自画自賛した。この冬、野瀬さん以外にも雪だるまを作る受験生がいるかしらと、私は思った。

手がかじかんできたので、家に入ることにした。玄関の鏡に映った私の顔は、鼻がずいぶん青かった。

「早く擦《こす》ってあっためるんだ」

と、野瀬さんが言った。

「落ちたら代わりがないぞ。ニンジンはあれ一本きりなんだから」

それで私は一生懸命鼻をマッサージしていたら、今度は変に暑くなり、洟水《はなみず》が出てきた。立て続けにくしゃみをするのを、野瀬さんは心配そうに見守った。

「風邪ひいたね。僕のせいだ。雪だるま作ろうなんて言ったから。君のような人は、暖めた部屋の中に置いて、だいじに冬を越させなきゃいけなかったのに。ほら、おじいさんの火鉢の横の梅みたいに」

私はそんな、炉梅や金魚と同一路線の、老人のペットの範疇《カテゴリー》に分類されるのは嫌《いや》であったが、風邪をひいたのは本当だから反駁できない。台所で自分のサンドイッチを拵《こしら》えていた長田先生が呼ばれ、居間まで往診に来た。

「よく風邪をひく子だなあ！」

強いコーヒーで意識が晴れたらしい先生は、物言いもキビキビして率直である。

「夏にもたしか、熱を出していたじゃないか。もっと気合いを入れて業間体操に励まねばいかん！　とりあえず注射してあげるが、もう一日、入院して行くかい？」

私は注射はありがたくしてもらうことにしたが、もう一泊するのは遠慮した。野瀬さんは四六時中ガリガリ勉強するタイプではないが、する時は集中して猛烈にやりたい方だということを、知っていたからだ。隣室に病人が寝ていたりしてはペースが乱れる。（況や同室においてをや。）

自分の服の上に、誰のとも知れないふかふかの毛皮のケープを巻かれ、私は野瀬さんに付き添われてタクシーでO村に帰った。ローヴァーで送ってもらうはずだったのが、出がけに急患が入ったのである。（子供が輪ゴムを飲み込んだという通報があり、一分後、隣の奥さんが乳児を抱えて駆け込んできた。）

門前にタクシーを待たせて野瀬さんは玄関まで来てくれた。祖母のお礼の言葉と上がっておいでなさいという勧めを丁重にかわして、暇を告げる。今度は私が門まで見送りに出た。

「どうしてついて来るんだ！」

と、野瀬さんは怒った。

「また連れて行きたくなるじゃないか」

「だって、これを返さないと——」

私がケープのフックをはずしかけると、それは君に上げる、と言われた。小さい頃、冬になると着せられていたもので、元の姿は貂《てん》だそうだ。

「昔は膝まで届いた。母のを仕立て直したっていうから、何となく捨てがたくて今まで取っておいたんだけど」

そうか、と私は了解した。三月から一緒に暮らすことになるから、もう思い出もいらないんだ。

「君に持っていてもらえば、母も喜ぶだろう」

私は白いなめらかな毛並みに指を滑らせた。注射のせいで頭に少し靄《もや》がかかって、なんだか涙が出てきそうだった。ケープもろとも、私をふんわり抱こうとした腕を、危うく押し止《とど》めた。

「風邪、うつるといけませんから——」

野瀬さんは微かに眉を上げたけれど、

「そうだね。じゃ、早く中へお入り」

と、優しく私を離した。

「早く……熱が上がるよ」

言われた通り、できるだけ足早に引き返そうとした。家では雪だるまを作る者もないから、玄関前の白い道には、私たち二人の足跡だけが見える。山里の雪は麓より深い。帰りの足は重かった。数歩とろとろ歩いて私は振り返った。野瀬さんは、雪を冠《かむ》った門柱の側に佇み、まだこちらを見ていた。白樺のほとりで何かを待つ人のように。何を――誰を？

私はその時、野瀬さんを失った後に私を呑み込むであろう孤独を、奈落のようなその深さを、初めて思い知った。足は翼が生えたように、雪道を一散に門へ駈け戻った。ケープにこもった声で繰返し名を呼びながら、私は野瀬さんにしがみついた。熱が四十度を越して死ぬかもしれない。タクシーの運転手さんがびっくり仰天して見ているかもしれない。でも、もうどうだっていい。

注射の作用はアルコールよりもはるかに目覚ましかった。私は泣きはしなかったが、心の中で、堰を切ったように熱烈に祈り始めた。父と子と聖霊、それにマリア様、それにお父さん、この人をお守り下さい。つらい試練《こころみ》から、寒い夜から、こわい獣とわるい人間から、あらゆる災害から、守ってあげて下さい。傷つけないで、淋しがらせないで、どこにいても、いつも、幸福の輪がこの人を暖かく包んでいるように……もうすぐ僕を離れて、お母さんや兄弟のところへ帰ってゆきます。でも、どうか忘れさせないで下さい。僕がどんなにこの人をだいじに思っていたか。誰よりも、何よりも大切な、同じ庭で育った魂のシャム双生児だと思っていたか。

僕はこの人が大好きです。今こうして耳を当てている、この心臓が刻む鼓動の一つ一つに、僕が生きていることの感謝を捧げます。ああ、どうか、こんなに好きだということを、僕に代わって伝えて下さい。風邪がうつるので百回目のキスはしちゃいけないし、「兄さん」と呼ぶことも僕にはできないから。

九九　雪礫《ゆきつぶて》

兄と呼びたい人と接吻したい人が同一人物である、というのは、やはり由々しいことだろうか？

「兄さん」と呼んでみたい。百回めのキスをしたい。この二つの欲求は、ちょうど同じくらい強烈で、同じくらい純粋だった。そして、一本の茎に咲く二輪の花のように、どこかで確かにつながっていた。結果的にはどちらも実行しなかったわけだが、私は特別あつらえの寝床をひいた客用座敷に寝て、うつらうつらと夜通しそのことを考えていた。

薬を飲む白湯《さゆ》を持ってきてくれた時、祖母はリボンをかけた四角い包みを枕元に置いていった。その朝、母から届いたと言って。文箱《ふばこ》に使えそうな象眼の箱から、ずっと前、父のマンションの寝室で見た覚えのある、白と淡青色の油彩画が出てきた。いつか母が「罌粟《けし》かしら？」と言った柔らかな陰影の層は、私には今、全く違ったものであるように思えた。夜中にふと目覚めて弱い灯火の下に絵を見ると、熱に潤《ほと》びた私の目に映るのは、優しく蒼らむ指を絡め、色淡い唇を仄かに重ねている双子《ふたご》の少年だった。自分は病気だなあ、と深く思った。一体何というウイルスが、こんな甘美な像《イメージ》を見せるのであろう？

熱がひいても、そのウイルスは私の体内に留まり、血液やリンパ液と共に巡り続けた。そして何かの拍子に、近くで玉葱《タマネギ》を剥《む》かれた時と同じ症状を引き起こすので、私はクリネックスとハンカチなしには生きてゆけない体となった。冬休みの間、野瀬さんはほとんど毎日電話をくれた。私はその都度、まだ風邪がよくならないようなことを言っておいた。心配させようと思ったからではない。会うのが恐かったのだ。今度二人きりで対面したら、私はきっとヤドリギのように野瀬さんにしがみついて、風が吹いても雷が鳴っても離さないに違いなかった。

三学期の始業式――私は初めから終わりまで目を伏せて、三年生の方を見ないようにしていた。業間体操もできるだけ下を向いてやった。（ボタンでも落としたのかと三千橋《みちはし》先生に訊かれた。）

教室移動は青木くんや弓削くんの後ろに隠れながら。昼食は花小路くんにメロンパンと飲物を買ってきてもらって教室でとる。まるで知りあった当初に逆戻りしたかのように、私はあらゆる努力をして野瀬さんを避けた。ようやく緊張を解くのは、放課後、寮に帰った時だけだった。

ある夕べ、お湯に入ってリラックスしようと、風呂支度をして浴室を訪れた。すると入口にお札が貼ってあった。『きょうは風呂がめげましたので使えません。』しかたなく、ヨハネ寮へ入らせてもらいに行くと、きょうは風呂は焚かん、と言われた。パウロ寮へ行くと、

「今から焚くとこじゃ。二時間はかかるで」

私はよろよろと、一番遠いペテロ寮に辿り着いた。

「おう、ええとも！　入りんさい！」

と言ってくれたその日の風呂当番は、永多さんだった。

「きょうは寒いけぇねえ。足ちゃぽちゃぽさして、ゆっくり使いんさいや」

浴槽には先客が何人もいて、芋を洗うようだった。私はちゃぽちゃぽは諦めて熱いシャワーだけですませた。風呂場の隣にストーブを置いた小部屋があり、湯上がりの生徒の立ち寄り所、兼、風呂当番の控室となっている。永多さんに一言お礼を言おうと思って、そこを覗いた。

永多さんは二名の来客を相手に談笑していた。厳密に言えば、談笑しているのは永多さん一人で、客はただ聞くふりをしているだけだった。折しも客の一人が、

「遠いとこはるばる来たんやで。汁粉《しるこ》でも出さんかい！」

と注文する。間延びした、耳に覚えのある低音だ。

「やめて下さい、部長。僕、甘いの嫌いなんです」

と言う、静かだがきっぱりした声も――

「おまえは食わんでええ。おい、永多、カップしるこでええさかい、早よ買《こ》うて来《き》！」

「はあ、行きたいんですが……わし、きょう、風呂当番になっとりますもんじゃけぇ」

「ほな摩耶、おまえ買うてこい」

亀甲学院の摩耶蒼薇《まやそうび》さんに、カップしるこを買って来いなどという命令が下せる人間は、この世に一人しかいない。伊集院さんだ。私は風呂上がりの赤い顔を既に半分ほど間口に曝《さら》していた。バスタオルで頬《ほ》っかむりをするにはもう遅すぎた。

「おっ、君は！」

椅子を蹴って立ち上がったのは、まさしく伊集院さんその人であった。

「君！　俺の送った手紙は、間違いのう渡してくれたんやろな？」

と、大股で詰め寄って来る。

「わ――渡しました」

「ほな、なんで返事が来んのや？」

「……」

「オシのふりしたかてあかん。説明してもらおか、ええ？」

ゆさゆさと迫りくる怪物めいた肩に、背後から美しい手がつと伸びて、引き止めた。

「何すんねん！　痛いやないか！」

と怪物が吼《ほ》える。白革《ホワイトレザー》のコートを小脇にした摩耶さんが、我々の間に銀色の短剣《ダガー》の如く割って入った。

「話は後です。しるこを買って来ましょう」

私は背中を押され、速やかに玄関ホールに連れ出された。

「部屋はどこ？」

「あ、僕、この寮じゃないんです。あっちのルカ寮……」

摩耶さんは肩をすくめ、自分のコートを私に着せかけてさっさと歩きだした。そして、ペテロ寮を出るや否や、笑いだした。

「ああ、ひどいなあ、シオン！　悪戯《いたずら》にもほどがある——」

こんな出会いが紫苑《しおん》のお導きだとは、とても思えなかった。しかし、笑いは私にも伝染した。

「どうして鶴島へ？」

「馬を見に。ノバ・ライディング・クラブが廃止になるそうでね、うちの馬術部、今、馬が足りないから、引き取れるのがあったら引き取ろう、いうことで——明日、永多にS郡まで案内してもらう。君はどうしてこんな遠い所まで風呂に入りに来るの?」

「僕の寮のがこわれたんです」

「湯ざめしに来るようなものやね」

見かけはひどく寒そうな白いコートは、着てみると暖かく、私はくしゃみ一つせずに無事ルカ寮に帰りつくことができた。お礼に食堂の自動販売機の在処《ありか》を教えてあげた。カップしるこはそこで買える。摩耶さんは今宵は抱擁もせずに、優雅に目礼して黄昏《たそがれ》に消えた。部長命令とは言え、あのような人物が汁粉を買いにやらされるとは、苛酷な運命である。私の美意識は、その夜しばらく疼《うず》いて止《や》まなかった。

翌日は日曜日だった。朝食の膳についたところへ永多さんが来た。頼み事のある顔だ。本日のご予定は?と訊かれる。

「特にありません」

「特にない! こんな天気のええ日に! 部屋にこもっとるんはもったいないんじゃないんね? ほうじゃ、郊外へ楽しいピクニックなんかどうお? 素敵なランチを持って——」

「単刀直入にお願いします」

「単刀直入に言うと、ガイドを頼まれてほしいんじゃ。S郡まで。交通費は支給する。弁当代も一人前三百円までなら出す」

昨夜、カップしるこを立て続けに七杯食べた伊集院さんが、腹痛を起こした。メイプルロッジのゲストルームに泊まったのだが、そこから一歩も動けないという。摩耶さんは、そんな奴ほっといて案内しろと言うし、伊集院さんは、病人をほったらかして行くつもりかと怒るし、板挾みの永多さんは心底困ってしまった。

「君は摩耶先輩とは知り合いじゃし、どうか頼む。この通り」

と、永多さんは私を派手に拝んだ。やめて下さいと言っても、やめない。味噌汁を啜っているところを斯《か》く礼拝され、付近の人々は皆、怪訝な面持ちでヒソヒソ囁き始めた。盆を持ってこっちへ来ようとした青木くんですら、途中で引き返して別のテーブルについてしまった。恥ずかしいので、私はとうとう承諾した。S郡までは電車にバスを乗り継いで片道二時間はかかる。しかし、ずっと公共の乗物の中であるから、摩耶さんと二人で行っても大丈夫だろうと思った。バスが長いトンネルに入った時だけ用心することにしよう。

ところがその朝の摩耶さんを見ると、用心する必要なんかてんでなさそうだった。伊集院さんの苦悶の声に一晩中悩まされて、ほとんど一睡もできなかったらしい。普段よりいっそう蒼ざめ、眼差しなども懈《たゆ》げに儚《はかな》く、今にも寝入ってしまいそうである。それでも、郊外電車に乗り換えるまでは何とか持ちこたえた。が、座席についた途端に居眠りを始めた。頭がゆらりとこちらへ傾く。よけようと思ったけれど、私が拒絶すると反対側の乗客の方へ凭れてゆくのではないかと危惧して、堪《こら》えた。

摩耶さんの隣にいるのは、五、六本の髪をアロンアルファで頭頂に接着した、肥満気味の中年男性である。家を出る前に安物のオーデコロンで水垢離《みずごり》をする習慣があるらしい。乗り換えの電車を待っている間、摩耶さんがほんわりと欠伸《あくび》をするたびに、ちらちらと艶《えん》な目を向けてきた。電車が入って来ると、車輛はガラ空きであったにもかかわらず、摩耶さんの隣に座を占めて暑苦しく寄り添った。いくら摩耶さんが非因襲的《アンコンヴェンショナル》だと言っても、紅紫《モーヴ》のシルク・シャツに蜜柑《ミカン》色のネクタイを締め、丸っこい手指の爪は一枚残らずマニキュアでツヤツヤと輝いている、こんなおじさんに寄りかからせるような真似だけは、させてはならない。私は背筋を伸ばし、紫苑に免じて一生懸命に摩耶さんを支えた。

向かいの席に腰かけた主婦は、そんな私たちを見ても、別に異状は感じないようだった。目が合うと、仲のいいお友達ね、くらいの生温《なまぬる》い微笑が浮かぶ。だが、膝に座った赤ん坊はニコリともせず、お母さんに抱かれて降りてゆくまで、ずっと恐い顔で睨んでいた。香水芬々《ふんぷん》たるおじさんも、私たちが降りる一駅前で、名残惜しげに席を立った。やっと呼吸ができる、と言いながら、摩耶さんはたちまちシャンと頭を起こした。

郊外電車の終点から、野馬《のうま》高原行きのバスに乗った。一時間に一本という不便さである。田舎のバスがえっちらおっちら坂を上るにつれて、道路脇に残る雪が深まってゆく。トンネルを抜けると、バスは動かなくなった。両側の斜面からなだれ落ちた雪で山道が埋まっていた。ぶーぶー言う車の列を尻目に、除雪作業はまことにのんびりと進められている。車掌さんが車を降りて仕入れてきた情報によると、貫通まであと一時間はかかる見込みだとか——高原はもう目と鼻の先だというのに。

「歩いては行けない？」

と、摩耶さんが尋ねた。

「さあ、どうでしょう——温泉ホテルまでなら、祖父母と来たことがあるから何とかわかるんですけど」

私は永多さんが書いてくれた簡易地図を出して確かめてみた。

「ライディング・クラブは温泉の隣ですね」

「僕、こんな状況でじいっと待ってるの苦手。降りよう」

私たちは車掌さんに事情を話して降車した。すっかり目が覚めたらしい摩耶さんは、雪かきをしている人たちの傍らを楽しげにすり抜け、行く手に立ちはだかる白い小山を、空気の精《シルフィード》のように軽やかな足取りで上り始めた。天辺はバスの屋根と同じくらいの高さだった。私たちの姿が山の向こう側へ消える前に、運転手さんがこちらを見上げて、恨めしそうに手を振ってくれた。

頂上を越えると後は楽だった。永多さんの賢いアドバイスに従って長靴で武装してきたので、ふくらはぎの半分から、場所によると膝まで埋もれる歩行も、私にはむしろよい気晴らしだった。出かけてきてよかったのかもしれない。学院に残って、野瀬さんの存在を至る所に感じているよりは……

こめかみに柔らかい雪礫《ゆきつぶて》がはじけた。

「あ、はずれたか！　鼻を狙ったのに」

少し先を歩いていた連れの仕業であった。よける暇もなく第二弾が飛んでくる。私は濡れた犬みたいに頭を振って雪の粉を払い、反撃に出た。摩耶さんが雪合戦をするなんて、考えようによってはカップしることよりも「らしくない」行為である。退屈な旅の反動かもしれない。それとも、雪が積もった年は、紫苑とこんな遊びをすることもあったのだろうか？

私の投げた雪玉の一つが摩耶さんの頬に当たった。薄い皮膚がたちまち仄紅《ほのあか》らんだ。痛かったかな？と手を休めた隙に、倍も大きな塊が鼻に命中した。私は激しく咳き込んだ。摩耶さんは一時休戦にして駈けてきた。

「大丈夫？」

咳の合間に頷きながら、いつかもこんなことがあった、と思った。あの時は夏で、夜で、竜宮城で、くしゃみだった。紫苑はクリネックスを一箱全部持ってきてくれた。やっぱり「大丈夫？」

と言って。

彼の手紙には何て書いてあっただろう？　心の痛みの原因である人にその痛みを訴えても、癒されることはない——そんな文があった。今ならそれがわかる。私の孤独の源となる人に向かって、淋しいと告げても始まらない。お互い、つらくなるだけだ。野瀬さんには決して言えない。

「遠野くん——？」

紫苑が、いや、摩耶さんが、微かに眉をひそめて私の顔を覗き込んでいた。片側の頬は、まだうっすらと赤い。鼻の奥がつうんとしてきた。ポケットからティッシュペーパーを出して鼻に当てた。畜生、ウイルスの奴！と、うんざりしながら。

「痛かったかな。ごめんね」

と、摩耶さんは小声で謝った。私は渋滞に苛立《いらだ》つ自動車のように、騒々しく鼻をかんだ。

「痛くなんかないです。僕、保菌者なんです。あんまり近くに寄ると、うつりますよ」

「誰かにうつしたら早く治るって言うよ」

「風邪のことじゃなくて——」

摩耶さんはふわりと私を抱えた。力などほとんどこもっていない。腕を軽く体に回しただけだ。それなのに——何たること！——私の頭は、穏やかな磁力に惹かれるように、ことんと摩耶さんの胸にくっついた。

「もう仲直りした？　先輩と――」

「はい」

「だったら、なんで泣くことがあるの？」

「わかりません」

「こんなにしてるの、いや？」

「――わかりません」

「それは困ったね。一言『いや』、て言ってくれたら、僕も決心がつくのに――」

「いや」

巧妙《たくみ》に仕かけた罠のように、両腕の輪が優しく狭《せば》まった。野瀬さんには見せられなかった涙が、二週間も遅れてじわじわと込み上げてきた。私は数分の間、熱い雫が頬や鼻をつたい落ちるに委せた。防水加工を施した白いレザーコートは、私に気を遣わせることもなく、存分に泣かせてくれた。泣いた後は心が何十グラムか軽くなったような気がした。私はもう一回、盛大に鼻をかみ、摩耶さんと並んでホテルまで歩いた。あと一つ角を曲がれば着く、という所まで来た時、摩耶さんが立ち止まった。

「さっきから――あっちがにぎやかじゃない？」

実は私も気がついていた。でも、幻聴だと思ってウイルスのせいにしていた。

「ほら、あれ！　橇《そり》の鈴みたいだ。蹄《ひずめ》の音も——」

野馬高原にサンタクロースが住んでいるという話は聞かない。けれどやがてコーナーを回って登場したのは、正真正銘の橇であった。トナカイならぬ馬が引いている。結構早い。鞭を振るう御者の顔が見る見るうちに迫ってくる。前方に人間の姿を認めたせいか、馬は僅かにスピードを落とした。私たちは急いで道の脇によけた。雪溜りに足をつっこんで沈みかけたところを摩耶さんが引き上げてくれた。橇とすれ違う刹那《せつな》、座席の乗客の中に野瀬さんに似た顔を見たような気がして、はっとした。しかし、受験生がどうしてこんな所まで来て、橇遊びを楽しんでいるわけがあろう？　去って行く橇の後部には、青い字で〈高原牛乳〉とで大書してあった。

温泉ホテルの前まで来ると、二台目の橇が乗客を積み込んでいた。こちらは横腹に〈野馬温泉へようこそ！〉の赤い字。雪で送迎バスが上がって来られないので、湯治客を観光橇で送ってあげるところだ、と御者席のおじさんが教えてくれた。野瀬さんが湯治に来るわけもないから、さっきのはやはり目の迷いであろう。私は自分のウイルス性偏執癖《モノマニア》がやりきれなくなった。紫苑に似た美しい人の胸で泣いて、ようやく気分が晴れたと思っていたのに。

一〇〇　拉麺《ラーメン》 al dente《アルデンテ》

人間は偏見のカタマリである。偏見と妄想がなければ、とても平静な気持ちで世の中を渡って行くことはできない。私の批判精神の芽生えは遅々として緩慢であったため、世間の大半の人が〈常識〉と見做す種類の偏見については、ほとんど鵜呑みにして憚らず、頭の中に未消化の偏見塊がゴロゴロしていた。恋愛は男女一組で、というのがその一つなら、温泉は年寄りが行くもの、これなども甚だ大きな一個であったろう。

現実には、温泉が好きなのは決して老人ばかりではない。うら若い女性たちですら、しばしば秘境の出湯《いでゆ》を求めて旅をするという。爺《じい》さん婆《ばあ》さんの神経痛に効く名湯は、同時に冷え性を治し、玉の肌を作り、肩こりや痔の痛みを和らげて疲労回復を促進するのである。ナトリウム炭酸水素塩タイプの野馬《のうま》温泉の湯が、リウマチのみならず打ち身や挫《くじ》きにも優れた治療効果を発揮すると評判であることは、物心ついた鶴島市民なら誰でも知っていた。そして、私だけが知らなかった。

回復期の治療にバレエのレッスンを採り入れるお医者さんもいれば、温泉に行けと奨《すす》める人もいる。上月整形外科の新鋭、T先生は後者である。（先生自身、鶴島に来て間もないので、温泉が珍しかったのかもしれない。）T先生の患者であった野瀬さんは、リハビリテーションの一環として、週末の温泉療法を命じられた。野瀬さんも温泉は高齢者のテリトリーだと思い込んでいた。ナトリウム炭酸水素塩についても懐疑的だった。だが、主治医の忠告を無にするのも悪いと思い、たまには出かけて本当に温泉につかり、売店でT先生へのお土産などを買って帰宅することもあった。温泉への偏見が妨げとなって、そんな時の野瀬さんの行き先は、家族以外には誰にも知らされていなかった。

そういった事情が私にわかるはずがない。だから、日曜の夕方に寮へ電話があり、つかぬことを尋ねる、と前置きした野瀬さんから、君はきょう雪の女王《スノー・クイーン》みたいなラファエル前派《ぜんぱ》風の美少年と一緒に、温泉ホテルへ出かけなかったかと訊かれた時は、心臓がでんぐり返った。

「は、はい、行きました。行きましたけど……決して温泉やホテルを利用しに行ったのでは……」

「そこまで追求してないよ。ただ、あれがほんとに雪の精だったのなら、今頃は北極の宮殿の広間で、氷の上にヘノヘノモヘジでも描いてるんじゃないかと思ったんだ。無事に帰って来たのならいい。じゃ、失敬」

私は野瀬さんのそっけなさに恐れをなした。いや、そっけないというわけではない。トゲトゲしい語調では少しもなかった。だが、冬休みにＯ村へかけてきてくれた時に比べれば、あまりにも軽い電話だ。父と私のてるてる坊主の会話に迫るライトさである。それに今まで、「失敬」と言って電話を切ったことなんかなかったのに。いつも、「またね」とか、「おやすみ」とか、でなければ、思い出すのも嬉しく気恥ずかしい、即興の挨拶で締めくくるのが得意の野瀬さんだったのに。

　この電話さえなければ、その日は思いがけなく愉快な休日として終わったはずなのだ。雪除《よ》けをした馬場の一隅で、摩耶さんが二、三頭の馬に試乗して、華麗な馬場馬術《ドレッサージュ》の演技を披露するのを見るのは、爽快な体験だった。特に、最後に乗った連銭葦毛《れんせんあしげ》は、十才という高齢ながら運動意欲旺盛で、乗り手の扶助に打てば響くように反応した。頚《くび》をアーチ形に掲げ、足を高く上げて、きびきびと飛び跳ねるように小刻みな速足をするパッサージュから、それを同位置で行うので馬が地団駄踏んでいるように見えるピアッフェへ、ピアッフェからパッサージュへと、リズムを全く変えずに自在に移ってゆく。ピルエットの軌跡はコンパスでなめらかに描いたかの如く、完璧な円を成す。ライディング・クラブ経営者の自馬だが、残念ながらこれも手離さなければならない、と厩務員が話していた。

　摩耶さんの用事がすんだ後、私自身、「一番おとなしい」と折紙つきの馬を貸してもらって、二人で外乗をした。一番おとなしい馬は一番老獪な馬でもあったらしく、急斜面の下り坂にさしかかった際、私に無断でいきなり頭を下げた。ふいをつかれた私は、前方にずるずると滑り落ちた。私が雪の上に着地したのを見届けて、馬はさっと頚を起こし、回れ右をして足取りも軽く厩舎へ帰って行った。それで、そこから先は摩耶さんの鞍に同乗させてもらった。一人で乗るよりは安全だが、耳元でとめどなくくすくす笑われるのが困り物だった。帰りには送迎バスが開通していた。でも、来た時に話をした橇のおじさんが、サービス料金で敷地内を一周しようと申し出て、実行してくれた。その頃には、私はほとんどはしゃいでさえいたのだ。それなのに、あの電話が全てをぶちこわしてしまった。

無論、野瀬さんには、摩耶さんと私の休日気分《ホリデイ》をぶちこわすつもりなどなかったのだ。それはよくわかっていた。(しかし後で野瀬さんに会って、それはよくわかっていましたと言うと、「何を言うんだ。もちろんぶちこわすつもりだったんだよ」と言われた。)この恨めしさは、何よりも、私の側《がわ》の罪の意識の反映であることも、わかっていた。恋愛と友情と憧憬と賛美を、器用に分離できない私は、摩耶さんとのたまゆらの触れ合いが、私たちの間に新たな〈関係〉を結んでしまったことになるのではないかと、心配しないわけにはいかなかった。たとえ、それまでの延べ触れ合い時間十五分未満の関係ではあっても。

摩耶さんには、野瀬さんに対して持っているような熱く切ない感情を抱いているわけではない。けれども紫苑につながりのある人だから、彼が亡くなってからは、見ていると何だか懐かしい心持ちになってくるのは事実だ。凄艶な蒼白の美貌も、カップしるこを買いに行くのを見た後では、もうそんなに恐くはない。第一印象がかなり根強く残っているせいか、近くにいても同性であるという感じは薄い。かと言って異性でもない。人間の姿はしているが性別のない――まるで、『青い鳥』か『大嵐《テンペスト》』の登場人物の一人のような、リアリズムの重力を免除された存在の趣きがある。野瀬さんは、私が雪や風や水の精などの自然の元素《エレメント》と戯れたからといって、腹を立てたりはしないだろうけど……

「おーい、遠野くん、また電話でー！」

電話当直の太刀掛さんが呼びに来てくれた。さっきの短かい電話の埋め合わせをするために、野瀬さんがもう一度かけてきてくれたのでは？と淡い期待を抱いて電話室に下りる。期待を破ったのは永多さんだった。

「きょうはどうもお疲れさんでした！　晩飯食いに来んさい！」

「もうすませましたから――」

と、私は嘘をついた。

「ほいでもまあ、来んさい。わしの手料理を食いそこねたら一生の損よ。幻の名酒、シャトー・キネユキも公開するけえ」

「シャトー・キネユキ？」

「わしの誕生を記念して作られたワインじゃ。わしが生まれた年、ぶどうのヴィンテージ・イヤーでのう。さ、さ、早よう来んさいよ。ペテロ寮舎監室でお待ちしてまあ～す！」

オッフェンバックの『天国と地獄』を口ずさみながら、永多さんは電話を切った。音楽で締めくくる人もあるのか――断る暇もなかった。仕方がない。シャトー・キネユキを一杯戴いて寝酒にしよう、と、私はペテロ寮へ出かけて行った。

二部屋から成る舎監室の、奥の間がレストランになっていた。しみ一つない黒い風呂敷を広げた食卓に、四人分の席が用意してある。スープ皿とフォークとスプーン、それにワイングラス。普段そこに置いてある応接セットは壁際に寄せられ、摩耶さんが肘掛椅子、伊集院さんはソファにかけて、食前酒らしいものをチビリチビリやっていた。舎監の先生が夜食やおやつを温めるホットプレートの上に、ズンドーが一個、でんと座って湯気を立てている。エプロン姿のよく似合う永多さんが、レードルでかき回している。一口啜って目を閉じ、ウムムムム、と味わい、これじゃ！とフッと微笑《わら》う。ボンソワール、と私を歓迎し、嬉々としてワインを注いで回った。

「皆様、大変長らくお待たせ致しました。ただいまより乾杯を始めたいと存じます。どうぞお席におつき下さい。どうぞお席をお立ち下さい。僭越ながら音頭を取らせて頂きます。伊集院先輩のご全快を祝って」

カンパーイ！とお祝いしたのは永多さん一人だった。摩耶さんはようやく起立したところだったし、私は反射的にグラスを上げかけたものの、肝腎の伊集院さんが来ないのだから格好がつかない。しかし永多さんは上機嫌で音頭を取り続け、カンパーイ！を連発して自分の乾杯《トースト》に加わった。グラスの縁で鼻をひくつかせながら、おうこの芳醇なブーケ、と既に酔っている。摩耶さんがシェリーの壜を指して、どう？と奨めてくれた。もうワインに口をつけていたので私は遠慮した。恐ろしく甘口だった。

伊集院さんは、のっそりとテーブルについた。乾杯は少し早すぎたのではないだろうか？　まだ腹痛が治まってないような顔つきである。摩耶さんが私に、こっそり耳打ちした。

「失恋したとか――そっとしといてやって」

ではこの晩餐は、お慰めパーティのつもりで催されているのか。ヴォワラ！と永多シェフがよそってくれた料理は、こんな形でお目にかかるのは初めてだが、確かにどこかで会ったことのある食べ物だ。と思っていると、

「しっぽくラーメンのスープスパゲティ風！」

シェフが目を細くして紹介した。要するに、ラーメンをスープ皿で食べるわけか、と摩耶さんが嘆息した。

「なんで素直に丼に……」

「いやだなあ摩耶くん、ワインを飲むんですよ！」

永多さんはますます目を細めてフォッフォッと笑った。

「ワインを嗜む時は、ラーメンだってエレガントに召し上がってみたいじゃあありませんか！」

敬語が間違っているが、誰も注意する元気はなかった。冷めないうちに召し上がって（今度は正しい）と促され、客は躊躇《ためら》いがちにフォークで麺を巻き取り始めた。どうも邪道であるような気がする。ラーメンもこんな器に盛られて調子が出ない様子で、そわそわと落ち着かなげにフォークから滑り落ちてゆく。伊集院さんは昨日の前進気勢がすっかり衰えていた。魂がぬけたように、物もろくに言わない。そしてぬけた分だけ胃袋のスペースが広がったのか、営々と、ただ食べている。気まずい沈黙を、永多さんは強引に美食の法悦と取り違えた。お代わりをどうぞと言われ、私と摩耶さんは異口同音に辞退した。伊集院さんは黙って皿を差し出した。

「さっきのワインがシャトー・キネユキですか？」

私は話題を提供する空しい努力を試みた。永多さんはフォッフォッフォとまた笑った。

「ほうなんよ。本場フランスでは、Appellation《アペラシオン》 Washijima《ワシジマ》 Contrôlée《コントロレ》な〜んちゃって、パリジャンの間で大人気！　鷲島《わしじま》郡鷲島町の溝口さんちの畑で採れるぶどうしか使わんもんじゃけえ。日本での商品名は赤玉ハニーワインとなっとるけどねえ。フォッフォッフォッフォッフォッ……」

そろそろ行きましょう部長、と摩耶さんが立ち上がった。

「最終の新幹線に間にあわなくなります。いつまでもクヨクヨ食べてばかりいては体によくありません」

「うむ……」

伊集院さんはのろのろとコートに腕を通した。永多さんと私は学院の門まで見送りに行った。最後に一瞬だけ、伊集院さんが活気を見せた。永多さんの両手を握り、

「あの人を頼むで！」

とガッチリ締めつける。

「はっ、はい！　確かに――」

永多さんの顔が苦痛に歪んだ。摩耶さんはしらけてそっぽを向いた。私には何のことかちっともわからなかった。

皿洗いを手伝いながら、永多さんに一部始終を説明してもらった。摩耶さんと私が野馬高原へ行っている間に、学院では一つのドラマが演じられたのだ。

汁粉をひとしきり下してスッキリした伊集院さんは、回復期の病人にありがちな退屈を持て余し、メイプルロッジの中をふらふら彷徨《さまよ》っていた。（台所を探しょうったらしい、と永多さんは言う。）シュヴァイツァー先生の部屋ではGSSの例会がたけなわであった。今学期は詩と戯曲を読むことになっており、第一弾はゲーテの『ヘルマンとドロテーア』である。永多さんはこの頃、軽妙洒脱なフランスのエスプリのみならず、鈍重質朴なゲルマン魂にも些《いささ》か関心を持ち、シ

ユヴァイツァー先生を拝み倒してGSSの定員をオーバーさせた。その日の会合ではヘルマンの台詞が当たった。当たれば読むだけでいいのだが、溢れる演劇的才能は如何ともしがたく、泉に水を汲みに来たドロテーアに、水甕《みずがめ》を一つ持ってあげましょうと申し出る場面で、ドロテーアを読んでいた花小路くん相手に、つい演技をした。そこへ寝巻き姿の伊集院さんが乱入してきた。ヘルマン永多を足蹴《あしげ》にしてドロテーア由理也の膝元に身を投げ、「僕がお運びします！」

お運びする水甕なんかない。伊集院さんは、ドアの隙間から惚れぼれと由理也くんを眺めているうちに、物語と現実の区別がつかなくなったのだ。ドン・キホーテのように。

公衆の面前で思いのたけを告白した伊集院さんは、公衆の面前で拒絶された。シュヴァイツァー先生や他のメンバーの前で、それ以上、開放病棟めいたシーンを展開してはならない、と気を遣って出て行くドロテーア。そこへなおも追いすがる伊集院さん。廊下へ出た途端に背負い投げを食らわされ、ようやく厳しい現実に目覚めた。アホらしくも痛ましい、一つの恋の終焉であった。

一〇一　怠業《エスケープ》

月曜の業間体操の後で服を着替えていると、青木くんが、

「あーあ、ええのお、鍋島さんら。次、自習なんと！」

と羨んだ。

私大の入試を来月に控え、高三の授業は自習が増えた。以前は倫社の時間に体育館でスクォッシュの自習をしていた野瀬さんだが、さすがにこの時期になると、図書室などで自習時間を過ごすことの方が多いらしい。化学教室や生物教室への移動の際、図書室の横を通るが、時々窓辺の席で太刀掛さんや正岡さんと一緒にノートを広げているのを見て、素早く青木くんの陰に身を縮めたことがある。

「次の時間、倫社じゃろ？　わしらも自習にならんかのお……」

と、青木くんは未練がましく言いつのった。

「数学の宿題、バッチリ三日分出されたけぇのう。わし、まだ半分しかやってないんじゃ」

「半分もできとったらええ方じゃいや。わしゃ、三分の一で」

と、津々浦くんが暗い顔をした。

「英語《イングリ》の予習もやっとらんし、こりゃー午後は全滅じゃのう」

　こんなことを言ってはいるが、午後の授業の前に倫社が入る日は、みんなわりに余裕があるのである。倫理社会担当のU先生は、生徒との絶え間ないコミュニケーションを図って体力を浪費するよりは、完璧なソロ・パフォーマンスを成し遂げて精神の充足を得ようとする人だったから、生徒は比較的楽な気持ちで内職に励むことができる。その結果、真面目に聴講している茶村くんや花小路くんのノートは、試験間際には引っ張りダコである。

　花小路くんと私は、幸い土曜日のうちに協力して数学を片づけておいた。それで私は、久しぶりにU先生のお話を拝聴してみようと思った。久しぶりと言えば、きのう馬に乗ったのは実に一年ぶりであった。きょうは朝から、起居《たちい》のたびに足腰がみしみし音をたてるようで、階段の昇降は困難、固い木の椅子に腰を下ろすことは拷問、業間体操は地獄であった。乗馬は一応全身運動だが、取り分け大腿部と腹部の筋肉を酷使する。初心者は軽速足《けいはやあし》の練習をした翌日など、腹筋の痛みを腹痛と勘違いしたりすることさえある。U先生が、〈Cogito《コギト》 ergo《エルゴ》, sum《スム》〉と黒板に書いて、近世哲学はデカルトの『方法序説』によって開幕したと申せましょう、と講義を始められた時、私はできるだけ臀部に負担をかけない姿勢をとろうと苦心する傍ら、初めてその勘違いの痛みらしきものを経験してなるほどと思っていた。

「先生！」

隣の席の上月くんがいきなり起立した。出鼻を挫かれたU先生は悲しそうな顔をされた。

「はい、なんですか？」

「遠野くんが気分が悪いそうです」

私が？

「今朝から腹が痛い言ょうります」

そんなことを言った覚えはない。

「おや、それはいけませんね。ええっと――保健委員は誰でしたかねえ？」

「僕です」

と、上月くん。

「それじゃ、一緒に保健室までついて行っておあげなさい」

「はい！」

上月くんはこれ見よがしに使命感を放射しながら、私の腕を支えて廊下に連れ出した。私がされるがままになっていたのは、やはり倫社という科目の持つ不思議な魔力のせいであろう。他の授業だったら、きっと抵抗していた。話し声の届かない所まで来て、上月くんは私に、協力感謝すると礼を言った。そして、制服の下に忍ばせていた数学の問題集とノートを取り出した。

「数学、一問も手ぇつけてないんじゃ。昼休みまで突貫工事でやったら、何とかなる思うてのう。内職しょうか思うたけど、先生のお経みたいな声聞きながらでは士気が上がらんのじゃ」

「どこでやるの？」

「図書室」

「司書の人に注意されるんじゃない？　三年生でもないのに、こんな時間に」

「三年生になって行ったらええんじゃ」

上月くんはズボンのポケットを探った。ポケットから出てきた拳を開くと、掌には古びた〈Ⅱ〉のバッジが三つも四つも載っている。

「兄貴が二年の時のじゃ。変装用に常備しとくと便利なんで」

高一の襟章の隣にこれをくっつけると、私たちはたちまち人も恐れる最上級生となった。しかし二人ともエスケープが板に付いてないので、目の肥えた人が見たら簡単に見破られそうである。裏階段を使って三階に上がり、廊下に人影がないのを見すまして一目散に図書室へ――閲覧室で自習中の人々は、私たちが入って行っても顔すら上げなかった。上月くんは早速片隅の机に陣取って数学に取り組み始めた。私は何をしようか？　心の〈良い子〉半分は『方法序説』を探して読めと勧める。〈悪い子〉半分は野瀬さんを探すようにと。鍋島さんは野瀬さんと同じⅢＡだから、この時間が自習になったのなら、ここに来ている可能性が高いのだ。

　私は書架の間をうろうろしながら、各机を順繰りに検分した。太刀掛さんはいる。正岡さんもいる。ⅢDも自習なのか、藤井御代輝《みよてる》さんまでいる。みんな目の前に問題集や参考書を広げ、一心不乱に勉強中である。あれが本物の三年生の気迫だ。バッジの線を偽造したくらいで真似られるものではない。野瀬さんの姿はどこにもないから、たぶんこの日は教室で自習なのだろう。私は急に、無性に勉強したくなった。こんなに学習意欲が湧くのもエスケープの賜物である。近いうちに買おうと思っている英英辞典の下見でもしておこう。

　辞書は書庫の一番奥の、一番上の棚に並べてある。この最上段が曲者で、脚立《きゃたつ》に上って本を取りに行くたびに頭が天井にぶつかりそうになる高所だ。器械体操が得意の上月くんなどが、上の方で鳶職《とびしょく》の花形めいた演技をしてくれる時、下で見物しているクラスメイトは、拍手喝采しながらも冷や冷やしている。体の不自由な日にあんな所へ上って大丈夫だろうか？　私は脚立を運んできて固定した。下で押さえてくれる者もない。滑り止めがついているから単独登攀《とうはん》でも危なくはないが、誰かに形ばかりでも手を添えておいてもらうと気休めになるのに。梯子《はしご》段を一段制覇するごとに脚と腹の筋肉が緊張する。それでも上りはまだいい。本当につらいのは下りだ。これは階段や「起立、礼、着席」で経験ずみだった。しゃがむ時の方が苦しいのである。

　ようやく頂上を極め、頭を打たないように、背を丸めて脚立の天辺に座った。（大臀筋《だいでんきん》が声にならぬ悲鳴を上げる。）ペン先生に推薦して頂いた、ホーンビイの〈Oxford《オクスフォード》 Advanced《アドヴァンスト》 Lerner's《ラーナーズ》 Dictionary《ディクショナリー》 of《オヴ》 Current《カラント》 English《イングリッシュ》〉を手に取る。おしりの痛みなんか忘れるくらい、これに集中しなければいけない。

〈A〉の項をぱらぱらめくってみる。〈**Arse**《アース》 (not in polite use《ブレイナイイカタ》) buttocks《デンブ》; anus《コウモン》.〉〈B〉の項をぱらぱらめくってみる。〈**Bottom**《ボトム》 part of the body on which a person sits《スワルトキオモミヲカケルカラダノブイ》; buttocks《デンブ（シリ）》.〉〈C〉の項をぱらぱらめくってみる。〈**Croup**《クループ》 rump or buttocks of certain animals《アルシュノドウブツノシリマタハデンプ》.〉何だ、これは！

隣にもう一台脚立がセットされる気配がした。と思う間もなく、誰かがするする上ってくる。が、途中の段で止まり、中ほどの棚にある本を物色し始めたらしい。私は気にせず辞書をめくり続けた。所々に思いもよらぬものの挿絵や写真が載っている。キャッシュレジスター、カスタネット、箸、揉み手、円盤投げ、安全ピン、スクーター……子供用のL字形スクーター（片足で地を蹴って推進する）のイラストもあり、昔の愛車を懐かしんでいると、足元から声がした。

「倫社の時間？」

下を見れば野瀬さん——瞳には獲物を見つけた猟人《ハンター》の輝きがある。

「こいつは願ってもないチャンスだ」

と、更に二、三段上がってきた。

「チャンス——？」

私が震える声で繰返すと、脚立の一番上に肘をつき、にこやかに私を見上げた。

「きのう、あんな山奥で何をして遊んでいたのか、説明してもらおう。答の如何《いかん》によっては、容赦なくここから突き落とす」

私は百mも下に思えるリノリウムの床を見た。

「遊んでなんか……う、馬を見に行ったんです」

「誰と？」

「あの人――あの人は、亀甲学院の生徒です。つまり、僕が入っていたクラブの先輩の……」

「亀甲学院の生徒がわざわざ鶴島の野馬高原へ？　K市には有名なA温泉があるのに」

「だから、温泉じゃなくてライディング・クラブへ馬を見に……馬術部の部員なんです」

野瀬さんは目を丸くした。

「馬術部！　君、馬をやってたの？」

脚立に密着した我がボトムの痛みを意識しつつ、やってたと言うほどではありません、と慎しく真実を述べた。

「野瀬さんこそ、旭日学園で乗ってたんでしょう？　ジュニア競技会で優勝したことがあるって――」

「そんなこと言った覚えはないぞ」

「亀甲の友達に聞きました。その友達も馬術部で――去年亡くなりましたけど――全国大会を観に行ってたんです」

「ということは、三年前か」

野瀬さんにはその頃から放浪癖があり、クラブからクラブへ、さまよえる幽霊部員として活躍していた。馬術部にも時たま「出る」と評判だった。盲腸の手術をすることになった部長の頼みで地区予選に代理出場したのを皮切りに、あれよと言う間に全国大会まで行ってしまった。一重に馬のおかげである（と本人は語る）。

「おまえは演技の順序を覚えて馬に合図するだけでいい、あとは馬がやってくれる、と言われて乗ったら、ほんとにその通りだった。名馬は違うね」

「友達は感動していましたよ」

「優勝候補が棄権したからね。それも勝因の一つだ。名前は忘れたけど亀甲学院生だったよ。何でも、すごく気難しい馬に乗っていたんだって――近くにいる馬の鼻しぶきがかかっただけで気分を損ねるような。大会当日にも誰かに鼻しぶきをひっかけられたのか、馬どうし喧嘩を始めて大騒ぎになった。土壇場で出場できなくなって、さぞ無念だったろうな」

私の左隣に脚立がもう一台来て、止まった。荒い鼻息と重い足取りが近づいてくる。私は何か不吉なものを感じて下を向くことができなかった。

「やあ、藤井じゃないか。脚の具合はどうだい?」

と野瀬さんが言ったので、不吉なものの正体がわかった。藤井さんはグッフッフと笑いながら、上々じゃと答えた。私と同じ目の高さまで上ってきて、

「遠野くん、お話があるんじゃ」

「は、はい……」

「邪魔者が一名おるけど、気にせんで聞いてくれ。わしは君に謝らんといけんことがある。謝って赦してもらうまでは、晴れて卒業もようせん」

右隣の邪魔者は、自分の脚立に凭れてあからさまに傾聴している。藤井さんはそれが目に入らないかのようにこちらへ巨体を乗り出すので、私は痛いおしりの位置をずらし、数センチなりとも遠ざかろうと努めた。

「思えばあれは去年の夏——早いものだねえ!——わしは櫟林《くぬぎばやし》の葉隠れに、君に愛の告白をした。覚えているかい?」

「はあ……」

「あの頃、わしは若かった。そして真剣じゃった。真剣に君に惚れて、真剣に告白したんじゃ。よもやいつかその気持ちが変わろうとは、夢にも思わんかった」

「変わって——いただけたんですか?」

「すまん！」

　藤井さんはガックリとうなだれた。

「君の心を徒《いたず》らにときめかせてしもうた。いや、わかっとるわかっとる。君はあの時、『いやです』なんてかわゆく照りょうったが、本気じゃなかったんはようわかっとる。わしは決して純真な君を弄ぼう思うたんじゃない。『好きじゃ』ゆうた気持ちに嘘偽りはない。がしかし——」

「Frailty《ヨワキモノ》, thy name is Fuji《ナンジノナハフジ》……」

「外野は黙っとれ。遠野くん、わしを赦してくれるか？　のう、どうか赦すと言うちゃってくれえや！」

「え、ええ……もちろんです」

　藤井さんは私の膝に手をかけ、ケニヤの太陽のようにカッと微笑んだ。そして、あの日の出来事は二人だけの夏の思い出として大切にしよう、と言いながら脚立を下りて行った。

　心変わりの経緯は野瀬さんが知っていた。上月整形外科に入院中、看護補助のおねえさんに身の回りの世話をしてもらっているうちに、女性の魅力に開眼したのだそうだ。

「パンツを洗ってくれる人が女神様に見えるという心境は、僕にはわからないけどね」

と、野瀬さんは言った。

「でも、結局みんな、そんなことがきっかけで変わっていくのかもしれない——だんだん年を取ると」

かわいらしくて優しくて、いい匂いのする女の人が、料理をして掃除をしてパンツまで洗ってくれる。それはある意味では理想の生活であろう。マトモな男なら誰でも素直にそれを喜ぶ。白雪姫を迎えた七人の小人が、有頂天になったように。

野瀬さんはホーンビイの辞典を押しやって私を見上げた。

「君はまだだめだよ」

と手を差し伸べ、片方の目の上にかぶさりかけていた私の髪を、耳の方へかき上げた。

「避けられない運命かもしれない。でも、今は——きょうは——まだ、だめだ。考えるなら、僕のことだけを……」

私の方が高い位置にいたせいか、野瀬さんはいつもより目が大きく、顎が細く、我儘《わがまま》な淋しい子供の顔をしていた。こめかみに薄《うっす》らと走る傷は、私のいない所で、知らない間についたものだ。野瀬さんの知らない所で、私の皮膚に色鮮やかな葩《はなびら》の形をした接吻が印されたこともあった。そうした経験が、私にはなんだか、運命から与えられたささやかな懲罰《ペナルティ》であるように思えてきた。二人で共に過ごすべき時間をそうしなかったために、後になっていっそう愛しさが募るように、何かがそんな形で私たちを傷つけたような気がした。そうできる間は一緒にいなければならなかったのだ。一瞬でも目を離してはいけなかったのだ。野瀬さんの指がまだ髪を撫でつけているうちに、私も知らず知らず手を伸ばし、瞼を僅かに逸《そ》れた繊細な部分を、滲《にじ》むように優しく損ねている傷痕《きずあと》に触れた。野瀬さんはその手を取り、頬を重ね、唇に当てた。睫毛の先が微かに掌《たなごころ》を擦る、まるで薄羽《うすば》の蝶を手の中に閉じ込めたような戦慄《センセーション》——私は空いた方の手でホーンビイを棚に返した。辞書よりも手ざわりのいいものが世の中にはあるのだ。困ったことに。

「どこかへ行きたいね」

私の両手に半ば顔を埋めるようにしながら、野瀬さんは呟いた。

「他人の目や電話や慣習に邪魔されずに、二人きりでいられる所。一日中——一晩中、君の手を離さなくてもいい所……」

そんな世界の涯のような場所が鶴島にあるだろうか？　そうだ、一つだけある。

「心当たりがないことはないですけど——」

「どこ？」

「でも、受験勉強が——」

「この期《ご》におよんで、まだ詰め込む余地があるとでも思ってるの？」

「じゃ、一日くらい息抜きしても大丈夫ですか？」

「息抜きの内容によるよ」

「どういうふうに息抜きしたいんですか？」

「だから今言ったじゃないか。僕たちのほかに人がいなくて、外部からは一切電話で呼び出されることもなくて、服を着ずに歩行や昼寝や飲み食いをしても失礼に当たらなくて、昼夜兼行で君の手を握っていてもとやかく言われない生活をしてみたいんだよ。少なくとも二十四時間の間」

「それなら——何とかなるかもしれません」

少し心もとなかったけれど、私は提案した。

「週末になっても気が変わらなかったら、土曜日、僕の家に来て下さい」

一〇二　寒麗《かんうるは》し

実際、野瀬さんが来てくれないとしたら、その週の土日の展望は暗かった。祖父は郡内の温泉愛好家の集いである仙顔倶楽部《せんがんくらぶ》の名誉顧問を務めている。毎月一度、土曜日から月曜日、時によると火曜日にかけて、祖母を伴い、必ずどこかしら名湯を探訪する慣《なら》いである。留守居はこれまで植木屋のおかみさんに一任することになっていた。が、そのツネさんが、今回に限り、きっぱりと祖父母の頼みを断った。そのため、週末はぜひ留守番に帰ってくれと祖母から懇願されていたのである。

ツネさんの拒絶の理由は犬のゴンであった。ゴンはツネさんに嫌われていることを薄々感づいていたらしい。しかしどうして嫌われるのか、そこのところはさっぱりわからなかった。祖父にも祖母にも無限に甘やかされていたから、自分は世にも愛すべき犬だと信じ込んでいたのだ。三度の飯は食い放題、庭や畑は荒らし放題、夜は敷地の警護もせずに高鼾《たかいびき》、という暮らしは、ゴンを次第に向かうところ敵なしの妄想に駆り立てた。こんなに素晴らしい自分を嫌うとは、何たる不心得であるか！　それがツネさんの敵意に対するゴンの戸惑いの核心であった。

ある時、ツネさんが持ってきてくれた餌をほんの数口でたいらげたゴンは、自明のこととしてお代わりを要求した。ツネさんは知らんふりして背中を向けた。健康診断に来た獣医さんから、犬の腹のたるみが顕著なので夕食は一膳、と申し渡されていたのだ。するとゴンは、卑怯にも後ろから、ツネさんの前掛けの結び目に襲いかかり、紐を食い切ってズタズタに噛み裂いてしまった。前掛けの一枚や二枚、ツネさんとて洗い替えを持っている。だがその日の前掛けのポケットには、あいにくお札《さつ》を入れた蝦蟇口《がまぐち》が入っていた。ゴンはそのお札をも蝦蟇口をも、二目と見られぬ姿にしてしまったのである。お池の鯉や納屋の鶏には餌を上げに来てもいいけれど、あの犬と関わりあいになるのだけは金輪際ごめんです、とツネさんは宣言した。

ゴンにはもう一つ厄介な癖がついていた。夜は台所の土間に入れて寝かしつけてやらなければ、眠らないのだ。寝かしつけるとはどうするかというと、目覚まし時計の捻子《ねじ》を巻いて寝床の毛布の下に入れる。巻き足りなくて夜中にチクタクが止まると、ゴンは時計が死んだと思って大声で村中に報せ始める。容易に止まる心配のない電池式目覚ましを与えれば、前足でそれをしっかり抱えて、朝になっても昼になっても起きてこない。もう誰もゴンを番犬と思う者はなかった。ゴン自身も、前述の如く、自分をいっぱしの愛玩犬と考えているようで、祖母が縁側で裁縫や読書をしていると、必ず邪魔をして膝に乗る。体の四分の一しか載らない。でも、全部載ったと信じている。二泊三日の温泉旅行中、O村の家邸とゴンをたった一人で守らなければならないと思うと、頭が痛かった。金曜日に学院のホールで野瀬さんをつかまえて気が変わったかどうか訊いてみたところ、変わってないという返事だったのでほっとした。

土曜日の放課後、私はO村へ戻る前に、〈町〉に出て週末の食料を買い込んだ。黒オリーブを購入した尼崎屋では、急いでいますからと言うのに籤《くじ》を引かされ、三等のオリーブの鉢植えが当たった。（一等は小豆島《しょうどしま》観光ツアー、二等は一番搾《しぼ》りのオリーブオイル。）余計な荷物がふえたと思いながら、それも持って帰った。私を待っていてくれたツネさんは少々ご機嫌斜めだった。ゴンがまた何か悪さをしましたかと尋ねると、

「いいえ。あたしが怒りょうるんは、亭主のことです」

植木屋さんが昨夜麓へ一杯やりに行って帰って来ない。居所はわかっている。酔いつぶれると

いつも泊めてもらう常宿があるのだ。そしてその宿の女将《おかみ》さんが、ツネさんの気に入らない人なのであった。犬より始末が悪いんじゃけぇ、と悲しみながら、ツネさんは夜具と風呂の支度を整え、離れや茶の間の火鉢に炭をついで、村はずれの自宅へ帰って行った。明日はN島へ嫁いだ娘さんを訪ねて、思う存分苦労を訴えて来るそうだ。

離れに火鉢はもう不要品だった。ツネさんは習慣で火を起こしただけなのだ。クリスマス・イヴに三方に載っかっていたプレゼントは、暖房器具のカタログであった。どれでも好きなのを買ってあげると言われ、『おはようタイマー／おやすみタイマー／加湿器』のついた温風暖房か、『薪のはぜる音が聞こえてきそうな』炎の見える暖炉形ガスヒーターか、迷った末、停電になった時でも使える後者に決めた。停電になると家の機能が一切停止して、玄関も開かなければ煮炊きもできず、お母さんはヒステリーを起こすという話を洲々浜くんから聞いて以来、私は時々、電気の来なくなる日を想定して物を揃えるようにしていた。ガスだって止まる日があるかもしれない。火鉢を片づけずにいつまでも部屋の隅に置いておくのは、そんな事情である。

私はオリーブの鉢を紫檀の机に載せて、ヒーターの炎を強めた。暦の上では春でも、まだまだ寒さが続く。南国の植物と裸体の人間は、暖房した部屋でなければ暮らせない。私は野瀬さんが寝る時は何も着ない主義であるのを知っていた。慣れてしまえば、夏でも冬でもそれが一番よく眠れるという。（基本的には私も賛成だ。）

めいっぱい芥子《からし》をきかせたローストビーフ・サンドをぱくつきながら感涙にむせんでいるところへ、野瀬さんがやって来た。来るのは数分前からわかっていた。峠を越える頃から、エンジンの音が明瞭に伝わってきていた。普段ならば三叉路を曲がったあたりで注目を浴び始め、門に到着するまでには押すな押すなの人垣ができていてもおかしくないO村だ。この日は幸い村民の大部分が祖父母と共に温泉へ出かけていた。歓迎に出たのは私とゴンと隣家のトビだけだった。猫は門柱に上ってぎりぎりまで恐怖を堪《こら》えていたが、low & long《ロー・アンド・ロング》の堂々たる車体が目の前三メートルまで迫って来ると、何か捨《す》て台詞《ぜりふ》を残して笹垣の向こうへ飛び下り、姿を消した。こんな騒々しいもので来て悪かった、と野瀬さんは謝った。

「朝帰りにはバイクが便利かと思って。猫をびっくりさせたね。隣の庭へ逃げたみたいだよ」

「隣の猫なんです」

「この犬は?」

「家《うち》のです——名前はゴン」

ゴンには騒音が少しも気にならない。埃も気にならない。騒がしいものや汚いものは全て兄弟と思うのか、押し並《な》べて愛着を感じる方である。この日も野瀬さんとその愛車に一目で惚れた。いきなり飛びついてもハーレーが嫌な顔をしないので、益々愛情を深めた。どうかシートにたくさん涎《よだれ》をつけませんように、と私は密かに祈った。

野瀬さんは私の離れを大変気に入った。厭世的なご先祖様の一人が隠遁《いんとん》用に建て増した私室で、跳ね橋を下ろしたように、ごく緩いアーチ形の欄干《らんかん》のついた渡り廊下で母屋とつながっている。厭世家の没後は納戸代わりに使用されていた。邸の北の辺境にあって文明人は滅多に訪れない。もちろん電話もない。静かなので、父が物心ついてから勉強部屋に充てたそうだが、ここでは本を読んだりするだけで、寝食は祖父母の居室のある家の南側でしていた。私もそうするものと思われていたらしいが、そうしないで寝起きもここでするようになったため、鶴島へ来た当時はいろいろと不便があった。一番近い厠《トイレ》は、何年も放ったらかしにされて水もこなくなっていた。それを直してコンパクトな浴室に改装してもらってからは、最大の不便が解消した。食料の備蓄さえあれば、非常時にも数日は籠城できる。

野瀬さんと私は台所で食べ物を籠に詰めて離れまで運んだ。籠は小さい行李《こうり》くらいある本式のピクニック・バスケットである。皿やナイフや茹で卵を納める専用ラック、ポケットなどがついている。祖父が横浜の中学校を退職する折、理事長の奥さんから戴いた記念すべき品だ。戦中戦後は努めて大和魂を涵養してきた祖父だが、思いがけない記念品をためこんでいることが次第に明らかになった。本牧《ほんもく》テーラーが精魂こめて採寸、裁断、縫製した衣類は、古い洋箪笥《ようだんす》にそっくり残っている。シャワーの後で野瀬さんが無造作に羽織《はお》ったヴェルヴェットなども、元はそこから出てきた。暖かいから着なさいと祖母が出してきてくれた時は、腹巻同様、固く辞退したものである。一つには、樟脳《しょうのう》の臭《にお》いに閉口したから、もう一つは、色彩に圧倒されたからだ。濃い葡萄酒《ぶどうしゅ》色に近い深い紅《あか》は、少しも色褪せていなかった。プルプル貝の殻で染めたという古代ギリシャの紫は、こんな色であろうか？　薄給の校長先生が、こんなに華やかなドレッシング・ガウンを着て下宿で寛いでいたのかと、ただただ呆《あき》れた。祖母が風通しのいい場所にしばらく晒《さら》しておくと、樟脳の方はだいぶましになった。確かに暖かいので、人目のない離れでは冬の夜に重宝することもあった。

浴室から離れに戻ると、野瀬さんは着た時と同じく無造作にガウンを脱ぎ、緋毛氈《ひもうせん》のように床に広げた。私たちはその上にただ寝転び、時々寝返りを打ちながら、懶惰《らんだ》に髪や体を乾かした。クリスマスの名残のワインを新しく一壜開けたが、どうしたものか、グラスを一個しか籠に入れてこなかった。一旦火の前に落ち着いてしまうと、台所まで取りに戻るのは狂気の沙汰としか思えない。代わるがわる飲めばいいだろう、と意見が一致した。私はうつ伏せに長くなり、春のような空気に浴してひたすら満足であった。深紅《しんく》の衣の上で深紅の酒を味わっている野瀬さんは、たいそう異教的だ。蔦葛《つたかずら》の冠をつけて、サンドロ・ボッティチェリにでも描かせてみたい主題である。但し表情だけはレオナルドに手直ししてもらうとして……

こんなことを考えながら、いつしか気持ちよく微睡《まどろ》んでいたらしい。いきなり、まだ寝るなと野瀬さんが言って、雫の垂れる冷たい刷毛のような物で、襟足《えりあし》から背筋をさっと撫で下ろした。

びっくりして、首だけねじって後ろを見ると、いつの間に手折ったのか、オリーブの小枝をワイングラスに浸している。

「まだ目が覚めないようなら、もう一度——」

「覚めました」

「ほんと？」

野瀬さんはグラスを置いて私の背の上に屈み、滴《したた》るワインの始末を始めた。私は組んだ腕に顎を載せ、揺らめくガスの炎を眺めた。カタログの謳い文句通り、小型の暖炉の中に作り物の薪を積み重ねた精巧な人造物である。ほろ酔いの想像力を駆使すれば、炉格子の向こうに本物の薪が燃えていると錯覚するのは簡単だ。野瀬さんが軽く舌鼓を打ったのを、私は勝手に木の皮のはぜる音であると空想した。

「器がなかった頃には、こうやってワインを味わっていたのかも……」

項《うなじ》のあたりで、内緒話のような声がした。

「器のない時代には、ワインもまだありませんよ」

なるほど、と首筋に噛みつかれる。

「痛い」

「痛いようにしたんだもの——これは？」

「くすぐったい」

「じゃ、どうすればいいんだ？」

　野瀬さんにつられて私も笑った。二人ともたぶん同じことを考えていた。つまり、野瀬さんの部屋で一緒に過ごした私の誕生日の夜のことだ。野瀬さんのアプローチは繊細かつ大胆、そして今思えば、どこか微笑ましいところもあった。（当時の心境は厳粛そのもの、微笑む余裕などなかったけれど。）とりとめもない話の合間に、いろいろな所へいろいろなふうにキスをしながら、痛かったり嫌だったりしたら言うんだよ、と、お医者みたいなことも言った。その時は素面《しらふ》で頭が冴えていたので、痛くっても嫌じゃなかったらどうしましょう？と鋭い質問を出した。野瀬さんは一瞬きょとんとした――かと思うと、笑いだした。心からおかしそうに。しまいには枕に顔を埋めて、いつまでもくすくすくすくす……それで気分を損ねた私は、しばらくふくれていた。真剣に訊いたのに。

　私は健ボー症ながら、あの日のことは克明に記憶している。会話の細部《ディテール》まで逐一思い出せる。私の鼻にキスをした後、野瀬さんは、週末の外泊許可はとってあるのかと訊いた。あります、と私は答えた。

「O村に帰るつもりでしたから」

「それなら、一晩だけここをO村と思って、くつろいで行って」

O村と思えと言われても、なかなかむずかしかった。村にはないものがあれこれと目についたから。野瀬さんは私を促して二階の居室に案内した。広い部屋で、バルコニーに面した奥の間が、音楽と睡眠に充てられていた。野瀬さんはここで「学問に疲れた」頭を休め、専用シャワーでこの世の塵と憂いを洗い流して、頑是《がんぜ》ない赤児のような心と姿で美音浴をするのだ。初めて通されたその時は、夜で、雨で、カーテンが引かれていたから、実際よりもこぢんまりと、居心地のよい船室《キャビン》のように見えた。どこからか射《さ》してくる柔らかな明かりが、仄《ほの》かに照らされるものは陰翳《かげ》もまた仄かであると教えた。

野瀬さんはアンプの電源を入れ、チューナーやデッキを操作して、FMのエアチェックを始めた。

「今夜はジョー・パス特集なんだ。忘れるところだった」

息を飲むほど美しい音質で、ギターのアルペジオが流れだした。

「名演奏家《ヴィルトゥオーソ》はたくさんいるけれど、彼は特に純粋なピッキングをきかせてくれる。訛りのない弾き方とでも言うか――」

半分もわからぬながら、神妙にうなずいていると、野瀬さんはふいに言葉を切って、ベッドに腰を下ろした。じれったいような、面映ゆいような、なんともいえない奇妙な表情を浮かべて。

「だめだね。何を話しても無駄だ。いくら方角を変えようとしても、風見鶏が君の方ばかり向く」

そうして座ったまま腕を伸べて私を引き寄せ、バスローブごと抱きしめた。今ならまだ間にあうよ、と言いながら。

「今ならまだ、帰してあげられる。何事もなく。帰りたい？」

両腕を体側《たいそく》につけて棒のように抱かれていたので、身動きが不自由だった。それで、ただうつむいて、芳《かぐわ》しい髪に鼻を埋めていた。この懐かしい草花の香りは、さっき私が使った石鹸だろうか？　野瀬さんもたぶん同じものを？　胸ポケットのあたりで、絶え入るような吐息が洩れた。

「僕は夜行性だと教えただろう？　誘惑しないで」

「してません」

「してるよ」

そんなの濡衣《ぬれぎぬ》だ。濡衣は晴らさねば。きれいさっぱりと。そう思った折しも突然私のローブが、青い夜蝉の抜殻のように、さっぱりと気持ちよく脱げ落ちてしまったのであった……

「僕も、ワイン」

私の思いはO村と現在に立ち戻った。

「だめだ。これ以上飲んだら、ほんとに眠ってしまうじゃないか」

野瀬さんは私のアルコール許容量を私自身よりもよく知っていた。どのくらい飲んだらどんな反応を示すか、それもかなり正確に予測することができた。私は寝返りを打とうとした。背中が、いや体中が、温かい莢のようなもう一つの体にすっかりおおわれているので、難しい。野瀬さんの重みを支えるのは少しも嫌ではないけれど――でも今は、ワインが欲しい。

「一口だけ」

「約束だよ」

私は起きてグラスに手を伸ばした。それは最後の一杯だった。傾けた壜の中には、もう一滴も残っていなかった。野瀬さんは古代ローマの会食者みたいな格好で横になり、上目遣いに私を監視している。一口啜って、もう少し余計に飲もうとすると、早速待ったがかかった。奪われようとしたグラスを私が離すまいとしたので、互いの手がぶつかった拍子に中身がこぼれ、野瀬さんの腕や胸にも降りかかった。私はしめたと思って、さっき野瀬さんがしたように、少しばかり変則的なやり方で、溢れたワインを味わってみた。石榴《ざくろ》の実のように紅《あか》く透き徹った雫を追いかけて、唇がふと肘の手術の痕《あと》に触れた。

「まだ痛む?」

「全然。快調だよ。サファイア・ピンのおかげだ」

感謝の印、と言わんばかりに、野瀬さんは掌で私の肩胛骨を柔らかく押さえた。それから、ハープでも奏でるように、軽やかな指が背骨を素早く数えていった。少なくとも一つは、私のことを思い出してもらうよすがになるものがある。そう思うと、この頃沈みがちな気分がいくらか慰められ、私は傷跡に沿って改めてていねいに接吻した。野瀬さんは私の両の二の腕をつかみ、顔が向き合う位置まで易々と引き上げた。目が合った刹那、くるりと反転して私の上になり、

「ね、快調だろ?」

と笑った。グラスの底に残った僅かばかりのワインに指先を漬け、その指で私の唇を濡らす。なめてしまってていいのかと思っていると、だめ、と自分の唇を近づける。私はワインを一人占めしたいので、何とか接吻させまいとする。けれど最後にはつかまってしまう。天鵞絨《ビロード》の褥《しとね》の上に、時計では測れない深い時が流れる。抱きしめようとする私の腕から次第に力が抜け、まっすぐな背筋を境に、なめらかな斜面を両側へ、溶けるように滑り落ちてしまう頃、野瀬さんはようやく体を離した。

「窓を開けてもいい? 少しの間――」

私は顎の先だけで僅かに頷いた。それ以上の返事は無理だった。瞼を上げることも気疎《けうと》い。細く開《あ》いた窓から、白梅の香りを交えた夜気が、薄刃のナイフのように鋭く切り込んで来る。熱《ほて》る皮膚にはむしろ快い。草いきれのような陶酔は仄かに冷めて、浅い春の幽かな湿《しと》りが、あらけなく投げ出した四肢を潤す。季節の間《はざま》をたゆたう密やかな冷温の小揺《さゆ》らぎを、全身で感受する傍ら、私は一刻も早く野瀬さんに戻って来てほしかった。名前を呼ぼうとしたが、唇も舌も、甘い薬で

痺れたように重い。三度試みて、三度目にやっと、聞こえるくらいの声が出た。振り向いた野瀬さんは、すぐに窓を閉めようとした。

「寒くなった?」

「いいえ。でも……来て」

薄暗がりに淡い微笑みが浮かんだ。たとえ見なくても、こんな時はわかる。得も言われぬ優しさが、花の香のように闇の中を往《ゆ》き交《か》う。窓を閉ざす前に、野瀬さんは外へ身を乗り出した。

「犬が吠えたような気がしたんだけど——空耳かな?」

「ちゃんと寝てるはずだよ。目覚まし、いっぱいに巻いたもの」

「そうだね。うん、もう何も聞こえない」

野瀬さんは、しなやかに、冴えざえと研ぎ澄まされて戻って来た。私がようやくのことで持ち上げて差し伸ばす腕を、手首の所でとらえ、〝Surrender《サレンダー》 or《オア》 seduction《セダクション》 —— thy《ザイ》 snowy《スノーウィ》 hands《ハンズ》?〟(「降伏か、誘惑か——汝《な》が雪の双手《もろて》は?」)と学院祭の芝居の台詞を言った。これは私も裏方を手伝わされたのだが、月をあまりにも早く沈ませてしまったため、恋人たちが逢引《ランデヴー》きを大急ぎで切り上げて退場しなければならなかった悲劇だ。脚本は藤井さん。怪我のため本番には来られなかったが、入院中に野瀬さんと一緒にビデオを観たらしい。

「藤井さんが看護補助さんを気に入ってくれて安心した……」

私は半分独り言のつもりで呟いた。

「僕も安心した」

と、野瀬さんは笑った。

「あの調子でずっと迫り続けて、君が断り切れなくなったらどうしようかと思った。殺して死ぬ奴なら、殺してから卒業するけど」

「僕が他の人を好きになると、いや？」

「いやだね」

野瀬さんは私の髪の中に指を差し入れ、くしゃくしゃ掻き乱しながら、頭を自分の胸に引きつけた。

「君が僕以外の誰かと雪だるまを作るのも、鐘楼で望遠鏡を覗くのも、ピアノの連弾するのも、一つのグラスから交互にワインを飲むのも、いやだ。他の奴から蜂蜜を匙でなめさせてもらうなんて、言語道断だ」

「ペン先生のことを言ってるの？　あの時はただ、みんなで糸瓜《へちま》の棚を直して――」

「ヘチマがカボチャでも、いや」

「それ、まさか……嫉妬してるわけじゃないでしょう？」

「大いにしてる。僕はひどく嫉妬深いんだから」

「洌《きよい》さんが！」

　私は心から笑った。野瀬さんはすまし返っている。

「もちろん、自制しようと努めはした。風邪ひいて寝ていた日に、寮の部屋へ行っただろう？　あの後、なんだか避けられてるふうだったから、きっとすごくびっくりさせたんだと思って。でも、ペン先生と仲良くお茶を飲んでるのを見た途端に、何週間もの努力がいっぺんに水の泡だ」

「僕、ペン先生とは何でもありませんよ」

「わかってるさ。これは僕の虫みたいなもの。独占欲というバクテリアだね。潜伏期が長いから、みんな気がつかないだけ」

「僕もちっとも気がつかなかった。好きになってもらったことだって。気紛れだとばかり――」

「どうして気紛れだなんて？」

　私は古い偏見の一つを告白した。

「そんな気持ちは異性にだけ感じるものだと思ってたからです」

　何かコメントがつくかと思ったが、野瀬さんは何とも応えなかった。右手を私の頭の下に、左手は目鼻や口や頬の輪郭を細《こま》やかになぞっている。私は野瀬さんの肩に口をつけ、青い木《こ》の実の味がする皮膚に、軽く歯を当てたりしていた。やがて静かな声が、

「君は僕と同じ庭から来て、僕の大好きだった人とそっくりに微笑《わら》うんだ。異性だろうと同性だ

ろうとオットセイだろうと、好きにならないわけにはいかない」

と言った。私は、酔いの中から詩的感興がいくぶん蒸発するのを哀しんだ。

「もうちょっと——ちゃんとした生き物に喩《たと》えられませんか？」

「オットセイはナマコに負けないくらいちゃんとした動物だよ。それに、僕が君を何と呼ぼうと、気にかけちゃいけない。意味はいつも一つなんだから」

嫩枝《わかえだ》のような腕は、再び私の体を深く掻《か》い込んだ。気怠《けだる》さと幸福の二つの大きな波が、高まり、ぶつかり合い、緩やかな温かいうねりを生み、私は巻き込まれながら野瀬さんの首に両腕を絡めた。

「そう……オットセイがいやなら、しっかりつかまって。でないと、溺れるよ」

「つかまってる。でも、この感じ、よくわからない。僕たち、沈んでるのか、昇っていくのか……」

「両方さ。一番高い所と一番深い所へ二人で行くんだ。離れるな」

柔らかくもつれ合う髪に接吻を埋めながら、私たちは互いの耳の際《きわ》で夜通し囁いた。新しいことは何も言わなかった。遠い昔から繰返されてきた幾つかの優しい言葉を、私たちもまた繰返したに過ぎない。ただ一つの想いをこめて。

一〇三　猫柳《ねこやなぎ》

光に浸されるのを感じた。柔らかに漉《こ》された光だ。私は片頬を枕に押しつけてうつ向けに寝ていた。私に近々と寄り添って同じ姿勢で眠っている人がいた。微笑むように薄《うっす》らと開きかけた唇が、すぐ側にある。ほんの少し顔を動かせば触れられる所に。私たちは、互いの体に、守るように手をかけていた。

そして今、新しい一日の明るい岸辺に並んで打ち上げられた。二人して頂上《いただき》を窮め、深淵に下りて。一晩の間にとても長い旅をしたのだ。

彼も目を覚ました。瞼が微かに震え、ゆっくりと、重そうに睫毛を上げた。私が目を開けるのと前後して、彼が最初に目に映ったのは、傍らで見つめている私の顔であるはずだった。私たちはどちらからともなく微笑み、唇を寄せ、啄《ついば》むように軽く吸い合った。

「きょうもまだ一緒にいられる？」

「いられるよ」

胛《かいがね》の凹みに休んでいた手が、私の体をとらえて更に近く彼に引き寄せた。燠火《おきび》のように胸を暖めている幸福の中から、澄んだ明るい炎が活き活きと閃いた。私は恋人の顔に両手を添え、水に濡れると緩やかな捲毛になる鳶色の髪に指を絡めながら、夢のような記憶を頼りに接吻してみた。

「そんなのをどこで覚えた？」

「ここ」

「そうだっけ？」

恋人は私の拙い技巧を愉快がっているようだ。こうなると、むずかしい。もう一度と促されるほどに自信が薄れ、羞恥が募り、意気阻喪のあまり遂には出直して来ますとでも言いたい心境になる。

「もういやだ」

「怒るなよ——素敵だった」

寝返って背を向けた私を羽交《はが》いに抱いて、赦《ゆる》しがたい恋人が赦《ゆる》しを乞う。

「ほんとだよ。緑《りょく》のキスはどれも全部素敵だ。どれも、本物だから」

「キスに本物も偽物も——」

「あるんだな、それが。僕はそれを見分ける天才なんだ」

「そんなにたくさんしたの？」

恋人は私の髪の中で楽しげに笑って、答えなかった。

私たちは——途方もない努力の末に互いを引き離して——離れの住人専用の湯殿に行き、目覚ましのシャワーを浴びた。顔と体を洗い、衣服を着け、髪を乾かす過程のどこかで、恋人はいつの間にか野瀬さんに戻っていた。鏡の面《おもて》に冴え返る顔は、一点の曇りもなく澄み切っている。並んで映った私はといえば、何となく、自分が瘠せたように感じた。気のせいか、皮膚もいつもより蒼みがかって見える。野瀬さんは鏡の中で微笑《わら》いかけながら、背が伸びてきたぞ、と言った。そうかなと思っていると、突如こちらの口元を凝視《みつ》め、気づかわしげな顔つきになった。

「困ったなあ——悪いことをした！」

私も野瀬さんが見ている所に目を凝らした。上唇の中ほどに、淡い鬱血のしみができていた。

「何でもありません。痛くないもの」

痛い痛くないの問題ではない、と野瀬さんは眉をひそめた。

「おじいさんやおばあさんが見たら、心配なさるかもしれない。どうしよう？」

「気がつきませんよ。もし訊かれても平気だ。何かのはずみに自分で噛んだって言うから」

「かわいい孫に唇を噛むほどつらいことがあったなんて、思わせたくないな……」

野瀬さんはちょっと肩をすくめ、薄紫の小さな斑点を指先で軽くつついた。

犬に餌を与えに台所へ行くと、そこにはもう一組、幸せなカップルがいた。

「このお洒落《しゃれ》な人は誰だい？」

「近所の植木屋さん。どこから入ったんだろう？」

「戸を開けて真っ当に侵入したんだよ。そら、鍵を持ってる」

植木屋さんは鍵を、ゴンは目覚ましを持ち、一つの毛布で仲良く眠っていた。時計はまだチクタクと時を刻んでいる。私たちの跫音《あしおと》にゴンは薄目をあいたが、ごはんの支度ができてないのを見てとり、物ぐさにまたつむった。二度寝をしながらもドッグフードを開ける缶切りの音には絶えず耳をそばだて、私が中身を皿に移すが早いか、のっそり起き上がって植木屋さんをまたいだ。植木屋さんは毛布を体に巻きつけ、気持ちよさそうに鼾《いびき》をかき続けた。

「ゆうべ犬が吠えたのは、きっとこの人のせいだぜ！　確かに聞いたと思ったんだ」

「知り合いだから、挨拶に吠えたんでしょう。家に帰っても奥さんに入れてもらえなかったから、ここに来たのかもしれない」

「締め出されるようなことをする人なの？」

「酔っぱらって旅館に泊まる癖があるそうです」

私は茶の間から座布団を取ってきて二つに折り、植木屋さんの頭の下に入れてあげた。植木屋さんは、すまんのう嬶《かあ》ちゃん、というようなことを呟いたが、目を覚まさなかった。

ごはんがいるのはゴンだけではない。鶏と鯉は無論のこと、仏壇に居並ぶ仏様たちも、水とお茶とお供えの膳を替えてあげるのを辛抱強く待っている。野瀬さんは仏間の広さに感心した。

「これなら、仏様がみんなで、ダンス・パーティだって開けるね」

「お盆には満員で雑魚寝《ざこね》です」

私は最後の膳を用意するのに忙しかった。

「それはどこへ持って行くの？」

「氏神様――あ、しまった！　アブラゲを買うの忘れてた」

「何だい、それ？　ご神体は狐？」

「いいえ、経済上の理由から。しかたないや。きょうはローストビーフで我慢してもらおう」

氏神様への供え物を、実際に食べているのは鴉だった。（時にはゴンもお相伴しているのではないかと、私は疑っていた。）祖父母もそれは知っていたはずだ。庭のはずれまでお供えに行くのは祖母で、アブラゲを山盛りにした皿を社《やしろ》の前に置くや、急いで踵《きびす》を返す。召し上がるところを見られたら氏神様はご機嫌が悪いけぇ、と言う。そして翌朝、空っぽになった皿を見て、ああきれいにお上がり下さったと喜ぶのである。度を越して散文的な暮らしの中で考えついた、祖母のちょっとした遊びなのであった。毎日のことなので、あまり贅沢品は上げられない。ローストビーフが気に入ってグルメの氏神様になったらどうしよう、と一抹の不安がないでもなかった。

社は椿の藪《やぶ》を奥に控えた築山の中腹にあった。離れからもさほど遠くないから、氏神様は私の唯一の隣人ということになる。あ、もう花が咲くんだ、と野瀬さんが雪椿の白い蕾を指差した。蕾の向こうに、怪しい黒い獣がいた。大枝に座ってチェシャ猫のようにこちらを見下ろしているトビであった。

「きのう僕がおどかした猫？」

「そう」

「これで赦してくれないかな」

野瀬さんはローストビーフを一切れつまんで差し出した。猫は黄色い目をらんらんと燃やして、見知らぬ人間とご馳走を代わるがわる睨み据えた。野瀬さんがもう少し近寄って肉を枝の上に置いてやろうとすると、突如威嚇の唸り声を上げてその手を思い切りはたいた。落下する獲物を追って自分も飛び下り、地面に着くや着かずでぱくりと食わえ、一散に築山を駈け下って行く。野瀬さんは引っかかれた手に向かって顔をしかめながら、氏神様の呪いだ、と低く呟いた。

「見せて」

「大丈夫だよ。かすり傷だ」

右手の甲から中指の背にかけて、細い、鋭い爪跡が三列に走り、赤いものが滲《にじ》んでいた。真中の傷が一番深かった。鮮紅色の絹糸ほどの筋が、見る間に膨《ふく》らんでくる。私は咄嗟に唇を当て、鋼《はがね》の香《か》のする温かい滴《しずく》を吸いとった。心配や愛情からというより、反射的な行為だった。昨夜、焰《ほのお》に映えて輝く皮膚の上に、それこそ鮮血のようにほとばしるワインを見て、私は同じことをした。火の前にゆったりと身を横たえた人は、微笑んで、私の為すがままにさせていた。けれども今、私の唇が触れた刹那、野瀬さんは密かに息を飲んだ。傷口を吸われている手が、それとわからないくらい、優しく震えた。そして私の掌で、瀕死の小鳥のように、しなりとうなだれた。

出血は程なく止んだ。私は顔を上げた。たぶん安堵の色を見せていた私の眼差しに、愁いを露のように含んだ瞳《め》で応えたのは、蒼白く清らかな、透き徹るほど感じやすい容貌の少年であった。

「どうしたの？　もう止まったよ。ほら」

「どうもしない——ありがとう」

「僕……しちゃいけなかった？」

私は躊躇《ためら》いながら両手を引いた。隈なく満ち渡る朝の光の下《もと》では、自分のあからさまな衝動が少し気恥ずかしくなった。野瀬さんは微かに吐息して、かぶりを振った。離したばかりの手を、毀《こわ》れ物を扱うように、大切そうに口元に近づけ、私が吸っていた部分にそっと唇を当てた。

「氏神様は、僕を君に接近させたくないらしい」

「あれはトビだよ。氏神様なんかじゃない」

野瀬さんは私の肩に手をかけて引き寄せ、得体の知れない憂鬱に抗うように、やるせない微笑を浮かべた。

「流れる水を渡れば呪いが消える。この辺に川はない？」

「丘へ行く途中に一つあるけど――」

「じゃ、行こう。朝食はそこだ」

私たちはひとまず台所へ皿を置きに帰った。植木屋さんが目を覚ましていた。やっぱり締め出しを食ったらしい。鍵のしまい場所を知っていたのでつい魔がさして、と平謝りに謝る。

「構いませんよ。散歩して来る間、ゴンを見ててもらえますか？」

と頼むと、二つ返事で引き受けてくれた。きっと空腹だろうと思って、朝ごはんは戸棚にある物を何でも食べて下さいと奨めた。とんでもない！と言う植木屋さんの手は激しく断りのサインを出し、腹の虫は大声で鳴き立てた。

私たちの朝食の準備は簡単だった。離れに運び込んだバスケットを、川の堤へ移動させるだけのことだ。午前中の日差しは充分暖かく、その上、私はピクニックに最適な場所を知っていた。まだ行ってみたことはなかったが、橋を渡りきった丘の裾野に、猫柳に囲まれた小さな空地がある。誰かが林を切り拓こうと、何度か斧を入れたものの、中途で仕事を投げ出してそのまま忘れてしまったような場所だ。中が虚ろになっているに違いない太い古木が、倒れたなりに横たわっていて、夏にこちらの岸から見た時は、青々と苔におおわれたベンチのようだった。

もちろん今は、ずいぶん様子が違っていた。川は水嵩が減り、代わりに、薄々と光る風を湛《たた》えている。よく気をつけて見ると、様々な春の草に先駆けて、雀の帷子《かたびら》のかじかんだ花穂が、枯れ色の中に点々と仄かな青みを注《さ》し始めている。目の早い野瀬さんは、とある切り株の根方に、固く巻いた蕾を交えた一群《ひとむら》の白菫さえ見つけた。日向の猫柳はもう蕊《しべ》を吹いていた。私は、勢いよく伸び上がる枝をしごいて、密な銀毛に被《おお》われた卵形の花が、陽射しにいっそう輝くのを眺めた。手ざわりは、野瀬さんに貰った貂《てん》のケープにとてもよく似ていた。

「これ、〝catkin《キャットキン》〟て言うんだって、ペン先生が――」

「ドイツ語でも同じだよ。〝Kätzchen《ケッツヒェン》〟」

「なんて意味？」

「仔猫」

「猫でも引っかかかない猫だね」

「こっちも引っかかないから、いい」

と、野瀬さんは私の鼻先を人差指で弾《はじ》いた。私たちは倒木を背凭れにしてバスケットを開いた。パンにバターを塗って渡すと、野瀬さんが雛鳥の胸肉をナイフで薄く削《そ》いで、レタスと一緒にそこへ挟んだ。

いつだったか、僕は君の鼻が好きだと唐突に言われて、面食らったことがある。私の顔の造作は、鼻だけが父と違うのだそうだ。その時は、あんまり脈絡もなくそんなことを言われたのに戸惑い、どこがどう違っているのか、ろくに訊きもしなかった。私は弾かれたところを撫でながら、

「僕の鼻、父さんとどんなふうに違うと言ったの？」

と尋ねてみた。野瀬さんは、ナイフの刃先で、空中に二種類の線を描いてみせた。

「遠野先生の鼻は完全にまっすぐだった。君のは、先っぽに行くにつれて、ほんの少しだけ上向きにカーブしてるだろ？　獅子鼻とは言わないが、天辺がこう、いい感じに反《そ》ってる。生まれた時、誰かが両側から、ちょっと抓《つま》んでやったみたいに。実に小生意気《コナマイキ》な鼻だ」

「『コナマイキ』で、『いい感じ』？」

「うん」

「変なの」

「変じゃないよ」

私はチキンサンドを一つ貰って、考え込んだ。

「そんなの全部、遺伝子情報で決まるんだって？　目鼻の位置に形、髪の毛や皮膚の色も――」

「そうだね。神様の福笑いに、人間も段々参加できるようになってきたんだ」

「遺伝子工学ってどんなの？」

「細胞から取り出した遺伝子を酸素とかで処理して、また細胞内に戻す。そして遺伝的性質の変化した細胞を得る。その技術のことさ。人工的に合成した遺伝子を使う場合もある」

「具体的には、どんなことに応用できるの？」

「キャベツがブロッコリーやカリフラワーに化けるよ」

と、野瀬さんは笑った。

「これまでにない新しい生物も作り出せるかもしれない。羽の生えた豚だとか。でも、僕がいっとう関心を持ってるのは、インターフェロンみたいな応用だね。細胞内にウイルスが侵入することによって、細胞自身が一種の生体防御物質を作り出す。自然の状態では稀少な物質だ。でも、遺伝子の組み替え操作によって大量生産が可能になる。大腸菌にどんどん作らせたりして。そういった利用法に興味があるな。今に風邪の特効薬や、癌の治療薬も開発されるよ」

聞いているうちに、私は何となく胸がわくわくしてきた。風邪のワクチンができたら、雪だるまを作ったくらいで熱を出すこともない。業間体操などに頼らなくても安全に冬が越せる。バラ色の未来だ。

「僕も理系に行ってバイオをやろうかな――行けたら」

「今から勉強すればどこへだって行けるさ」

私たちは昼過ぎまで、いろいろな夢の薬や新種の動植物を発明して楽しんだ。そのうち空模様が怪しくなってきた。気温はそう下がらないから、雪でなく雨になるだろう、と野瀬さんが予想した。餌を探しに来るかもしれない小動物のために、レタスとオレンジとパン屑を木の空洞《うろ》に残して、私たちは帰路についた。

植木屋さんは、茶の間と仏間を、畳の目が光るほどていねいに掃き清めておいてくれた。私が恐縮すると、いえなに暇ですけえ、と照れ笑いをした。そして野瀬さんに、降り出さないうちに「スクーター」を納屋へ入れておいたら、と忠告した。野瀬さんは真顔で礼を述べ、速やかに愛車を移動させに行った。ゴンは台所の上がり框に自堕落に寝そべっていたが、やにわに立ち上がり、いそいそと野瀬さんの後を追った。

「あの坊ちゃんも学院さんでがんすか？」

「そうです」

「お頭《つむ》のええ人はみんな学院じゃ。一目でわかりますさぁのう」

私はちょっともじもじした。植木屋さんは人のいい笑顔をこちらへ向けて、

「しかし何ですのう、坊ちゃんは、ハァ、お父さんによう似とってですのう」

「父をご存じなんですか？」

「わしの親父もこの商売でがんしたけぇのう。ガキの頃から親父を手伝《てつど》うて、方々のお屋敷ィ回ったもんでがんした。こちらのお宅へも、よう伺いましてのう。お父さんが学院入りんさるまで

は、時々お目にかかりょうりましたわェ」

「そうですか……」

「エッと昔には、お小さいご兄弟が、子守のねえやさんと一緒にお庭で遊びょうってのを、見たことあります。仲のええ坊ちゃんがたじゃったのに、お気の毒なことでがんした」

「父には兄弟はいませんけど」

植木屋さんは怪訝な顔をした。

「お兄さんがおっちゃったでしょう？」

「いいえ——僕は知りません」

「確かにおっちゃった。早ように亡《の》うなっとってじゃけぇ、坊ちゃんはご存じのうても、おかしゅうはありませんがのう。ほれ、お仏壇にお位牌も並んどってですよ」

「どれですか？」

植木屋さんは、ちょっくら、と仏間に上がり込み、林立する位牌を右から左へ眺め渡した。やがて、この方でがんしょう、と隅っこの一基を指差した。

「〈孩子《がいし》〉いうて書いてあるんは、これだけじゃけえ」

位牌という物は、どれも立派な屋根のある台座に載って、金ピカの蝶番《ちょうつがい》や掛金《かけがね》で留まる扉などもついていて、一見（ちょっと悪趣味な）人形の家の調度のように見えなくもない。扉の内側の金枠《きんわく》の中には、読めない表札のような戒名札が納めてある。植木屋さんが指し示した一つは特に小型にできており、装飾も他のに比べておとなしく、薄墨の清楚な書体で書かれた四文字は、私にも何とか読むことができた。

『清耀孩子《セイヨウガイシ》』。

ちょうど野瀬さんが戻ってきたので、私は早速ニュースを伝えた。

「新しく親戚を見つけたんですよ」

「ふうん？　おめでとう」

「父に兄弟がいたんですって」

遠くの空で春雷が鳴った。野瀬さんは敷居際でぴたりと立ち止まった。部屋いっぱいに、巨大な翼を広げたような蒼暗《あおぐら》い影がさした。しぐれて来んうちにお暇《いとま》しましょうかのう、と植木屋さんが言った。傘を貸してあげようとしたが、遠くないからと断って、持たずに帰った。玄関で見送った後、奥さんがきょうは島へ出かけているのを知っているのかしらと、ふと気になった。

勝手口の戸締まりをするために、もう一度台所へ引き返した。ゴンが一人寂しく目覚まし時計の竜頭《りゅうず》を噛んでいた。野瀬さんの姿はなかった。茶の間にもいないので、一足先に離れへ行ったのだろうと思った。その時、閉めておいたはずの仏間の襖が細めに開いているのに気がついた。中で何やら密かな飲食の気配がする。覗いてみると、いつの間に忍び込んだのか、またしてもトビである。行燈《あんどん》の油をなめていたわけではなく、仏様のお供えの膳に顔を突っ込んで、ローストビーフをハグハグ詰め込んでいた。

「こら、トビ！　それはだめだ！」

私の叱責に驚いた猫は、仏壇に駆け上がって仏様を何体か蹴飛ばし、挙句に線香立てをひっくり返して灰だらけになりながらトンズラした。どこまでも罰当たりな奴だ。私は灰を掬って壺に戻し、新しい線香を立て、飛び散ったものは拭き取った。倒れてバラバラになった位牌は、どうにか組み立て直した。直しながら、戒名札の裏側には命日や俗名や享年が書いてあることを初めて知った。セイヨウガイシも解体して畳につっぷしていたので、拾い上げて裏を読んでみた。『昭和＊年＊月＊日／遠野　銅《あかがね》　長男、光《ひかる》／二歳』と、あった。暗示にかかりやすい我と我が性格を顧みるにつけ、父もこんな偶然をきっかけに、長田先生のことがいっそう慕わしくなったのではないかと、憐れになった。幼い頃に死に別れた兄の生まれ代わりのように思えたのであろう。

野瀬さんは思った通り離れにいた。縁側に張り出した付書院《つけしょいん》の明障子《あかりしょうじ》を開け、造り付けの文机《ふづくえ》に腰かけて庭を眺めていた。本当は座ったりしてはいけない場所なのかもしれないが、恰好の窓辺《ウィンドウシート》の席なので、私自身も頻繁に利用する。私の気配に振り向いた野瀬さんは、鶯《うぐいす》が来てる、と人差指を唇に当てた。私は跫音を忍ばせて部屋を横切り、野瀬さんに並んで息をひそめた。翼の茶がかった橄欖色《かんらんしょく》の小鳥が、梅の枝をぴょんと移るのが見えた。右に左に忙しく小首を傾《かし》げ、尾羽を打ち振り、盛んに迷っている様子である。やがて、梅の木は絵にはなるが雨宿りには不適と結論したのか、小さい口を大きく開けてキョッと鳴いたなり、築山の方へ飛んで行ってしまった。

「変な声」

と、私は遠慮なく批評した。

「あんまり鶯みたいじゃないや」

野瀬さんはもっと寛容だった。

「まだ練習中なんだろう。もう少し暖かくなったら、ちゃんと鳴けるようになるさ。今朝だって、一生懸命レッスンしてた。その声で一度目が覚めたんだ。君はまだ眠ってたよ」

突然の微笑は、野瀬さんの表情をすっかり変化させる。冷厳なほど端正な面差しに、匂うばかりの甘やかな陰影が滲む。この瞬間が私はたいそう好きであった。引かれるままに野瀬さんの膝にかけ、頭を肩に凭せながら、自分はこの瞬間、世界で一番幸福な少年であると思った。

「鶯なんか、ほんとはどうだっていいんだ」

と、鼻にキスをされる。

「君を待って、待ちくたびれて表を見たら、窓の外にいたのさ。あっちで何をぐずぐずしてた？」

「トビが悪戯《いたずら》をしたから」

「どんな?」

「仏壇荒らし。お供えを食い散らかした上に、発見したばかりの僕の伯父さんの位牌を蹴っ飛ばして行った。でも、おかげで名前がわかったけど。光《ひかる》っていうんだよ。偶然でしょう?」

「……うん」

「父さん、寂しかったと思うんだ。せっかく兄弟がいたのに。だから、よけい長田先生を好きになったんだね」

野瀬さんは懶《ものう》げな優しい手つきで私の髪を撫でていた。私は急にあることを思いつき、実行してみたくなった。

「僕のことオットセイと言ってもいいから、僕も好きなように呼んでいい? 一度だけ」

「いいよ」

こんなにすんなりいいと言われると、少し気後《きおく》れがする。私は人見知りする赤ん坊みたいに、野瀬さんの服の襟に深く顔を埋めて、聞き取れないくらいの声で「兄さん」と呟いた。

野瀬さんの指の動きが止まった。愛撫する手は、にわかに私の肩を鷲づかみにとらえた。

「知っているの?」

烈しい囁きが、私の耳を打った。

「知っていたの? ずっと——いや、そんなはずはない! 君が知っているはずは——僕にだってわからないんだから」

肩に強く食い込む指が私を怯えさせた。体を離そうとしたが、野瀬さんはそうさせなかった。立ち上がりかけた私を荒々しく引き戻し、骨も砕けんばかりに抱きしめた。軽い雨滴が、庭木や濡れ縁を打ち始めた。時雨《しぐれ》が過ぎるまで、私は不安な心もろともに、そうして抱かれていた。

一〇四　アダムと蛇《くちなは》

雨が上がると、あたりはまた冷え込んできた。私は野瀬さんにしっかり抱かれていたのに、身震いを抑えきれなかった。それで提案した。

「ね——灯《あか》りをつけようよ」

「……」

「窓を閉めて、灯りをつけて、部屋を暖かくして——ゆうべみたいに」

「ゆうべみたいに？」

野瀬さんは私の肩に顔を伏せた。

「僕、ずうっと手を握ってるよ——その方がよかったら」

と、私は慎重に申し出た。

「一人でいたければ母屋へ行くし……どんなふうにでもする。洌《きよい》さんのいいように。だから、そんなに悲しそうにしないで」

傷ついたような溜息が洩れた。

「どうしてそれほどまで底抜けに無邪気《イノセント》なことが言えるんだ？　楽園《パラダイス》にエバが来る前のアダムみたいに。僕は蛇《サーペント》なんだよ。君を堕落させているんだ。わからない？」

「僕の方がさせてるんだよ。うちに来てと誘ったのは僕なんだから」

「誘いに乗ったのは自分の責任だ。断ろうと思えば断れた。君のためを思えば、当然断るべきだったのに」

「きのうこの部屋に入った時、最初にキスをしたのは僕でしょう？　あの——百回目の。だから
やっぱり、僕がいけないんだ」

「そんなことはない。悪いのはこっちだ」

「違う。絶対、こっち！」

「いい役を独り占めする気？」

「そっちこそ」

くすっと小さい笑い声が弾《はじ》けた。私はほっとした。エデンの蛇はなかなかむずかしい。『黄金《きん》の鵞鳥《ガチョウ》』のお姫様のように、どんなことをしても笑ってくれない時だってある。笛吹けど容易に踊らぬ気質《テンペラメント》を、私のように未熟な蛇使いが手なずけようとすること自体、ギャンブルであり冒険なのだ。顔を上げたサーペントは、蒼白い頬の真中に、淡《うす》バラ色の丸い痕《リング》をつけていた。私の着ているスエードの上衣には、肩にも袖にも胸ポケットにも、飾り鋲がふんだんにあしらってあるのだ。こんな物騒なものは脱いでくれないと顔が穴だらけになる、と、器用な指がボタンを次々にはずしていった。その下には灰色霜降り《グレイヘザー》のシェットランド・セーターを着ていたのだが、狼みたいで恐いからとこれも剥《は》がれた。私はヒーターの炎を強めた。室温が適度に上昇するまで、業間体操をやっていても差し支えない恰好《なり》であったが、二人とも至極怠慢に、互いの腕の中に戻ることにした。

「さっき、何をあんなにびっくりしたの？」

と、私は尋ねた。

「知ってるはずないって——何のこと？」

野瀬さんは私をじっと見つめた。

「ここで、『何でもない』と言うのは簡単だ。『あれは一時的な精神錯乱だった』と言うのも簡単だ。でも、君は信用してくれないだろうね？」

「うん、しない。ほんとうのことを言って」

「君が見つけたお位牌は、身代わりなんだよ」

「何の——誰の？」

「つまり、ああやって死んだことにして、厄を払ったんだ」

「じゃ、生きてるの？」

「生きてるどころじゃない。タバコは吸うは、深酒はするは、外車は乗り回すは——市内の往診には概ねローヴァーやメルセデスを使うが、ガレージにはアルファロメオまで隠し持っているんだ——雨の日でも合羽《カッパ》を着てゴルフの練習に出かけるは」

「それ、まるで——」

「そうなんだ。偶然なんかじゃない」

「だけど、年齢が……植木屋さんは確か、『お兄さん』て言ったよ」

「先に出たというだけのことさ。二卵性双生児なんだ」

私はしきりに瞬《まばた》きした。どこかで聞いたような話だ。厄払い、御祓い、神主さん、双生児《ふたご》、天使のお告げ、養子縁組み、等々の単語が、神経衰弱《ベイシエンス》を始める前にかき回すカードのように、脳の中で錯綜した。

「長田先生はそれじゃ、遠野光だったの、本当は？」

「二歳になるまではね」

双生児を生んだ後、母親の産後の肥立ちは目だって悪かった。一年以上も寝たり起きたり、完全に床上げのできない状態が続いた。一時は衰弱がひどくて絶望視されたこともあった。村長の奥さんのこととて、素朴な村人たちは我がことのように心配し、とある高名な、霊感豊富と評判の神官を招いて祈禱を頼んだ。幼い兄弟の父、銅《あかがね》は、臨済宗《りんざい》に帰依していたにもかかわらず、村民の厚意を無にしたくなかったので、ひとまず神道の介入を黙認した。神官は遠野邸の離れに泊まったその夜に、早速役に立つ夢を見て自分の有能さを実証した。双頭の鷹が愛らしい小蛇を頭と尾先と両端から引っ張りあっている。この蛇が奥様、鷹は二人のお子様方でございます、と神官は宣言した。騙されたと思って坊ちゃんの一人をしばらくよそへやってごらんなさい、と言われ、半信半疑で親戚に預けてみると、村長夫人の病は嘘のようにケロリと治った。ところが、もうよかろうと預けた子を連れ戻したとたんに、自律神経がまたもや乱調をきたした。神官が呼び返された。そして、これはお子様方ご自身が悪いのではなく、双生児を忌む神様のせいです、と請け合ってくれた。

寛永*年の大飢饉の折に、村の子供の大半を京阪地方へ売りとばさねば親が食ってゆけないという悲惨な事態が持ち上がり、遠野家でも双生児の一人を供出しなくてはならなかった。そのため母親は狂い死にして鬼と化し、いづれの御時にか氏神様と合体して、遠野家に生まれる兄弟は必ず別れ別れに暮らさねばならぬという呪いをかけたのだった。とにかくお一人を養子に出されるのが賢明でございましょう、と神官は提案した。その後、仮のお位牌を立てて十年間ご兄弟を相まみえさせずに育てることができれば神様の気が鎮まりまする、と。

父母は泣く泣く異教（神道）の託宣に従った。十年経てば会うことぐらいは許されるのだからと、あまり遠隔地へ里子に出すことはしなかった。実際、養家は目と鼻の先と言ってもよかった。戸籍謄本の住所が郡から市に格上げされただけだ。けれど十年間は、残された弟が兄を慕ってこっそり訪ねたりするといけないので、内外に厳重に秘密が守られた。そして十年、双生児は創立ホヤホヤの鶴島学院第一期生として、漆喰《しっくい》の香も新しいチャペルで再会したのである。

長田家の養父母はすこぶるつきの親切夫婦だったので、光は忠犬ハチ公のように一途な心で、僕のお父様お母様はこの人たちだけだと無理矢理思い込んだ。自分をイヌコロの如くよそへやってしまった実の両親と、生家に残された弟に対しては、言いがたい疎《うと》ましさを覚えぬでもなく、ために入学当初は努めてよそよそしく、物陰から見つめる内気な視線などを感じても、銀《しろがね》のことは強《し》いて無視していた。しかしある日、無視できない事態が起こった。鶴江の電停で弟が工大付属の一連隊に囲まれ、インネンをつけられている。鶴島県立工業大学及びその付属高等学校は、鶴島学院よりはるかに歴史が古い。新興エリート校である学院の生徒は立っているだけで目ざわりな存在だった。光は工大付属と弟の間に割って入り、結果的にはしたたか殴られたけれども、ムラオカ商店の先代の店主が店員を連れて助っ人に参じてくれたおかげでカタワにならずにすんだ。遠野銀が深く感謝したのは言うまでもない。

いったん氷が解けると、二人は稀に見るこまやかな友情で結ばれた。ピアノの練習音を嫌う父が家で習わせてくれないので、銀は時々、ハノンやソナチネの教本を抱えて長田家に赴き、レッスンをさせてもらった。先代のドクトル長田は名望ある内科医であった。光が医者になろうと思ったのはごく自然な成り行きで、その光の影響を受けて銀もまた医学の道を志した。初めは二人揃って東京のK大に通っていたが、医学部五年生の時、長田のお父様が心筋梗塞で卒去した。義理のお姉様方は皆、県外へお嫁に行っている。忠犬ハチ公はお母様ひとり寂しく暮らさせるに忍びず、急遽鶴大に入り直して医学博士号はここで取った。僅か数年とはいえ、いっぱしのK大ボーイを気取っていた頃のせめてもの形見が、アルファロメオと標準語である。

「——というのが僕の想像なんだが、さて事実はそれほど単純なものかどうか」

と、野瀬さんは話を結んだ。随所で相槌を打ったり、そうだったのか！と感嘆したり、想像が佳境に入ると——銀がムラオカ商店前で工大付属にからまれるシーン——両手を揉みしぼらんばかりに心配してしまった私は、いい面《ツラ》の皮であったが、初めてのことではなし、腹も立たなかった。

（こんなのをホレた弱みというのか？）

野瀬さんは、必ずしも人をかつぐつもりでこんな話を聞かせるのではない。自分の立てた仮説を包み隠さず開陳してくれるだけだ。仮説を公にしてはいけないというなら、それで飯を食っている研究者たち、科学者、数学者、気象予報士らは、こぞって路頭に迷う。君の仮説も聞きたいと所望されたが、私は即興的作話が苦手だ。

「ざっくばらんにきいてみたらどうでしょう、僕の祖母にでも?」

たとえ野瀬さんが物語ったような数奇なドラマが、事実過去にあったとしても、祖母ならばとっくに悲劇を克服しているに違いない。その証拠に、鬼になってないもの。

「長田先生にじきじきにお尋ねするよりは——あっ、そう言えば、先生は学院時代、時々このうちへ来られたそうですよ! クリスマスの習慣も正確にご存じだった」

「そこなんだよ。単なる友人として遊びに来たんだろうか? 里帰りだと言ってなかった?」

「いえ、別に」

〈出生の秘密〉は普通一つでたくさんだ。あんまりクドクドと重なると、しまいには面倒臭くなって、そんなに大騒ぎすることでもないような気がしてくる。長田光と遠野銀が実の兄弟だとすれば、野瀬さんと私の間にも自動的に血縁関係が成立するが、それは私にとって喜ばしいことでこそあれ、迷惑なんかではない。野瀬さんは、どうしてあんなむずかしい顔しているのだろう?

「僕がいとこだと、何か不都合があるんですか?」

「いとこ？　ああ！　いや、まさか。不都合なんかあるわけが――」

「じゃあ、なぜそんな、困った顔をするの？」

「困ってはいないけど……長田光の気質体質のことを、ちょっと考えていたんだ。ね、彼は君に、確かにＡＩＨだと請け合ったんだね？」

「僕の生まれ方のこと？　ええ、そうおっしゃいました。ドナーは要らなかったはずだ、ＡＩＨだ、って」

「長田光はオリゴスペルミアなんだ」

「オリ・ゴスペル・ミア？」

「そして遠野先生は、そうじゃなかった」

野瀬さんが三年生になって間もない昨年の四月、長田先生に誘われて、鶴万川上流の桜堤へ白ワインを提《さ》げて花見に出かけた。春宵一刻値千金。ほろ酔いで舌の滑りがよくなった先生は、野瀬さんの進路の話などして北大の理Ⅲ志望と聞かされると、そうか、いいぞ、遺伝学を修めてノーベル賞を狙え、と激励してくれた。「でなければ優秀な医者になって、俺のような男の結婚生活に光明をもたらしてくれてもいい」と、おっしゃる。

聞けば先生は「オリゴスペルミア（精子減少症）」。先天性なのか、オタフクカゼのせいか、中二の時、ツール・ド・フランスに出るつもりで自転車の過激なトレーニングに励んだためか、それはわからない。Ｋ大の同窓生であった先妻は不妊治療のスペシャリストで、あるかなきかのスペルマを遠心分離器にかけたり、活きのいいヤツだけを選り出したりするのはお手のもの。「じんこうじゅせい」に柳眉《りゅうび》を逆立てた私の小学校時代の先生と違って、ＡＩなんか屁のカッパの偉い女医さんであったから、幸《みゆき》さんが至れり尽くせりの計画分娩でちゃっかり生まれたのに不思議はない。だが、野瀬さんとなると話は別だ。自然のプロセスを経て野瀬さんが懐胎され、分娩されたのは、ジャンボ宝籤で一等賞に当たったくらい珍しく、めでたいことであった。

「僕なりに気をつかって、あまり深く立ち入らなかったけど」

と、野瀬さんは言った。

「長田光はオリゴスペルミアの上、その気になれば、人をかつぐのがベラボーにうまいんだ」

「両方とも遺伝すると思いますか？」

と、私はつい訊いてしまった。（野瀬さんが心底ギョッとした顔を見たのはこの時だけである。）

「おお、言ってくれるじゃないか！　君がそんなに辛辣《しんらつ》になれるなんて、意外だ」

学術的好奇心というやつです、と言って私はお詫び（の、kiss）をした。

「長田先生とふたごだとしたら、父だって同じ体質だったかもしれませんよ。そうか、僕のことタカラモノと言ってたのは、きっとそのせいなんだ！　オーストラリア周遊旅行かなんか当選した気分だったんだろうなあ……」

野瀬さんはまだいくぶん眉をくもらせたまま、それは福引き、と悩ましげに囁いてキスを返した。

「かつぎじょうずでオリゴスペルミアだと、どうなるんですか?」

「僕が光の息子だというのは、まっかな嘘かもしれない」

「そんな!」

「前にも言っただろう? 僕は遠野先生が大好きだった。母が間違いをした相手が、いっそ遠野先生だったらよかったのに、と理不尽なことを願ったくらい」

なるほど、そういうことか。遅まきながら、困り顔の理由が読めてきた。

「君には悪いけどね、僕はこのごろ、先生こそ真実僕のお父さんで、長田光は愛する弟のために、少々マヌケなヨセフの役を演じてるだけなんじゃないかと、本気で疑ってしまうんだ」

「何の根拠もなく?」

「根拠はある」

今は昔、長田富美子さんが鳶《とび》ノ橋産婦人科に入院していた頃、野瀬さんは長田先生のメッセンジャー・ボーイを務めるかたわら、詰所の看護婦さんから「将来役に立つかもしれんけえね」と前置きされて、頼みもせぬ貴重な情報をあれこれ教えてもらった。その中に、「中絶《アウス》」をするなら妊娠何週までに、という決まりもあった。

「いつか遠野先生に、先生が中絶反対のカトリック教徒でよかった、そうでなければ僕は生まれていないんですね、と言ったことがある。先生は、いずれにせよもう遅すぎたからとおっしゃった。どういうことだろう？　僕の両親が先生にお願いに行ったのは五月のことだよ。その時点で既に妊娠二ヶ月めに入っていたってこと？　なのに、僕が生まれたのは翌年の五月。リチャード三世の伝説じゃあるまいし、いくらなんでもそんなに長いこと母の胎内にいすわっていたなんてことがあるだろうか？　しかも、出してみたら体重不足の未熟児だったそうなのに」

母子手帳の記載ミスかとも考えた。だが、記載データの提供元は他ならぬ遠野先生である。出生期日を何週間もずらして平気な顔を決め込む人ではない（と、野瀬さんは信じていた）。お母さんに直接問いただすことも憚られた。（「長田光や遠野先生の他に第三の男が登場したりしたら、もう収拾がつかなくなりそうで」）。という次第で、一応これまでどおり長田先生を実父として承認してはいるものの、心の奥底では何かスッキリしない状態で、この数ヶ月を過ごしてきたのだという。

「このまま迷宮入りで高校生活を終えるのは残念だ」

と、野瀬さんは嘆息した。

「三月までには真相を突き止めて、晴ればれと卒業したかったのに」

これを聞いて、私は密かに決心した。よろしい、真相究明を卒業の餞《はなむけ》としよう。真実を知りたい気持ちは私も同じだ。たとえその結果が、幼時この方営々と築き上げてきた父の白無垢のイメージを、一変させることになっても。

私は野瀬さんの手を取って懇《ねんご》ろに打ち眺めた。この皮膚も、骨も、筋肉も、神経繊維も、そして体の中を春の小川のようにさらさらと温かくめぐる血液も、もしかすると自分と同じ素材《マテリアル》から作られたのかもしれない——そう思うとなぜかしら胸ときめいて、こちらまで血行促進されてくるようだ。

体の芯がホカホカいい具合に赤熱してきたので、くつろぎながらも私は何かアクティヴな気分になってきた。野瀬さんも、ちょっとストレッチくらいしたいかもしれない。窓辺の席に腰かけた膝に私がずっと載っていたから、しびれでも切れているとかわいそうだ。

兄かもしれぬ人の首筋に心地よく頬をくっつけて、ものぐさに目をつむったままで訊いてみた。

「業間体操しましょうか?」

「いや、それよりもっと素敵なことをしよう」

一〇五　沈丁花《ぢんちゃうげ》

父が生きてさえいたならば、本人に訊くのが一番早道なのに、と歯痒く思う一方、質問の順番で苦労することは目に見えていた。

「オ父サント長田先生ハ兄弟ナノ？

洌《キヨイ》サンノオ父サンハ長田先生ジャナイノ？

オ父サンハ、オ兄サンカモシレナイ長田先生ノがーるふれんどト不倫ヲシタノ？

洌サンヲ作ッタノハオ父サンナノ？」

大混乱だ。イエスさまにはお父さんがふたりいるのか、かみさまはヨセフではないのかと父を問い詰めた時よりも始末が悪い。第一私は、もはや公園の滑り台でキャッキャッとはしゃいだくらいでごまかされる年齢ではないのだ。納得のゆく答をもらうまでは、断じて退《ひ》かぬ覚悟である。

と、果たし合いに臨むような一方的真剣さでもって密会《ランデヴー》を申し込んだ相手は、結局、長田光先生であった。

何も秘密の会見に仕立てる必要はなかったのだが、北大の入試を明日に控え、野瀬さんは既に札幌へ飛んでいた。近日中にお伺いしてもよろしいでしょうかとオサダ内科へ電話を入れた際、きょうにでも来てくれてかまわないが、冽は週末まで戻らないと言われた。

「はい、それは知ってます。僕、先生にお会いしたいんです。できれば他に人のいないところで──」

「そいつは嬉しい。私もまだ捨てたもんじゃないな。診療所の方の玄関をあけておこう。夕方七時以降なら、いつ来てくれてもいいよ」

私が七時十分頃に行くと、先生は待合室でテレビを観ていた。ニュースと気象情報をやっていた。

「札幌は積雪三十センチ。これから夜半にかけてもっと降るそうだ。この分では、試験会場まで犬橇でも雇わないと」

ニコニコ顔のハスキーやマラミュートがキャンパスいっぱいに喜び駆け回っては、騒々しくて試験どころではあるまい。私は野瀬さんにはできるだけ整った環境で受験させてあげたかったので、てるてる坊主で雪がやむものなら夜なべしてでも作るのに、と思った。

「さて、どこか具合でも悪いの？　電話では風邪声でもなかったようだが」

「体のことじゃないんです。実は、折入ってお話ししたいことが……」

「冽のいない時に？」

「はい」

「灯《あか》りを消してなんて言わないでくれよ」

灯りはこのままで上等ですと保証してから、私はまず〈清耀孩子《せいようがいし》〉の位牌発見の顚末《てんまつ》を物語った。

「冽さんは、先生と遠野光が同一人物だと以前から思っていたと言うんです」

「ちょっと待った。あいつは一体なんでそんなお位牌のことなんか知っていたんだ？　君だって、猫が蹴っとばすまでは知らなかったんだろう？」

「卒業アルバムです」

鶴島学院第一期生の卒業記念アルバムは、初回ということもあり、写したものはどれもこれも一斉に掲載しなければ気がすまぬというアマチュア特有の完全主義がたたって、〈質より量〉の編集方針であったことは明白である。見開き両ページに渡って千コマぐらいのミニミニ・スナップショットをぎゅう詰めにした《想ひ出ぐさ》という恐るべきコーナーも設けてあった。キャプションを入れる余地などないから、撮影時の状況を把握したい者は、豆粒のような被写体をいちいちルーペで拡大して想ひ出さねばならない。野瀬さんはある時、留守居の徒然にルーペを使ってみた。鶴島に越して来て間もない梅雨時分のことである。このスナップ集の中にも、懐かしい遠野先生の顔があるかと思って。すると、あるわあるわ！　折詰弁当を食っているもの(鶴鷹山《つるたかやま》登頂)、飴湯《あめゆ》をすすっているもの(寒中水泳)、矢絣《やがすり》に春ショールをまとって簪《かんざし》をさしているもの(仮装行列)、長田光と頭を突き合わせて熱心にプラモデルを組み立てているもの……プラモデル？　いや、違うぞ。吹けば飛ぶようにかわいらしい中にも、何やら厳かなこのカタチは——

「ああ、そうか、思い出したよ！」

と、長田先生は手を打って笑った。

「昭和＊年にかなり大きな地震があったんだ。O村の銀《しろがね》くんの家では、仏壇と鶏小屋《とりごや》が全壊した。お位牌も、大半は見るかげもなくなって新調されたと思うが、中には直せそうなのもあった。銀くんは破片を一つ一つ几帳面《きちょうめん》に拾って、学院の風呂敷に包んでうちまで持ってきた。私はその頃、模型飛行機やモデルシップの製作に凝っていて、道具も接着剤も豊富にとり揃えていたから。中で一番破損がひどくて、それだけに直しがいがあったのが、そうそう、セイヨウガイシさんだった。今回、猫に踏まれても木端微塵《コッパミジン》にならなかったとは、我ながらいい仕事をしたものだ。帰ったらお位牌をよく見たまえ。こまかいヒビを継いだところがいっぱいあるはずだよ」

野瀬さんの寛永の飢饉説と長田先生の昭和の地震説。さて、どっちを信用したものか？

「我々があんまり一途に仏様の修復作業に打ち込む姿が美しいと言って、当時の家庭教師が写真を何枚も撮ってくれた。ついでのことに、修復前《ビフォー》と修復後《アフター》のお位牌の姿も記念に写した。セイヨウガイシなんか、戒名札の裏表までクローズアップで」

「それです!」

と、私は言った。

「洌さんが見つけたのはその記念写真です。戒名札の表に〈清耀孩子〉、裏に〈遠野光、二歳〉と書いてあるのを」

「何でもいいから写真を持ってこいとアルバム委員に言われて、ネガごと渡しちまったんだなあ」

私は寛永の飢饉説を繰返し、実際こんな事情だったのですかと尋ねた。長田先生はキャメルをふかしながら索然《さくぜん》と耳を傾けてくれたものの、質問には「否《ノー》」と答えた。

「そっちの光さんは、ええと、たしか、赤痢で亡くなったんだ。銀くんもいっしょにかかったんだけど、彼は全治した。ふたりで青梅かなんか拾って食ったとかで……」

「名前が同じなのは偶然ですか?」

「とあるアーティストに責任がなくもない」

鶴島出身の「宇治名光《うじなひかる》」という青年演歌歌手が日本全国で大ブレイクしていた時代であった。長田先生や私の父が生まれた年の前後、県内で誕生した男児の名前で「光」は三年連続上位三位以内にランクされたという。

ちなみに女児のトップ3は、と言いかける先生を丁重に遮り、私は今一つの謎を持ち出した。野瀬さんの出生日のミステリーだ。

「お母さんのおなかの中に一年以上も滞在したはずがないって、冽さんは言ってます」

「ないだろうねえ……」

と、先生は天井を見上げて、煙の輪っかを二つ三つ吹き上げた。

「ちょっとドライブしないか?」

唐突なお誘いだ。別に断わる理由もないけれど。

「あったかい夜だし、月も出ているし」

そんなことを言いながら、先生は冗談でなく電灯を消し、私を連れて表へ出た。庭の裏手に回って行く。ダンディとレイディは家の中に入れてもらっているのか、犬舎は真っ暗に静まり返っていた。

ガレージの少し手前で先生は立ち止まった。沈丁花《じんちょうげ》の香る薄青闇《うすあおやみ》に、早春の月をスポットライトのように浴びて、白いアルファロメオが端然と待ち受けていた。先生は助手席のドアを開けて「どうぞ」というジェスチャーをした。私は高価で下品な赤車《アカグルマ》よりも、リピッツァーナーのようにきりりと締まった白のアルファロメオに魅かれる。上月くんが教室に持ってきたオート・マガジンやスパイ映画の中でしか拝んだことのないこのクルマに、よもや本当に乗ることができようとは！

「最後に隣に乗せて走った人は銀くんなんだよ」

と言いながら、先生はカー・ラジオをＯＮにした。

「きょう君が会いに来てくれるというので、久々に車庫から出してみた」

では、計画的だったのか。月夜のドライブへの招待は。（折しもラジオからは《甘い罠》を歌うロビン・ザンダーの声。）発進前に長田先生が幌をかけたので、そこはかとない花の香りもろとも、私は閉じ込められた。

月光を頼りに裏門を出て、車は川沿いのまっすぐな舗装道路をアウトバーンさながらにひた走った。覆面パトカーが追いかけて来ませんようにと祈る反面、このスピードとこのナンバー（《Clock Strikes Ten《こんやはかえさない》》）でカー・チェイスをやったら、さぞ痛快であろうとワクワクしてきた。

やがて、一列に並んだ芽柳《めやなぎ》の影と蒼ざめたハイウェイが途絶え、川幅が狭まって道もだんだん細くなり、せせらぎのほとりで朧《おぼ》ろに煙《けぶ》る榛《はんのき》の林に入った。対向車とやっとすれ違えるか違えないかという急坂をぐるぐる上って丘の頂きに停車。木立に縁取られた弓状台地にオープンエアの展望台がある。長田先生がラジオをＦＭに合わせると、ピアノとチェロの合奏曲がしっとりと流れ出した。

「おお、懐かしい」

と、先生は嬉しそうである。

「ヴァン・ヒューゼンの《水玉模様《ポルカドット》と月明かり》。高田馬場《たかだのばば》のジャズ喫茶でバンドのアルバイトをしていた頃、いつも閉店のお知らせに演奏した曲だ」

「バンドって、まさか、父もいっしょに？」

「もちろん」

「ジャズ・ピアノが弾けたなんて、知りませんでした」

「即興《インプロ》が得意だったよ。素敵にワイルドでね。あの頃のお父さんは、野に咲く花のように身なりにかまわない人だった。風呂は大好きで、いつもそこはかとない石鹸の香りなんか漂わせていたけど。ジャム・セッションの最中に、ダブダブのTシャツが半分脱げちまったり、つくろい忘れたジーンズの穴がきわどい位置までズッてきたりするたびに、最前列の聴衆が総立ちになったものだ。まったくゴージャスだった！　キース・ジャレットなんか、学生時代の銀くんに比べたら、まるで花嫁修業のお嬢さんピアノだ」

　実の親といえども、知られざる過去があるものだ。私の記憶には、ブラームスの中でも一段と地味な曲を、コツコツと弾き込んでいた姿ぐらいしか残っていないのに。長田先生と私は、それぞれの感慨を胸に、しばらく黙って音楽を鑑賞した。

「遠野くん、ラブレター書いたことある？」

ピアノ・ソロの途中に、こんな質問が入った。

「貰ったことがあるのは間違いないと思うが、君の方から書いて出したことは?」

ありません、と私は答えた。野瀬さんはいつでも比較的身近な、触れようと思えば届く範囲にいたから、わざわざ拙文で愛情表現したいという気は起こらなかった。

「私はあるよ。一度だけ。結局、出さなかったけど」

と、長田先生。

「銀くんに書いたんだ。渡せずじまいで亡くなってしまった」

何も言えない。

「世の中には、活字ではお目にかかっても、自分ではなかなか口にすることのない表現が結構あるね」

私にもある。(「ごっつぁんです」、「ボチボチでんな」、「いやはやこれはまた」、など。)

「君に渡しておいてもいいかな? お父さんの代わりに読んでくれる?」

「僕でよければ……」

先生はグラヴ・コンパートメントを開けて細長いブルーの封筒を取り出した。

「ずっとここにしまっておいた。もう十年以上になる」

ちょっと外で煙草を吸ってくるから、と先生は車を降りた。甘く切ない春の旋律《しらべ》がゆるやかに満ち引きする車内には、花の残り香と古い手紙と私だけが残された。

〔長田先生の手紙〕

『拝啓　鶴鷹山《つるたかやま》の紅葉《モミジ》も日に日に鮮やかになり朝夕めっきり肌寒くなってきたこのごろだ。ブタクサ花粉症は快癒したかね？

さんざん世話になっておきながら何ヶ月もご無沙汰してすまない。ご恵送頂いた麻布十番狸センベイの礼状も出さず失礼した。実は九月の連休にひそかに上京して、エーファと遭ったのだ。その節、今度は本当に子供ができそうだと聞かされた。相手は誰かと訊くに、笑って〈Der《デア》 heilige《ハイリゲ》 Geist《ガイスト》〉即ち、〈聖霊《ホウリー・スピリット》〉だと言うではないか。俺は本気で心配した。初めのが想像妊娠と判明したショックで、遂に本格的におかしくなったかと思って。しかしどうも、そんなわけではなさそうだ。

正直に言ってほしい。本当の相手は誰なのだ？　君ならば知っているはずだ。俺は秋分の日この方、寝ても覚めてもホウリー・スピリット氏のことばかり考えてきた。エーファは年は若いが、誰にでもなつくタイプの女性ではない。よっぽど気に入って信頼した男でなければ――と俺が言うのも甚だ foolish《フーリッシュ》だが――子供を生んでやるはずはない。そして、彼女が現在そこまで惚れ込んでいるであろう男といえば、俺にはこの世でただ一人しか心当たりがない。この人物がホウリー・スピリット氏である場合に限り、俺は彼女を祝福できる。なんとなれば、俺自身そのひとを長年深く深く慕い、敬い、absolute《アブソリュート》且つinfinite《インフィニット》に信じてきたからだ。従って、彼女が彼を愛する心情は、ほぼ完璧に理解できるつもりだ。

九月の逢瀬の別れ際、老婆心ながらエーファに一つの提案をした。聖霊は実体を持たぬから子育てには不向きかもしれない。及ばずながら俺が協力してはいけないか、と。彼女が身ごもったと想像した赤ん坊の代わりに、俺が少なくとも経済的援助をして成人するまで面倒をみたい。事情が許せば、将来は子供を手元に引き取ることも可能かと思う。(但しエーファの気持ちはすでに俺から離れているので、今更一緒に住んではくれまい。)

俺がそんなあらずもがなのsuggestion《サヂエスチヨン》を出したのは、ひとえに聖霊側の事情を慮ってのことだ。聖霊といえども所帯持ちかもしれぬ。エーファの懐妊によって、その所帯に波風が立つやもしれぬ。そんな不幸があってはならない。俺の申し出を受けてくれるように、どうかエーファを説得してくれ。俺の最愛のふたりの人物がマリアとホウリー・スピリットなのだったら、俺は喜んでヨセフの役を務めたいと思う。時節柄くれぐれも体をだいじに鼻風邪などひかぬようお祈り申し上げる。　　敬具

長田 光

昭和＊年＊月＊日

遠野銀殿
P.S. Ich《イッヒ》 liebe《リーベ》 Dich《ディッヒ》!』

私は手紙を三度読み返した。ずいぶん回りくどいけれど、やっぱりラブレターなのだ。P.S.の一言を伝えるために、何行、いや何年もの回り道をして、とうとう伝えられずに終わった不発の恋文。

私は窓ガラスの向こうの木立に差出人を探した。花咲きそめた榛《はんのき》にもたれ、キャメル片手に月を仰ぐ姿の足元に、すらりと瘠せた影法師が寄り添っていた。

一〇六　聖霊《ホウリー・スピリット》

思いがけないことには、《ポルカドットと月明かり》の余韻さめやらぬ三秒後、《トルコ行進曲》が始まった。ピアノで演奏されるという以外に、共通点は何も見えない。私は時々不思議に思うのだが、こうしたメドレー形式の音楽番組を構成する時、担当者は一体何を根拠に曲順を決定するのだろうか？　（青木くんの証言によれば、彼は深夜放送を聴きながらの試験勉強中、イギリスは10cc《テン・シーシー》の《I'm Not in Love《アイム・ノット・イン・ラブ》》の直後に《秋田十八番《あきたおばこ》》がかかったのを目撃いや耳撃した経験さえあるそうだ。）

ともあれ《トルコ行進曲》ではオチオチ春愁にひたることもできないので、私は音量を最小に絞って車外に避難し、影《シルエット》に劣らずすんなりと淋しげに立っている人に合流した。長田先生はちょうど一本吸い終えたところで、新しいのを箱から出そうとしていた。

「青春というのは――」

と、くわえタバコの口元にほろ苦い微笑がちらつく。

「青春時代というのは、一日一日が――」

と言いかけて、タバコに火をつけるためにちょっと黙った。「かけがえのない」、「二度と帰らぬ」、「黄金の日々」など、胸に迫る言葉が続くことを期待して、私は殊勝に頭《こうべ》を垂れた。それで、一日一日が四月馬鹿みたいなものだ、という結論が出た時には、少なからずうろたえた。

「『青春時代は毎日がエイプリル・フールの連続だ』――そうおっしゃったんですか？」

「そう」

いやはやこれはまた。

「冽《きよい》のような若者と恋仲になった人には、その感もひとしおじゃないのかな？」

図星を指されて「Yes《はい》」も「No《いいえ》」もなく、私は黙ってドギマギしていた。

「その手紙がお父さんの目に触れなかったのは、もっけの幸いだ。私は昔から、銀《しろがね》くんの前でずいぶんバカをさらしてきたけど、そこまでバカだということを思い知らされていたなら、彼は死んでも死にきれなかったろう。きっと化けて出て、自分とエーファ＝マリアの名誉のために、私に決闘ぐらい申し込みかねない」

「あのう、想像妊娠というのは――？」

「最初のやつはそうだったんだ」

と、先生は軽く頷いた。

「エーファはそれで気が抜けて熱を出して入院してしまった。まだ上智大学《ソフィア》の留学生の身分だったから、私は銀くんに彼女をよろしく頼んで鶴島へ帰った」

「あのでも、おかしいじゃありませんか。だったら、どうして実際に洌さんが生まれたんです？」

「バカの手紙に書いてあったろ？　ホウリー・スピリットの仕業だよ。ただし、その正体は、バカが思い込んでいたような月並みなものではなかった」

遠野銀とエーファ＝マリア・フォン・なにがしは、たいそう親密になった。といっても、通りいっぺんの男女の仲というよりは、人生の同じ学派に属し、同じ哲学の小道を連れ立ってそぞろ歩く同志のような絆が芽生えたのである。自分でも妻との間に子供を切望していた時期の銀であったから、エーファの象徴的"Child loss《チャイルドロス》"に対する同情は、ことのほか真摯で深かった。つい、IVF（体外授精）の研究のことまで打ち明けてしまった。エーファの心に、ワイマール公国の御殿医をつとめ、ゲーテとも知遇のあった先祖の血が目覚めた。私がボランティア一号になってはいけないでしょうか、と卵子提供（並びに九ヶ月間の子宮貸与）を申し出た。

銀は、旧知の犬屋とドイツの某地方都市の動物園々長の密かな協力を得て、動物実験の段階では、前人未到の高率で、イヌでもサルでも既に成功をおさめていた。しかしこんなに早くヒトの志願者が出現するとは期待していなかった。千載一遇のチャンスだ。とはいうものの……

「精子の〈D《ドナー》〉を誰にするかという最大の難関があった」

と、長田先生は言った。

「銀くんにはカナダに二人、オランダとスコットランドにそれぞれ一人ずつの共同研究者がいただけで、いわば小人数の秘密結社みたいに進めてきた研究だ。大学にも内容を全て報告していたわけじゃない。途中でうっかり嫉妬深い同僚なんかに知られて、足を引っ張られでもしたら困るしね。もちろん、まだ法律も整備されていなかったし、倫理的にはきわめてデリケートな問題だから、場合によっては大学からの除籍、医師免許剥奪、そして永久に研究者生命を断たれてしまう。非常に口の堅い〈D〉でなければいけなかった。いや、むしろ、口なんかない方がよかった」

話が何だかサスペンス調になってきて、背筋に快い寒気が走った。

「自給自足でいこうとは考えなかったんでしょうか？」

「自前でまかなう？　いいや、考えもしなかったと思うね」

先生は言下に否定した。

「それでなくても、さんざん悩んでいたんだ。自分の信仰と研究のはざまで。だから、その上に〈D〉の倫理的負担までもしょいこむ余裕なんか、到底なかったと思う。オイ、お父さんは本当に苦しんでいたんだぞ。プロメテウスのように。『成功したらしたで主は決して僕をお赦しになるまい。早晩、ファウストみたいに劫罰が下される。でも、もう遅すぎる。引き返せない。僕は何としても紅子《こうこ》との子供が欲しいんだ』と、よく言っていた」

私は目からウロコが落ちる思いがした。この「もう遅すぎる」の新解釈を、ぜひとも野瀬さんに伝えてあげなければ。しかしまだ肝腎の、最大の謎が残っている。

「先生でも父でもないとしたら、ホウリー・スピリットは一体誰なんでしょう？」

「幸がＡＩで生まれたのはＫ大付属病院なんだ」

と、先生は言った。

「すなわち私が最終的にオリゴスペルミアの診断を下されたのも、Ｋ大でだ。しかしそれよりはるか前、まだ学生だった頃、検査用に採取したヤツを一部凍結保存した。そいつがまだ残っていたとすれば……」

まさか、まさか、まさかそんな！

「銀くんは、ものをムダにするのがたいへん嫌いな性分だった」

そうだ。私にも覚えがある。母が年末に大量の肉や野菜を買い込んで——近所のスーパーは一月二日から店を開けるというのに——冷凍し、そのまま何ヶ月も放っておいた挙句、あとから買い足す食料が入らないからと処分しかけた時、父は厳かにそれを止めて週末の鍋パーティーを企画した。そして医局の同僚や大学院の院生らを大勢招待して、大根のシッポ一つ残さず平らげさせたのだった。

「君たちふたりはだから、洗礼者ヨハネとナザレのイエスみたいなものだ。この場合、エリザベツとマリアが一人二役だけど。冽の誕生が君の先触れを務めたわけさ。そっちが成功していなければ、そして、事前の検査段階でエーファが（君の）代理母としても適格だと判明しなかったら、銀くんは、我が子のＩＶＦには、況《ま》して他人の腹を借りてのそれなんかには、まだ当分、踏み切らなかったかもしれない。そしたら君たちが鶴島学院で一緒に学ぶことも、たぶんなかっただろう」

私たちは、自分でも知らないうちに未来への準備をしている。野瀬さんが「先触れを務めて」

くれたおかげで私が生まれた。そして互いに出会うことができた。そしてそして、それは野瀬さんのお母さんなくしては実現しなかった。更に遡れば、お母さん――エーファ＝マリアというまことに象徴的な名前を持つ女性――と長田先生が、春浅い北国の港町でめぐり遭って恋に落ちていなければ、産婦人科医の旧友なんかに二人で会いに行くこともなく……こうなるともう、俗っぽい地上の過ちですら、神の摂理《プロヴィデンス》の如く思われてくる。私は今や〈機械仕掛けの神《デウスエクスマキナ》〉の実在だって信じることができそうだった。

「すまないけど、冽に伝えてくれないか。がっかりさせて悪いが、やっぱり私が父親なんだ、とね。これでも疑うようなら、がんばって勉強して偉い学者になって、自分でＤＮＡ鑑定でもしろと言ってくれ」

私はいつしか長田先生のラブレターをくしゃくしゃに握りしめていた。先生は情けなさそうに私の手元を眺めた。

「そいつをしまって、もっと奥の方にある事務封筒みたいなのを出してきてごらん」

言われた所を探すと、〈北陸英和女学院〉と刷り込んだ茶封筒が出てきた。こちらも相当に古く、四隅が丸くすり切れて紙もあちこち毛ばだっている。表書きは全部平仮名で、宛名も「おさだひかるせんせいさま」となっているので、この学校には幼稚部もあるのかしらと訝りつつ裏返してみれば、差出し人の名は「えふぁ・まりあ・こんすたんつぇ・しゃるろって・ふぉん・ああるぶるく＝ぴいらあ（E. M. K. C. von Ahlburg-Pierer)」と記されていた。

「エーファはその学校で、英語ドイツ語を教えるアルバイトをしていたんだ。週一回、東京から通って。彼女の日本語は、会話はなかなか流暢なんだが、読み書きは平仮名しかできない」

少し読みづらいかもしれないが、まあ、源氏物語にでも挑戦するつもりで、と言われて私が挑戦したのは、次のような文章であった。

〔エーファ＝マリアの手紙〕

『おくのほそみち、195＊ねん9がつ30にち

おなつかしいひかるくん、

わたしはきょう、せいとさんたちとえんそくです。きさかたのいわやましんりんこうえんにきました。りんだうのはなおおいにきれい。おてんきはあめではないが、まつおばしょの「せいしがねむ」のきみたいのありますし、さくらのきもありますだから、はるははなみもりっぱですね。

〈The Holy Spirit(ざ・ほうり・すぴりと)〉のこと、ではなしましょう。わたしはとおのせんせいのけんきゅうすばらしい、とてもおてつだいしたいおもって、あかちゃんうまれてからだれがおとうさんでそだてるよ、そこまでかんがえませんでした。あなたはほんとにそれのおとうさ

んなりたいか？　かならずほんとになりたいなら〈HS〉だれかおしえますけれども、かならずとちがえばいけません。らいねんうまれるまでなにとぞしんこくにかんがえ、おへんじください。

むさしののいぬやさんで、ぶらっけのこ、いっぱいだ。しろがねせんせいがおつくりなった、みんなげんきでいたすらこね。わたしのあかちゃんもげんきでうまれるよにとおもいます。

いまやおべんとうのじかんです。わたしのはじゅうじがいのぱてのびゅったひぇん、かふぇいっしょ。これはがんせきのうえでかいたのでした。でこぼこごめんください。あらかしこ

Deine《あなたの》
E.M.』

竜胆《りんどう》の花が大いにきれいな森林公園で、天然の石机《いわづくえ》に向かひて、芭蕉が象潟《きさかた》で作った合歓《ねむ》の句を枕に、風流にしたためられた女手の文には、どうしたって注釈が必要だった。

「『ぶらっけのこ』って、なんですか？」

「Brakke《ブラッケ》とは、ドイツでは体高の低い獣猟犬《ハウンド》を指す。ここではビーグルの子犬のことを言ってる。

銀くんが実験に使って成功したやつ」

「『ジュウジ貝のパテの』……」

「函館十字街で買ったパテ。それで作ったBütterchen《ビュッターヒェン》とサンドイッチ、コーヒーつき。説明がいるね」

坂の上のハリストス正教会から下ってきて空腹になった光とエーファは、十字街のベーカリーでパンを、隣の食料品店でソーセージと家鴨《アヒル》のパテを求めた。あまりに懐かしい味なので、エーファはヨーロッパからの直輸入品かと思ったが、売り子にきくとそうではない。レイモンという外人さんが地元函館の自社工場で手作りしているのだとか。「自宅でもいろいろ扱ってますから、行ってみたら?」と言われた。いろいろなソーセージが欲しくなったふたりは、レイモン氏宅を訪問することにした。

「レイモンさんは本名ライムントといって、戦時中に帰化したドイツ人だった。初めて日本に来た時、旅館の娘さんと恋愛して結婚したそうだ。それ以来、函館に住んで、添加物を使わないドイツ式ソーセージを製造してきた。我々も日独カップルだったせいか、いきなり訪ねて行ったのに歓迎してくれて、ハムやらパテやら、いっぱいおみやげをもらった。帰り際に日本語でこう言われた。『カノジョ、キレイナオンナデス。アナタモキレイナオトコデショ。キレイナコドモ、タクサンツクレ』って。エーファは、なんだかしんみりしちまってね。函館から札幌に戻って、ちょうど植物園の春の開園日だったから、空港行きのバスを待つ間に散歩したんだけど、『りんたろう追っかけてきたえりーぜのきもち』だと言うんだ。ふるさとの味の手作りソーセージなんか食って、センチメンタルになったのかもしれん。こっちまで柄にもなく切なくなって、ムラサキセイヨウブナの下でキスをした。いや、ヤチダモかオニグルミだったかな?」

ヤチダモでもオニグルミでも、その時から運命の輪が勢いよく回り始めた。空港行きリムジンに乗るはずが、いつの間にかS湖行きの観光バスに揺られていて、その夜は湖畔の宿に一泊。名残雪のちらつく湖のほとりをキレイナオトコとオンナが肩寄せ合って歩けば、起こるべくして事は起こるのだ。

ふたりは結局、復活祭シーズンの大半を旅の空に過ごした。失踪届けを出されるとまずいので、光の想像力の及ぶ限り、様々な口実を創作して帰宅を延ばした。しかしそれでも別れの日はくる。

「いよいよという時になって、エーファは、もし赤ちゃんができたら、勘当されてもいいから生むと言い出した。私の方では、ナントカカントカ煮え切らない返事でお茶を濁した。別れてしばらくして、やはり身ごもったような気がするという電話があった時にはあわてまくった。とにかく一度産婦人科で診てもらおうということになって、何月何日何曜日とK大病院に予約を入れた。無論、銀くんの診療日に」

(ということは、月水金土の午前診のうちのどれかだな、と重箱の隅をつつくような記憶が甦る。)

「病院では、初めエーファひとり待合室に待たせておいて、単独で銀くんと話をした。久しぶりだったから一言挨拶しておきたかったし、エーファの前では言いにくいこともあった。万一、子供ができていたら堕ろしてくれないかと頼むと、彼は少し考え込んでいたが、結局断わられた。一応検査してみないとわからないけれど、母子共に健康で正常であれば、中絶《アウス》は論外だと言って」

（ここらへんで、野瀬さんの札幌便りにあった「だめだよ、僕にはできない」の台詞《セリフ》が入るわけか——）

「ところが診察の結果、想像妊娠。振り出しに戻る」

先生は、いささか自嘲的に微笑んで肩をすくめた。

「銀くんは、今度はエーファひとりだけと話をした。それから私も診察室に呼ばれて、二人揃ったところで、妊娠ではないと告げられた。正直、大いにホッとした。顔にも態度にも、安堵の気持ちを出してはばからなかった。『ホントか、ありがたい！』とさえ叫んだように思う」

細い紐状に垂下する榛《はん》の花のように、縮《ちぢ》かんでションボリとうなだれる長田先生は初めてである。

「その時、エーファが顔を上げて私を見た。その目が忘れられない。責めるとか憎むとか——怒っている表情じゃなかった。驚きと純粋な悲しみ。そして一種の神聖な、厳粛な潔癖さ、のようなもの。言葉で非難されるより千倍もつらかった。もっとつらかったのは、彼女と寸分たがわぬ感情をこめて、だが、はるかに厳しい眼差しで、銀くんも私を見つめていたことだ」

ますます細紐状になる。

「私だけ廊下に連れ出されてね。『たとえ想像でも、あの人にとっては、ついさっきまで実在した子供なんだ。君はそれを、あの一言で殺してしまった。わかっているのか？』と言われた。もう絶対絶命だったよ。手前勝手な性格がたたって、世界で一番好きな二人の人たちから軽蔑されてしまったと思って」

先生は、ようやくまた背筋を伸ばして樹幹にもたれかかった。軽く腕組みしたあのポーズは、逆さに吊れればタロット・カードの図柄になる。野瀬さんもよくこの姿勢をとるのは、やはり遺伝子の為せる業であろうか。幼児性や未熟の象徴《シンボル》である〈吊られた男〉が逆さまをやめて立っているわけだから、成熟した〈オトナの男〉のポーズだ、なんて言っていた。（ああ、懐かしい！ハスキーでもトナカイでも雇って、早く僕のところへ帰ってきて！）

「時々考えるんだ。お父さんは、残り物の私の精髄《スピリット》を有効利用して洌を創造することで、エーファ＝マリアにした私の愚行を贖《あがな》ってくれたんだろうか？　君はどう思う？」

私が父ならば、どう思うだろうか？　熱心な研究者というのは、本質的には身勝手なのではないかという気がする。遊びに夢中になった子供のように、自分の好きなことに没頭している間は寝食を忘れ、家族も顧みず、お世話になった人にも不義理やご無沙汰の限りを尽くす。あくまでも自分がやりたいことだから、止められてもケナされても天に唾《ツバ》することになっても、結果を考えずに突き進むのだ。旧友の罪を償うような善行を施したにしろ、それはきっと嬉しい偶然の副産物であって、動機ではあるまい。

「僕は両親に、そして先生とエーファ＝マリアさんに、とても感謝しています」

と、私は言った。答になっていないことは百も承知だったが。

「この四人の人がいなければ僕はきっと存在してないし、だとすると洌さんにも絶対会えなかったでしょう。四人のうち誰ひとり欠けてもいけなかったんだ、何一つムダになってはいないんだって思います」

（我ながら、つくづく父の子であると思った。ムダの出なかったことがこんなにも嬉しい！）

長田先生は腕組みを解いた。でも、二本めのキャメルを吸い終わるまでは何も言わなかった。

やがて、

「洌は生まれてきて幸せだったね。君のような友達に出会えたんだから」

と、優しい声で、独り言のように呟いた。

「私の子供を幸福にしてくれてありがとう」

私たちは再び車に乗り込んだ。ありがたいことに《トルコ行進曲》はもう終わっていて、季節と時刻とアルファロメオにふさわしい曲趣の音楽に戻っていたので、帰り道は何の心配もしないですんだ。

一〇七　Rachmania《ラフマニア》

〔卒業式前夜にみた夢〕

夢の中の私はいたいけな子供である。身なりにかまわない幼児であるとみえて、おむつカバーが半分ズリ落ちている。得体の知れない機材やケーブル類がウニョウニョとたぐまっている薄暗い場所をトコトコ歩いて行く。暗幕に突き当たって止まる。「さあ、今」と、誰かが合図《キュー》を出し、背中を押されて二、三歩ヨロばい踏み出したところは、ドはずれに明るいステージである。どっと湧くオーディエンス。幼児であるから注目を浴びるのは嬉しい。悦に入っておじぎなどする。がすぐに、このただならぬ拍手喝采は自分にもらったのではないことに気づく。

天井に吊るした大薬玉から垂れ下がる幕に曰く、〈プログレッシヴ・ジャズロック・バンド

《ラフマニア》結成三週間記念コンサート〉。舞台狭しと飾られた花輪と花籠はすべて〈ラフマニアさん江〉。プログラム紹介の立札には、

〈ラフマニノフ、ピアノ協奏曲第二番

指揮　サー・ゲオルク・ショルティ

ピアノ　ジュリアスしろがね

ヴォーカル　スターダストひかる〉

ラフマニノフの二番にヴォーカルなんか入ったかしらと、子供心にも怪訝に思う。舞台中央前方にて、妖しい化粧をほどこした細身のフロントマンが、ちょっと高めの美しいハスキー・ヴォイスでMCを務めている。

「みんな、元気?」（「ゲンキー!」と一斉に答える客席）

「きょうはオレたちのライヴにようこそ! 三週間、一度もメンバーチェンジしないでがんばってきました。これもみんなのおかげだよ。投げキッスつきでメルシー・ボークー!」（「イイエー!」、「ドイタシマシテー!」、「ナニオッシャイマスー!」など異口同音のリアクション）

二番の演奏は既に終わっているらしく、指揮者とコンサート・マスターがにこやかに握手をしているあたりは、たしかにクラシックなのだが、ピアニストはと見れば、ショルティとの共演だというのに、まあなんて恰好! 黒の礼装用パンツはともかく、上半身に着けているものといえ

ば、サスペンダーとシルクのボウタイ一つ。ピアノがまた、BAUHAUS《バウハウス》にでも注文したのかと思うほど簡素にして奇抜なデザインだ。蓋はクローム縁の強化ガラスで、白雪姫のお棺のように、閉めていてもなかみが丸見え。四本足はスチール・パイプ。椅子の回りに衣服が散乱している。黒い上着、白いウェストコート、ウィングカラーのドレスシャツに、清潔だが穴だらけのランニング。おそらく第二楽章のどこかで襟をゆるめたのに始まり、三楽章に突入してから次々に脱ぎとばしていったのであろう。二番でこれなのだから、三番でも弾かせた日にはどうなることか。

二階の桟敷から雨アラレと降ってくる花、花、花。スターダスト氏はラッパ水仙をキャッチしたり、フリージアを客席に投げ返したり、大奮闘である。小鳥のような体格のフルート奏者が、散らばった菫《すみれ》を一輪一輪ていねいに集めて束ね、燕尾服《スワローテイル》がバッグンに似合うバイオリニストに捧げている。（その顔は天宮くんと摩耶さんにそっくりだ。）その上まだ、振袖姿に日本髪を結ったキレイな異国の娘さんが、特大のバラの花束をこれでもかと捧げてくる。指揮者は品よくそれを受け取り、一本の青いバラを抜き出してピアニストに分け与える。ピアニストはバラに接吻して指揮者に一礼、花合戦にいそしむバンド・メイトに歩み寄り、何事か内緒話をする。

「ジュリアスしろがねくんから、みんなにメッセージがあります！」

と、スターダスト氏。ただいまご紹介にあずかりました云々と聴衆に挨拶するピアニスト。

「本日はお忙しいなかをわざわざお集まり下さいまして、まことにありがとうございます。おかげさまで、わたくしの研究もようやく実を結び、積年の鬱懐《うっかい》を晴らすことができました。鬱懐と申しますのは」

と言って、スターダスト氏をチラリと見る。

「幼くして世を去りましたわたくしの兄に、赤痢の元凶となった落ち梅を拾って奨めたのは、他ならぬこのわたくしだったのであります」

(客席は水を打ったような静けさ)

「無論わたくしも二個ばかり食いましたので、ふたりながらに高熱腹痛下痢脱水に苦しみ、わたくしがようやく危険を脱した頃には、兄はもはやこの世の人ではありませんでした」

(あちこちから爆発的すすり泣き)

「爾来《じらい》、わたくしは、疑うことを知らぬ無邪気なアダムに禁断の果実を推奨して食べさせたサーペントであるかの如く、我と我が愚行を責め、孤独にさいなまれてまいったのであります」

スターダスト氏がピアニストに寄り添い、サーペントなら自責の念にかられたりしないよ、と優しく肩に手をかける。ピアニストは小首をかしげてその手にちょっと頬ずりしてから、続ける。

「しかしながら、本日この高田馬場におきまして、わたくしの宿願でありましたサー・ゲオルクとの共演を果たさせていただき(「ブラボー!」、「ブラボー!」、「ブラボー!」)夢にまで見た青いバラも実現いたしましたので、わたくしにはもはや思い残すことはございません。これもひとえに、心からお子様を望まれ、おんみずからの生命と愛情の松明《トーチ》を次代に伝えたいと思し召す、不妊症治療中の患者様方の温かいご理解とご支援の賜物であると存じます。三週間記念ライヴのこの席を借りまして、深く深く感謝申し上げる次第でございます。みんな、ホントにありがとうっ！　イェーイ！」

歓呼の嵐の中、突き上げた拳《こぶし》を下ろしたピアニストとスターダスト氏は、ちょっと恥ずかしそうに、短かいキスを交わす。それからピアニストが私の方へ歩いてきて、ヒョイと抱き上げ、肩車をする。予期せぬ展開に驚いて泣きだしかけた子供に、

「それではこれでも持っておいで。ぱるなすのバラだよ」

と、空色の高芯剣弁花が手渡される。（「ブラボー！」、「アンコール！」、スタンディング・オベイション）

いつまでも鳴りやまぬ拍手の中、客電がパッパと点灯《とも》り、幕。

一〇八　白明火《はくみやうか》

在校生、起立。（ポケットを叩く。）『螢の光』斉唱。（反対側のポケットを叩く。）

隣の席の津々浦くんが、ビスケットかハツカネズミでも入っとるんか、という目つきで私を見る。私のポケットの中に、そんなものは入っていない。ただ真新しいハンカチが二枚、左右それぞれにおさまっている。実際には使わずにすませたいと思っていた。でも念のため、叩いてそこにあるのを確認して、おまじないとしたまでだ。卒業生の『仰げば尊し』は無事切り抜けた。それより前には、卒業証書授与、（宗光さんの）送辞、（太刀掛さんの）答辞、校長訓話などをクリアしていた。

私の心は既に音楽室へ飛んでいた。式の後、広い体育館で恒例の別れのお茶会が催され、卒業生、在校生、恩師父兄職員の皆様、全員出席する。そのパーティを一時《ひととき》脱け出して、音楽室で野瀬さんと会う約束であった。

式がすむと一旦総員解散となり、私はもよりの男子手洗い所へ向かった。用を足す必要に迫られてではなかったが、ハンカチが二枚ともまっさらの状態を維持していることが、得意な反面、何かムダをしたようでくやしく、文字通り手を洗うだけでもいいから、実行して来ようと思ったのだ。

来賓を意識してピカピカに磨き上げられた洗面台で、先頃なぜか学院御用達となって購買部でも売っているピーター・ラビットのハーブ石鹸を贅沢に使い、心ゆくまで洗って右手左手を別々のハンカチで拭った。こんな瑣末事《さまつじ》にわざわざ時間をかけていること自体、音楽室へ行きたいと逸る心の裏返しなのだ。(約束の時刻までまだ四十五分三十八秒もある!)

存分に手洗いをして、さて体育館へ行こうかと歩き出したところへ、花小路くんが息せききって追いついてきた。

「と、遠野くん! 今たしか、トイレから出てきたよね?」

「うん」

「だいじょうぶか? 気分が悪い? 薬でものんできたんじゃないの?」

「いいや。手を洗ってきただけ」

「ほんと?」

「ほんとだよ」

「そうか。それならいいんだ。僕、あの、保健委員の上月に頼まれて、具合の悪そうな人をスポッティングしてるんだ。人いきれで卒倒する人って、結構いるからねえ……」

頬を美しく赤らめながら口早にまくし立てた由理也くんは、私の先を越して体育館へ走って行った。ご苦労様だなあと感心して見送った。

体育館の中には、純白のダマスク・リネンをかけた長い会議机が何台も並び、その上には鶴島の山海の珍味を挟んだサンドイッチと、華道部員の丹精した生け花が盛りだくさんに飾られていた。二階ギャラリーの手摺りからは〈祝・卒業！　第＊期生〉の横断幕を始め、学院の校旗、応援旗、各運動部のバナー、ペナント、旗幟《はたのぼり》が華やかに垂れ下がり、吹奏楽部のラッパ隊が、あるいは勇壮なマーチを、あるいは感傷的なワルツを、また時には五十年代《フィフティーズ》の香り漂うスインギーなナンバーを、切れ目なく演奏する。校長先生や生徒会長、守衛さんなど、名士の入場はファンファーレで告げられる。

時あたかも〈五分間アベック・シート〉の儀式たけなわだった。在学中、意中の下級生に思いを告白する勇気の出なかった人々が、ドタンバで羞恥心をかなぐり捨てて、「のうのう、五分でええけぇ、隣に来てすわってくれえや」とお願いする記念行事だ。お願いされた方は、この日ばかりは断わってはならぬしきたりである。青木くん、花小路くん、洲々浜くんらは、体がいくつあっても足りない。みずみずしい鶴島菜のサンドイッチを人一倍頬ばりつつ、取り持ち役で忙しいのは永多さんだ。人込みの中、私の姿を認めて近づいてくる気配を察し、つかまらないうちに逃げ出した。

音楽室に着く前からピアノが聞こえていた。何となく耳懐かしいメロディーである。（あ、弦が入った。）ふいに主旋律を受け持った艶《つや》やかなチェロの音《ね》に、一瞬レコードかと思ったが、それにしては臨場感あふれるリアルな演奏だ。曲が終わると誰かがパチパチと手を叩いた。開いたドアの陰で入室をためらっていた私は、その拍手をしおに、思いきって中へ入った。

野瀬さんがピアノに向かい、その傍らでペン先生がチェロの弓を手に何か話しておられた。聴衆は約二名だった。戸口に立った私からは、後ろ姿しか見えなかった。濃い髪のところどころに銀髪を交えた形よい頭部。それより小さい、小人の三角帽子みたいな毛糸編みのキャップをぴっちりかぶった子供の頭。私を認めた野瀬さんは、晴れやかに微笑んで片手を上げた。

「やあ、来たね。母と弟を紹介するよ」

聴衆が一斉にこちらを向いた。私はその場に凍りついた。まさかこんなところで、野瀬さんのお母さんに会おうとは。しかも、ある時期には私の「母代わり」をも務めてくれた人に。

お母さんはさっと席を立ち、肩に張りついていた幼児を椅子に座り直させ、ひとり通路を歩いてきた。私は食い入るように見つめた。なるほど、ドイツ婦人にしては（たぶん）小柄な方だ。でも、毛皮のコートのせいか、胸や腹回りなどはずいぶん恰幅《かっぷく》よく見える。裾から出ている脚は、その堂々たる躯幹を支えきれるのかと危ぶまれるほどかぼそく、踝《くるぶし》の辺など牝鹿《めじか》のようである。

顔は、輪郭こそまろやかになっているものの、まさしくあの写真の人の目鼻立ちであり、色彩であった。（一つだけ予想外だったのは、お母さんの瞳の方が野瀬さんよりも深い褐色《かっしょく》であったことだ。）

　お母さんは私の二、三歩手前で立ち止まった。心持ち首をかしげ、微笑を浮かべて。笑うと目元口元に、春霞《はるがすみ》のようなシワが、ほんわりと寄った。近づいて、白粉《おしろい》の仄《ほの》かに匂う柔らかな頬を私の頬に重ね、

"Mein《マイン》 liebes《リーベス》, schönes《シェーネス》 Grünkind《グリューンキント》!"

と、耳元で優しく呟き、和訳をつけてくれた。

「わたくしのかわいいうつくしみどりのこども、といいました」

　自分の専有物と思っていたお母さんが、ふいに離れていって他人を抱擁したものだから、幼児はジェラシーむき出しに私の顔を睨みつけた。兄さんは未熟児だったというのに、こちらは高年齢出産の産物とはとても思えないほど、肥え太って不敵な面構えをしている。

「ムッティ、ムッティ、ムッティイーイ！」

と、座ったまま身をもんでぐずり始めた。お母さんは、甘ったれの座敷犬でもたしなめるような、穏やかだが毅然とした声音《トーン》で、

"Weine《ヴァイネ》 nicht《ニヒト》!"

と、人差指をきりっと立てて幼児を制した。私には、

「『なくんでない！』いったね」

と、また教えてくれた。

チェロをしまったペン先生が、ボッチャン、オナカスイタカモ、パーティイクカ？と、母子を誘った。お母さんは「それがよろし」と賛成し、野瀬さんと私に「ではまたいずれに」と、にこやかに頷きながら音楽室から出ていった。（幼児はペン先生とお母さんの手にぶら下がって得意満面で退場した。）

予告もなく会わせてごめん、と野瀬さんは謝った。

「来られるかどうか、ギリギリまでわからなかったんだ。ジョニーが風邪ひいて咳とアオバナが止まらないので、卒業式には行けないかもしれないって話だったから」

「弟さん、ジョニーなんですか？」

「Jonathan《ヨナタン》というんだけど、通称ジョニー。既に宴会大好きのパーティ小僧なんだよ。きれいなおねえさんがいたりすると、愛想を振りまいて目も当てられない」

気に入らない小僧だ。いかに私の最愛の人の身内だとはいえ。と、わけもなくムシャクシャしかけたところへ、ふと、あることが気になった。

「野瀬さんにも、あの、〈冽《きよい》〉の他に、名前があるんですか？」

「あるよ。当ててごらん」

「ヨハネ——？」

野瀬さんは笑って頷いた。

「半分当たりだ。さては父さんにヒントをもらったな？　ドイツ風にヨハネス。さあ、残り半分は？」

野瀬さんが長田先生のことを「父さん」と呼ぶのを聞いたのはこれが最初だった。その時、

「クリスティアン！」

と、廊下で呼ばわる甲高い声がした。見ると先ほどの幼児が、戸口まで舞い戻って来ているではないか。

〝Christian《クリスティアン》! Christian《クリスティアン》! Gib《ギーブ》 mir《ミア》 mein《マイン》 Bärchen《ベアヒェン》!〟

バラしやがって、と野瀬さんは肩をすぼめ、

「『くまちゃんちょうだい』だとさ」

と、通訳してくれた。そして幼児に向かって日本語で言った。

「おまえがどっかに置いたんだろう、ジョニー。こっちへ来て自分で探しなさい」

幼児はふくれっ面でドスドスと踏み込んできて、さっき座っていた椅子の下を覗き始めた。何とも非能率的な捜索ぶりをしばし監督していた野瀬さんが、私を物陰——掃除道具入れの後ろ—

―にいざない、ポケットからこっそり、ちっぽけなピンク色のクマの縫いぐるみを取り出した。

「あいつをからかってると飽きないんだ。放っとけば夜まで探してるよ。でも今は、長居されたくないから。これ、渡してやってよ」

「日本語、わかるんですか？」

君や僕よりペラペラだ、と請け合われ、私はぎこちなく咳払いして、

「えぇっと、ジョニー、ここにあったよ。君の、ほら、ベアヒェン」

幼児はくるっと振り向こうとしたのと立ち上がろうとしたのがいっしょになって、無様な半回転ジャンプの途中で尻餅をついた。しかし泣きもせずに、起き上がりこぼしのようにはね起きると、失せ物を受け取りに駆けつけた。せっかちにつかもうとするものだから、つかみそこねて取り落とす。落ちたクマと私の顔を交互に見比べながら、ただ突っ立っている。自分で拾おうとは夢にも考えていない。私はクマちゃんなんぞよりビンタの一つもくれてやりたい気持ちを抑えつつ、拾ってやった。そればかりか、

「はい、今度はちゃんと持って。また落としたら、クマちゃん、痛いだろ？」

と、リップ・サービスまでつけた。（これも、愛する人の弟だと思えばこそ！）

雑煮に入れる餅のような手を開いて縫いぐるみをしっかと握らせる間、幼児は無言で、瞬《まばた》きもせずに私を検分していた。クマちゃん拾いにしゃがんだので、私の目の高さがジョニーとほぼ同

じになった。おや、この色は、と思う。シェリー酒ならばアモンティラードよりやや淡い、透《す》き徹《とお》った琥珀色《こはくいろ》。虹彩に金褐色《きんかっしょく》の微小な斑点が木洩《こも》れ日のように飛んでいる。野瀬さんと同じ双眸《ひとみ》だ。

幼児は、いきなり耳から耳まで届く笑いをニーッと笑うと、クマをわしづかみにつかんだまま私の首っ玉にかじりつき、

「どーもおせわにないまちた！」

と、礼を述べた。そしてヨハネス＝クリスティアンには目もくれず、廊下のどこかで待っているであろうお母さんのところへ、パタパタと一目散に駆け戻って行った。

フム、あの豹変ぶりでおねえさんたちを籠絡《ろうらく》するわけか、と思った。よく見れば、そんなに憎たらしい顔でもない。贈答用の桃みたいなほっぺたは健康そのものだし、金太郎のような手足にしても、どうしてたくましく立派ではないか。

「調子いいヤツ！」

と、野瀬さんが言った。

「なかなかかわいいですね」

「また、心にもないことを。ところで、長田先生と真夜中のデートをしたんだって？」

「真夜中ではなかったです。寮の門限までにちゃんと帰れたもの」

「どっちにしろ許せん。僕の留守中にふたりで抜け駆けするなんて。帰りは送ってくれた？」

「ええ」

「学院の門の前まで？」

「はい」

「アルファロメオで？」

「そうです」


野瀬さんはここでなぜか、愉快そうに笑った。『ローマの休日』のことでも考えているのかしら、あのような別れ方では決してなかったのだが、と気をもんでいると、

「受験から戻ったら、言われたよ。『遠野くんを手先《キャッツポー》に使って真相究明を企むとは、おまえは案外小心者なんだな』って。ま、ホントのことだから、文句は言えないけど」


時々アルファロメオの洗車を任されることがあった野瀬さんは、グラヴ・コンパートメントのラブレターなんか、とっくの昔に発見していたという。だが、書いてある内容の真偽のほどは定かでない。確かめたい反面、今更触れてはならぬ問題であるような気もした。悩むこと数年。そこへ私という願ってもない鴨《カモ》が（自前の好奇心という）葱《ネギ》をしょって現われたのである。

「でもね、これだけは言っておくけど、君があの時、僕のことを『兄さん』と呼ばなかったら、黙っていようと思ってたんだよ。君の思い出にある白衣《びゃくえ》の御使《みつか》いのような遠野先生のイメージを、

こわしてはいけないと思ったから」

　札幌へ発つ日、長田先生は——普段用のレンジローヴァーを車検に出していたため——市外も市外、ほとんど県境の奥地にある鶴島空港まで、メルセデスベンツで送ってくれた。（見せびらかす相手はせいぜいタヌキかイノシシ。）そこで野瀬さんは、イチかバチか、賭けに出た。遠野先生の愛車はなんだったっけ、と（東京在住中、何度となく911に乗せてもらったことがあるにもかかわらず）シャアシャアとして尋ねたのである。ポルシェだ、という答が打てば響くように返ってきた。

「ああ、やっぱり！　だからなんだなあ！」

「何が、だからだ？」

「遠野くんね、クルマが大好きなんだ。きっと、お父さん譲りなんだねえ。ル・マンやF1の話になると目の色が変わるんだよ。こないだ、『ジャッカルの日』をいっしょに観に行ったんだけど、エドワード・フォックスが乗ってたヤツにもう夢中で……」

　ここまであからさまな暗示をかけたところで搭乗案内が始まり、試験頑張れと肩を叩かれた野瀬さんは、メフィストフェレスのようにほくそ笑みながら機上の人となった。

「だって、僕が長田先生に会いに行くことは、知らなかったんでしょう？」

「七—三の割で行くと思ってた。おばあさんにきいてみたぐらいで埒《らち》があくような問題じゃないから」

こういう才能のある人が競馬の予想屋とか経営コンサルタントになったら、大成功をおさめるのではないかと思う。今はまたピアノに向かい、先刻の聞き覚えのあるメロディーを、わざと人差指だけでポツポツンと弾いたりしているけれど。

「それは、何ていう曲?」

「『春の日の花と輝く』。ペン先生のお国の民謡。さっきは先生が編曲したのをピアノと合わせてみたんだ。コルネットなんかで吹いてもいいだろうな。ひなびた味が出て」

どうりで覚えがあるはずだ。ほんの数日前、三学期最後の英語の授業で、ペン先生は自演のチエロを伴奏に、十九世紀アメリカの女流詩人の作品を何篇か朗読された。「マイドバカバカシイオワライヲイッセキ」と場違いな挨拶をなさった後、冒頭に流れたのがこのひなびたアイリッシュ民謡《エア》だったのだ。

野瀬さんは雨だれ奏法をやめて本格的に弾き始めた。ふたりで一緒に弾いたり聴いたりしたことのある曲を、心憎いばかりの絶妙なメドレーで。(《トルコ行進曲》の連弾を一回も試みなかったのは幸いである。)マダム何々のサロンで若きショパンの生演奏《ライヴ》を初体験する女客のように、私はただただ見とれ、聴きほれた。

「さあ、それじゃ、僕らも体育館へ戻ろうか?」

ピアノの蓋を閉じながら、野瀬さんが言った。私はギクリとして我に返った。動悸が亢進してくる。そう、恐れていたのはこの瞬間かもしれない。体育館へ戻ったら、パーティがお開きになった時、お母さんやジョニーと共に帰ってゆく野瀬さんを、普通の親しい友人のように、明るく礼儀正しく見送らなくてはならない。たぶん、短かい握手を一度。(「オゲンキデ、センパイ」、「アリガトウ。キミモゲンキデ」、「ダイガクデモガンバッテクダサイ」、「ウン、キミモガンバレ」)何を頑張ればいいというのだ? 私の一番大切な人が、思い出もろとも私の青春から白鳥のように飛び去ってゆくというのに。

「ここでお別れを言っちゃいけないでしょうか?」

と、私は言った。野瀬さんは、不意をつかれて驚いた目で見返した。

「ここで? 今ここで、サヨナラを言って、それでおしまいにしようというの?」

「そうです。僕、悪いけど――ほんとに悪いと思いますけど――パーティにはもう行かない。行きたくないんです。お母さんとジョニーに、どうかよろしく言って……」

ふたりきりの今ならば、私は偽らざる自分自身のまま、心の底まで愛情を総浚いして決別することができる。何一つ隠さず、言い残さずに。私は野瀬さんの正面に立って、見上げた。(野瀬さんは、まだ私よりずっと背が高かった。)

「お願いします。ぜひ、今、ここで」

野瀬さんは軽く拳を固めた。指の節のところで、コツンと殴られた。痛くはなかったけれど、悲しかった。パーティに戻らないなんて言ったから、ヒネクレモノだと思われたんだろうな。こんなに早々と別れを切り出して、薄情なヤツって。野瀬さんは野瀬さんで、音楽にこと寄せていやが上にも私の気持ちを盛り上げ、続く宴の後の別れの場面までも、周到に構想を練っていたのかもしれない。ラストシーンが狂っては、演出家のプライドもさぞ傷ついたことだろう。

音楽室の壁沿いに作り付けのベンチがあった。自習時間には、ピアノ・カバーを寝具代わりに、仮眠をとりたい生徒が殺到する。野瀬さんは、その一つに憮然として腰かけた。

「よし！　そんなにまで言うのなら、今ここで、別れのスピーチを聞こうじゃないか。宗光くんよりマズかったら本気で殴るから、そのつもりでかかれ」

私には頓智《とんち》も文才もないから、宗光さんの送辞のように、聴衆の笑いと涙を自在に引き出す気のきいたスピーチはできない。今時どんな恋愛小説にも出てこないような、うんざりするほど凡庸な文言《もんごん》を、安価なガラス玉を綴くるように、訥々とつなげるしかない。でも、その一語一語にこめる真実は、天地開闢《かいびゃく》以来、私の心の中にしか存在しなかった。その点だけは、掛け値なしの天然真珠と同じくらい稀少価値を誇っていいはずだ。

そんな儚《はかな》い思いで自分を鼓舞しながら、私もベンチに歩み寄った。

「隣に座ってもいいでしょうか？」

「ああ。でも、五分だけね。何しろよそにもいっぱいお座敷がかかってるんだから」

野瀬さんはツンとすまして売れっ子芸者みたいなことを言って、腕組みをした。私はその隣に腰を下ろして、ほんの少しだけ、肩に寄りかかってみた。微動だにしない。どうか機嫌を直して、これから言うことを聞いてくれますように。私は大きく一つ深呼吸して、

「大好きでした」

と、単刀直入に本題に入った。

「誰よりも何よりも、世界で一番、洌《きよい》さんが好きでした」

(過去形だと思われてはいけないので「今も好きです」を挿入して現在完了進行形を強調した。)

「ずっと洌さんだけ見てきました。心の中でいつも声を聞いていました。僕以外の何かにさわってる時は、その何かが羨ましくなったこともある。さっきのピアノの鍵盤だって」

大理石のようだった肩が、少しほぐれたような気がした。

「もちろんこれからでも、洌さんさえいいと言ってくれたら、僕は年賀状や暑中見舞やバースデイ・カードだって出させてもらいます。だけど――だけど、十五才の僕が十七才の洌さんに出会って、十六の僕が十八の洌さんと(深呼吸!)愛し合うことは、もう二度とないんです。出会うことができて、本当に嬉しかった。今、十六才の僕を、こんなに幸せに――誰にもできないほど幸せにしてくれてありがとう。それから――」

聞き手がいきなり起立したので、最後の文句が立ち消えになった。野瀬さんは軽快な足どりで戸口まで行き、廊下をさっと見渡してから、静かにドアを閉めて鍵をかけた。

「もうクマちゃん探しに来るヤツはいないと思うけど、念のため」

当然だ。きょうの良き日、人という人は皆、体育館に集って祝い興じている。こんな辺境の校舎でメロドラマが上演されようとは、誰だって思いつこうはずがない。長いベンチに一人がけでポツネンと待っているところへ野瀬さんが戻ってきたので、中断した箇所から再開すべく呼吸を整えた。既に五分経過していたからか、野瀬さんはもうベンチに座ろうとしなかったので、私も腰を浮かして立ちかけた。

「それから――」

息ができない。体ごと引き寄せられ、抱きすくめられ、震える声で ma petite holothurie《ぼくのナマコくん》（即ち、「恋人よ」）と呼ばれた。

「僕のアダム！　僕のサファイア！　最高の友達で、兄弟で、そして最愛の――緑《りょく》！」

熱く、早口に、野瀬さんが囁きかける。こよなく優しい春の嵐のように。

「最後の最後まで、なんて礼儀正しいんだ！　言ってごらん。生きてる限り、君のほかには誰にも触れてはいけないって」

「僕のほかには……」

「君にしたようにキスをしてはいけない、微笑んではいけない、決してこんなふうに抱いたりしてはいけないって！」

呼吸はますます苦しくなる。が、離してほしいなどとは一瞬も思わなかった。野瀬さんの肩ごしに高い窓が見えた。ゴシック・アーチの形をしたガラスの向こうに、いまだ蕾の白木蓮《マグノリア》が、千も万もの蠟燭《ろうそく》を一斉に灯《とも》したように、白く明るく、ひたむきに天を指している。私も今、そうでありたい。早春の光る風に聖別されたこの一刻《とき》、もはや何の恐れも抵抗《あらがい》もなく、身も心も愛の黙示に委ねて悔いのない魂を持ちたい。抱きしめる腕よりも、自分自身の内奥《うち》からほとばしる歓喜に圧《お》されて、私はいっそう息づまる思いがした。

「こんなふうに――抱いては――だめ――」

半ば夢、半ば現《うつつ》に、囁きを返す。

「僕のほかには誰も、誰も、誰も――！」

〈Come《カム》 slowly《スロウリー》, Eden《イーデン》!〉（エデンよ、ゆるやかに来ておくれ）――いきなり、詩の一節が浮かんできた。ペン先生が朗読した中のどれかだ。おそらく、言うつもりで言い終えなかったスピーチの結びからの連想であろう。（「それから、僕を五月のエデンに連れて行ってくれてありがとう」と象徴的に締めくくる予定だったのである。）

〈Come slowly, Eden!　エデンよ、ゆるやかに来ておくれ
Lips unused to thee,　おまえに慣れてない唇が
Bashful, sip thy jasmins,　恥じらいながらおまえのジャスミンを啜るのだから〉

あとは忘れた。でも、きっと今この時、残りの数行をそっくり体験しているのだと思った。私は瞳を閉じて心の中に白い花を咲かせた。さやめく葩《はなびら》を雪のように降らせた。あるいは花の、あるいは雪の、妙なる白の祝福で送りたい人がここにいる。だから今は——今は、酔おう。このジャスミンに。緑芳《かぐわ》しい日々の記憶に。たとえこの抱擁の後《のち》、楽園《パラダイス》の門が私たちの背後で永遠に閉ざされようとも。

一〇九　楽園《エデン》の黄昏《たそがれ》

落葉松《からまつ》林の中をもう何往復したろうか？　酔っぱらって帰り道を忘れた蜜蜂のように、妙に規則正しい8の字を描いて行きつ戻りつ、行きつ戻りつ。8の字中央の結び目には子犬のお墓があ

った。いつぞや相原鶫《あいはらつぐみ》くんのために埋葬したスパニエルで、誰が置いたものか、白い石の墓標が建っていた。私は時々そこで止まって夭折したクリストの冥福を祈った。

予想をはるかに上回る甘美な大団円《アポテオーズ》であった。だが心身の消耗もまた予想以上で、火照《ほて》りやまぬ目や耳や諸器官を夕べの風でいたわろうと、寮へ戻る途中ここへ立ち寄った。寄ったのはいいけれど、体はくたびれているのに脳だけが冴え返って歩けと命令するかのようで、8の字運動が止まらない。せっかくチャペルの近所に来たことだし、〈お祈りの部屋〉へ行くなら、きょうこそ普段の百倍も行く理由がありそうなものだったが、そこまでは足が向かない。これがもし私に下された劫罰《ごうばつ》で、このまま死ぬまで、いや、死後も永遠に8の字廻《めぐ》りを続けねばならぬ定めであったら何としよう?

林の中は妙にガランとしていた。新芽が際立つのはもう二、三週先のことで、瘠せさらばえた枝をしごいてごうごうと渡る春風は、いっそ不気味なほどだった。意地の悪い木霊《こだま》が、私の耳にまだ生き生きと熱い囁きの数々を、戯れに英訳して繰返しているような、自虐的幻想さえ湧いてくる。

(〝Do you want me?《ボクガホシイ》〟)

Yes.

(〝Here and now?《イマココデ》〟)

Oh, yes.

おお！と、若きウェルテルのように両手で顔をおおって膝をついたのは、ちょうど墓石の上であった。向こう脛《ずね》は痛かったが、ともかくやっとのことで永久運動に終止符を打つことができた。

寮の部屋のヒーターを消し忘れて出たようで、帰ってみれば室内の気候がバルバドス島になっていた。ベッドに大の字になる。頭の下で何かがカサリと音を立てた。見ると、一通の封筒。枕の上に置いてあったのだ。表書きは『遠野緑様』、裏を返せば『弓削八束』。

弓削君は、もう鶴島学院の生徒ではなかった。四月から旭日学園に転入することが決まっていた。今年は春休み中に大規模な校舎改修工事がある関係上、終業式が卒業式の前日に繰り上がったが、弓削くんは、青木好みの湿っぽい送別会なんか開かれちゃかなわんと言って、式の後、早々に横浜へ発った。せめてもと見送りに行った鶴島駅で、もう一つの予期せぬドラマがあった。

あと数分でひかり＊号東京行きが到着するというその時、階段を恐ろしい勢いで駆け上がって乗場に躍り込んできたのは、長田幸さんと、同じ聖母マリア学園の制服を着た年下らしい少女だった。長いプラットフォームをぐるりと見回して、目ざとく我々の姿を発見した幸さんは、後輩の手を引っつかまんばかりに、こっちへ走ってきた。

「よかった、ギリギリセーフじゃ！　さあ、チトミちゃん、言いたいこと全部言いんちゃい！」

チトミちゃんは、幸さんに背中を押されて、弓削くんの真正面に立った。頬を真っ赤に染め、片手に小さな花束、片手にポケット版の聖書くらいの小型本を持っている。二本に編んだお下げは、片方しかリボンがついてない。もう一方はあわててどこかへ落としてきたのかと思えば、花束をゆわえてあるのが、その同じチロリアン・テープの片割れであるらしかった。

「あたし、あたし、あたし……あのう……」

「あんたぁ、はあ、早ようしんちゃい！ 電車が来ょうるじゃないね！」

幸さんがハッパをかけ、チトミちゃんは（おそらく清水の舞台から飛び降りる覚悟で）、面食らっている弓削くんを見上げた。

「あたし、〈白ゆりさん日記〉、毎日つけていました。これ」

と、小型本——日記帳——を見せる。

「〈白ゆりさん〉について考えたこと、毎晩寝る前に書いて。あっ、押しつけるつもりで持ってきたんじゃないんです。また持って帰ります。でも、一度だけ見てもらいたくて。表紙だけでも。このまま、あたしだけで持ってたら、三百日分の気持ちが袋小路で、どこへも行けないから。表紙をいっぺんだけ、ちらっとだけ、見てもらいたくて……」

募金活動をする弓削くんを三越の前で見初《みそ》め、「おにいさんの綽名《あだな》は〈白ゆり〉です」という言葉を添えて交換日記を申し込んだのは、さてはこのチトミちゃんであったのか、と、ようやく合点がいった。弓削くんはOKしたものと思い込んでいたけれど、この様子ではそうではなかったとみえる。

ひかり号がトンネルからヌッと鼻面を突き出した。見る見るうちに迫ってくる。何事か言いかけて言い得ず（無理もない）、手渡された日記帳を抱えて去就に迷っていた弓削くんが、やおら私の胸ポケットに手を伸ばした。そこに挟んでいたボールペンを掏摸《スリ》顔負けのタイミングで抜き取ると、日記帳の表紙を返してその裏にサラサラと何か書きつけた。（「お〜お、サインしてやりようるで！」と小声で言ったのは、たしか上月くんだった。）

「これ、オレの横浜の住所。よかったら、手紙下さい。返事書きます。筆不精だから、遅くなるかもしれないけど」

というコメントつきで日記帳を返されて、今度はチトミちゃんが言葉を失った。一束の三色菫《さんしきすみれ》を握りしめた手を、夢見る人のように、弓削くんの方にそっと差し出した。（電車のドアが開く。）弓削くんは眩しいような微笑を見せて花を受け取り、「どうもありがとう」と言いながら、空《カラ》っぽになったチトミちゃんの手をキュッと一回握って、飛び立つように乗車した。我々むさ苦しい野次馬どもが舌を巻いたほど、鮮やかにもスマートな別れ方だった。（「さすがじゃねぇえ！」と、幸さんが、こっちを流し目に見ながら感心してみせた。）

電車がスルスルとプラットフォームを出て見えなくなるまで、みんなでひとしきり手を振った。

階段を降りながら、青木くんがチトミちゃんに、あれはプレイボーイの口先だけと違うけえ、と請け合った。

「返事、絶対くれるで！」

少女は潤んだ目を晴れ晴れと上げて、思いがけないことを言った。

「ええんです、くれんでも」

一同、呆然。

「くれんでも、あたし、うれしい。もう、ブチうれしい。長田先輩、教えてもろうて、ほんまにありがとうございました！」

幸さんは、なんのこれしき、という先輩顔で鷹揚《おうよう》に頷いて見せた。

鶴江の駅までは同じ電車で帰った。吊り革がほぼ全部ふさがっていたため、かろうじて確保した一本を幸さんと分け合いながら、私は訊いてみずにはいられなかった。

「弓削くんの出発する日、どうしてわかったの？」

「何言うとるんね。あんたが自分でバラしちゃったくせに」

「僕が？」

「きょうの何時に弓削くんを駅へ見送りに行くけぇ言うて、洌《きよい》ちゃんとのデートを断わったじゃろう？」

地獄耳。だが、一体どこに潜んで聞いていたのだろうか？　昨晩電話をもらって、あした、来日中の某ロック・グループの追加公演に行かないかと誘われ、見送りの先約があったので泣く泣く断わったのも事実だけれど。

「あたしが君らの電話を盗聴したと言わんばかりに、こっち見るのはやめんちゃい。アイツ、遠野くんにフラれて、『高いチケットをムダにするのは心が痛む、幸、いっしょに行かないか？』なんて、きょう、当日になってあたしを誘いょうるんじゃ。『ジョン・アンダーソンより弓削くんを採るとは、これがほんとの友情ってもんだ』なんて感心しょうるけえ、弓削くんがどうしたってきいたんよ。理由がわかったら、もうイエスどころじゃのうなってね。チトミちゃん、寮生じゃけえ、あの心臓破りの坂を学校まで全力疾走で上がって行って、引っ張ってきたんじゃ。もう間に合わんかと思うた。一刻を争ういうのに、あの子ったら、センパイ、ちょっと待って下さい、言うてシスターのお庭に不法侵入してねえ。パンジーなんか摘みょうる。シスター村上がカンカンじゃ！　あとで花泥棒のお詫びに行かにゃあ……」

にゃあ、と言って幸さんは、衆人環視をものともせず、ニシキヘビのような大口をあいて欠伸《アクビ》をした。あっ、はずれる！と思った瞬間に、パクンと顎を閉じて真一文字に口を引き結び、ちらっと横目を使って私を窺《うかが》い見た。そのタイミングは、隣の猫のトビにそっくりであった。

「あした、学院の卒業式じゃろ？」

「そうだよ」

沈黙。電車が鶴江に着くまで、ふたりとも無言であった。降りて別れる時、幸さんは、またあのセンパイ口調で——まるで私がチロリアン・テープで髪を結んだチトミちゃんでもあるかのように——こう言った。

「君もつらいね。ま、あんまりがっかりせんと、がんばりんちゃい。鶴島にはまだいっぱいエエ男がおるけえ」

(それはどうも、と心の中で苦笑い。)

バイバイと手を振って幸さんはオサダ医院の方角へ、私は学院行きの坂を目指して歩き出した。二、三歩も行かないうちに、いきなり背後から、

「エエ女もねっ!」

と、明るい一声が追いかけてきた。あわてて向き直ると、幸さんが丸い頬の両えくぼをくっきり見せて、色鮮やかな旗でも掲げるようにさっと上げた手を勢いよく振って、駆けて行った。その笑顔が、さっきの弓削君に負けないほど、やたらにチャーミングだったので、世の中には別れ際をこんなにも素晴らしくキメてしまう人たちがいるんだなあと羨望やる方なかった。自分にはとても真似ができないと思った。私ならば、きっと気抜けするほど凡庸な別れになるだろう、と。それがあんな、予想をはるかに上回る——いや、ここでまた8の字の堂々廻りに戻っては体に悪

い。弓削くんの手紙を読むことにしよう。

〔弓削くんの手紙〕

『親愛なる遠野へ

これを読んでくれる頃には、オレはもう神奈川県人になっている。他県の住民からあれこれ言われたくないかもしれんが、そこはまあ旧友のよしみでガマンして読んでくれ。

きょうは卒業式のはずだ。（時間厳守が得意の茶村に、卒業式当日にこの手紙を遠野の部屋に置いといてくれと頼んだから、間違うワケがない。）そしてきょう、君は君にとって一番だいじな特別な人と別れなくてはいけない。すごくツライ日だと思う。そんなツラいとこへもってきてますますウンザリするかと思うが、実は今夜、君にナイショである陰謀が企まれている。イヤ、君のためを思ってすることだから、陰謀とは言えないだろう。でも、君に知らせないでこっそりやろうとしてるのはホントだ。そしてその計画をアバいてやろうというのが、この手紙の趣旨だ。タレコミをやったと言って陰謀家どもは煮えくり返るだろうが、オレは既にヤツらの魔手を逃れているから身の危険は感じない。

発起人は青木か由理也か知らんが、今晩、旧高ＩＣの生徒数名が、学院〈自殺の名所〉の各スポットに一人ずつついて、一晩中、不寝番《ねずのばん》を務めることになっている。万一、君がフラフラやって来たら、全力を上げて思いとどまらせるつもりだ。

オレはもう学院生ではなくなるから、連中の作戦会議にも傍聴を許されただけだが、上月の言う「水も漏らさぬ」計画とやらが、穴だらけに思えてならなかった。第一、遠野が学院で自殺するなんて、どうしてわかるんだ？　本気で死ぬつもりなら、O村の滝壺へでも飛び込んだ方がずっと確実じゃないか？　黙っていられなくてオレがそう言うと、由理也が反バクした。（君は）おじいさんやおばあさんや村の人に心配かけたくないに決まっている、と言う。青木も援護射撃だ。「人は思い出のいっぱいあるとこで死にたいと思うのがフツウじゃ」と、センチな鼻声でヒタっていた。「なれそめに立ちおうた者の責任」とかなんとか、ワケのわからんことを言って、ヘンに守護聖人《パトロン》気取りだったぜ。ダメ押しは情報屋（津々浦）だ。遠野はO村の離れが来客でふさがっているため卒業式の日は引き続きルカ寮に寄宿、と「動かぬ証拠」を提出した。まったく、あんな情報をどこから仕入れてくるんだろうな？』

（私から直接仕入れたのだ。本日O村の家では、祖父母が仙顔倶楽部《せんがんくらぶ》新入会員の夫婦者を接待している。新婚さんなので夜はなるべく水入らずにしてあげたい、離れを一晩借りてもよいかと問われ、どうぞと返事をして、春休みの帰省を一日延ばした。津々浦くんは「式のあとすぐ家に帰るんか？」と私に訊くだけでよかったのである。）

『洲々浜なんか、当然津々浦をアテにして、いっしょに夜番するんだから平気だと思って計画に乗ったが、由理也が、それは断然イカンと言った。「ひとりでするんでなければマッタク意味がない、イヤなら降りろ」って。洲々浜はそれでもグズった。津々浦も異義を唱えるかと思ったら、こっちは意外にも抗議しなかった。承知、と由理也に言った。洲々浜はなおも「そんなぁ、ツヅウラくん！」と甘えかかろうとした。津々浦はしかし、この時ばかりは——きっと断腸の思いで——年来の親友のワガママを許さなかった。「みんな、ひとりでがんばるんじゃけえ」と言った。オレはその時、千分の一秒だけ相棒より先にオトナになる津々浦を見た。そうだ。オレたちみんな、ひとりでがんばらなくちゃいけないんだな。人生の中の幾晩かは。朝になって、おんなじように真っ暗な夜を通りぬけてきたヤツらに、オハヨウって言えるまで。

オレが（オレたちが）君を慰めようとか、勇気づけようとしてるなんて思わんでくれ。そんなだいそれたことのできるヤツはひとりもいない。（第一、君にとっては、たとえジーザス・クライスト・スーパースターが自分で出動しても、野瀬さんの代わりは務まらないだろう。）あいつらは、神聖としか呼びようのないハゲシイ愚かさでもって、頼まれたワケでもないのに、ひとりひとり、きょうの君の気持ちになんとか近づこうとしてるだけなんだ。君に見られないところで、君に知られないように、夜通したったひとりで過ごして、君の淋しさの百万分の一でも分かち合うことができれば、なんてことを本気で考えてる。遠野には絶対バラすなと誓い合っている連中に、オレはホトホト感心したよ。その愚かさかげんに。日本中、イヤ、世界中に、こんな愚かなボランティアが百万人もいたら、数字の上では君の空虚も埋まるはずなんだけど、そんな単純計算でカタがつく問題じゃないことは、オレにだってわかる。

頼むから、知らん顔しといてくれナ。その方が親切だと思って。（バレたら断然ありがた迷惑と思われることぐらいは、愚か者にもわかるのだ。）どこに配備されたか知らんが、きっとベソかいてる洲々浜のとこへだって、毛布もマンジュウも差し入れないでくれ。できることならまっさきにそれをやりたいけど、やらない、津々浦の心境に免じて。

短かい間だったがお世話になった。竜宮城も楽しかった。君と知りあえてよかった。また会う日まで、元気で！

ユゲヤツカ』

私は手紙を心臓のちょうど真上に当ててみた。８の字運動で乱れていた呼吸が、いつの間にかずいぶん静かになっている。トクトクトク……と聞こえてくるのは自分の心音なのだが、何だか手紙そのものが生命を持って脈打ち始めたような錯覚に陥る。癒しえぬ寂寥はそのままに、どこか別の深い泉から、感謝の気持ちがこんこんと湧いてくるのを感じた。純粋な悲しみと純粋な喜びが、互いに一切混じりあうことなく、心の中に共存できることを初めて知った。それはきっと、この二つの感情の水源が同じだからだ。同じ五月の森だからだ。

できることなら、自殺の名所を一つずつ遍歴して、物陰から友に手を合わせたいような心持ちであるが、あいにく場所がわからない。そんな名所があることすら知らなかった。（鐘楼？　裏山の竹藪？　冬でも水球部が練習する温水プール？）溢れこぼれそうな感謝の持って行き場を一心に探した。弓削くんに早速返事でも書こうか？　手紙をもう一度読み返した。『竜宮城も楽しかった』とある。私も楽しかった。そして楽しい夏が過ごせたのは、母と禿地頭さんのおかげだ。

私は飛び起きてまた廊下へ出た。脛の痛みを忘れるくらい切実な衝動が、私を電話室に向かわせた。竜宮城の母の直通番号にかけると、幸いすぐにつながった。母が出て、いつも通りに安否近況を尋ねられる。二月にひいていた風邪はぶり返していないか、じき春休みになるのではないか、おじいさまおばあさまにお送りした松竹梅の寄せ植え盆栽は破損なく届いたか……

「無事に届いたよ。ふたりとも喜んでた。ところで、あの――」

「お母さんね、盆栽といっしょにシェットランド・セーターの洗い替えを送ろうと思って買いに行ったのよ。そしたらアズキ色の模様のしかなかったの」

「そ、そう？　ところで――」

「緑ちゃん、アズキ色、嫌いだったでしょう？」

「ん……特に嫌いじゃないけど、好きでもない。ところ――」

「じゃあ、代わりに見つけといたカシミヤのセーターにしましょう。いいかしら？」

「うん、うん、いいよ。とこ――」

「ワカクサモチみたいな色よ。あ、いいえ、もすこし渋いグリーンだった。ウグイスモチぐらい」

衝動的エネルギーが徐々に減衰しつつある。観念して話を合わせることにした。

「模様入り？」

「胸のところにワシだかタカだか、ゴールドの鳥の刺繍入り」

「襟はどんな――？」

「クルーネック」

「じゃ、それにして」

（私が突然衣装好みになったからこんな質問をしたのではない。寮生が着用できる私服には、色やデザインの規制があるからだ。）

「中に着るシャツも何枚か見つくろっておくわね」

今だ！と思って割り込み、やっと私の話を切り出すことができた。転校して行った友達が竜宮城滞在を楽しんだと言っていたと告げると、母は大喜びした。

「お客様にそう言って頂けるのが一番嬉しいわ。とっても励みになるの」

「僕も、あの、すごく楽しかった。ありがとう。禿地頭さんにも、もう一回お礼言ってくれる？」

「どうしたの？　いやに改まって。いいわよ。伝えておきます。あ、そう言えば――」

ここで再び話題を奪われてはならない。そろそろ脛の青痣が意識され、息も切れかけてきた体に鞭打って、話し続ける。

「それでね、あの、きょう、卒業式だったんだ」

「あなたはまだでしょう？」

「うん。でも、もうすぐだよ。あと二年しかないもの」

「学校、気に入ってるのね」

「鶴島学院に来たおかげで大発見したんだ。お父さんのことで」

「お父さんの？」

受話器から聞こえてくる声が、少しトンガった（ような気がした）。

「お父さんの、何？」

「お父さんの学院時代のクラスメイトで、大学も途中までいっしょだった人が、学院の校医さんでね。お父さんのこと、いろいろ話してもらった。僕の知らなかったことも――」

「その方は、大学中退なさったのに、今現在、学院の校医さんをしてらっしゃるの？」

（おお、ますますトゲトゲしい！）

「違う違う！　途中から別の大学にトランスファーしたんだよ」

「僕はどうしても紅子《こうこ》との子供が欲しい」で終わる件《くだり》であった。

私が長田先生の話の中から独断で抜粋したのは、校医さんの言ったとおりに言うよ。聞いて」

「なんか、うまく言えないな。いいや。

「で、大発見というのは？」

「そしてね、お父さんは、お母さんのこと、世界一素敵な奥さんだと思っていたんだって」

これも実は虚構《フィクション》ではない。月夜のドライブの帰り道に聞かされたのだ。（「銀《しろがね》くんは奥さんのことと、世界一の妻だと自慢していたよ。自分のような研究バカについてきてくれるのは紅子さんしかいないと言って。『気立てがよく、のんびりしていて、ささいなことでよく笑う。買物や小旅行や皇室ゴシップが好きで、年末には欠かさず紅白歌合戦を観る。そんなごく普通のところが、あんまり普通でない方の僕にしてみれば、こよなく嬉しくいとおしい』なんて、はっきりノロけられたことさえある」）

電話の向こうが急に静まり返ってしまった。五秒……十秒……十五秒……沈黙が三十秒以上続くと気まずくなるな、と思った時、脳内に奇怪なセンセーションが発生するのを感じた。あたかも、本来の私ではない別個の人格が、〈スポット〉にシャシャリ出てきたかのような——今、鏡に自分の顔を映してみたら、きっと耳の先がいつもより尖《とが》って、目の色が琥珀《アンバー》色になって、薄く形のいい唇を少し皮肉にゆがめて微笑んでいるに違いない、という確信さえあった。

「お父さん、きっとまだ天国に入れてもらってないんじゃないかなあ……」

母が息をつめる気配がした。

「どうして――どうしてまた、そんなことを？」

どうしてかなんて、私にだってわかるものか。いきなり乗り移ってきた何物かの仕業なのだから。

「だって、お母さんに大嫌いって思われたままで死んじゃって」

（と、何物かはいい気になって喋り続ける。）

「せっかく犬屋さんにも協力してもらって、ＩＶＦで元気なビーグルの子をワンサと作ったのに。それもみんな――っていうか、ほとんど――お母さんのためだったのに。今もしお父さんが幽霊になって帰ってきても、お母さん、言うんだろうな。アンタナンカ大キライ、モウ顔モ見タクナイ、べるりーなー（父の大好物だったジャム入りドーナツ）モ作ッテアゲナイ、ぱんつダッテ洗ッテヤラナイ……」

「まあっ、何言うの！　お母さん、そんなこと言いません！」

「じゃ、なんて言う？」

再び静かになる。が、今度は何かほのぼのとした沈黙で、しかも長くは続かなかった。

「なんて言おうかしら……『ごめんなさい』、『ありがとう』くらいしか思いつかないわ。平凡ね」

いかにも。そしてその平凡な答に私は大満足だった。憑物がハラリと落ちたように、私は私に返り、春休みにいっしょに父の墓参をすることなど約束して電話を切った。

部屋に戻ると、すっかり日が陰っていた。窓を開け、海風に乗ってくる宴のざわめきに耳を傾ける。吹奏楽が華麗に盛り上がって、にぎやかな拍手がひとしきり。一瞬の休止《ポーズ》。そして『螢の光』の演奏が始まった。パーティが終わるのだ。人々が去って行くのだ。巣立つ者らが翼を整え、愛する人が家路につく。そしてこの暗い丘には、一つ、また一つと友情《フィリア》が灯《とも》り、夜通し明るく燃えようとしている。

突然、詩想の飛来を感じた。滅多にないことである。ペン先生に出された春休みの宿題——英詩を一篇以上書いてくること——が早々に片づくかもしれない。傑作にはなり得まいが、少なくともオリジナルである。書きとめようと上着のポケットにボールペンを探したが、ない。弓削くんに取られたままだった。いいさ、今度会った時に返してもらえば、と思う。そうだ、きっとまた会うから。

他の筆記用具を探す時間が惜しまれる。霊感は羽根のある軽やかな存在《もの》。早くつかまえないと、飛び去って永遠に戻ってこない。ああ、もう今にも忘れてしまいそうだ。私は焦《あせ》って窓際にとって返した。うっすらと結露したガラスに、指で字を書いた。英訳はあとですればいい。

恋人よ、エデンの園が暮れてゆきます
けれど芳《かぐわ》しい季節はまた巡り来て
心の奥のひそかな小道に昔の標《しるべ》を置くでしょう
ふたたび芽ぐむ森の色に
清らに青いその息吹《いぶき》に
「忘れない」と誓います

一一〇　告別式《こくべつしき》

山田一男先生の告別式の日まで、私は以上の如く、とめどない回想三昧に耽って時を忘れた。ために研究は滞るし、となると学位論文も進まないし、抄読会は日時も範囲も間違えるし、『超音波スキャナーによる胎児のリンパ水腫（システィックフィグローマ）の出生前診断』というタイトルを貰って臨んだデビュー戦（学会）では、スライドを全て裏返しにセットしたのに気づかないでよどみなく発表を進め、質疑応答の頃までには大混乱をきたしていた。オーベンの洲々浜波夫先生始め共同研究者の皆様方にさんざん叱責されて、疲労困憊で官舎に帰宅したとたん、電話が鳴った。青木《おうぎ》くんからだった。告別式の後のクラス会のプランを報せてもらう。

「上月が〈青ひげ〉を予約しとる。S先生のひいきの店で、昼間でもカラオケの練習できるとこじゃけぇ言うて――」

「こないだ新入医局員《ノイヘレン》の歓迎会がすんだばかりなのに、またカラオケ大会か！」

「外科の奴らはメシより好きなんじゃ。あそこはまた、歌って踊れるドクターぞろいじゃしのお。ほいじゃあ、わし、まだかけるとこ、いっぱいあるけぇ」

私はぐったり疲れて受話器を置いた。置くや置かずでまたベルが鳴る。

「遠野くんか？　久しぶりじゃのう」

今度は三千橋《みちはし》先生であった。明日の告別式に出席するかと問われる。

「はい、出ます。先生もいらっしゃるんですか？」

「それがのう、うちも葬式なんじゃ。家内の父が亡うなってのう。もう早や暑うなって来ようるけぇ、早急に荼毘に付さんといけんのじゃそうな」

私は早急にお悔やみを述べた。風薫る季節に、こんなにバタバタと人が死んでゆくとは！

「えー、ほいでのう、きょうかけたのは、他でもないんじゃ。葬式の前日にこがいな話をするのも何なんじゃが……君、もう嫁さんもろうちゃったん？」

「いいえ。独身です」

「見合いしてみる気ない？」

「どなたとですか？」

「候補者は二人おってんじゃ。ひとりは兵児県権戸市《へこけんごんべし》の開業医の娘さんで、君とおないどしの女医さんなんじゃが、学校は高校まで鶴島の聖母マリアに行っとってじゃった。お母さんがわしの家内の友達でのう、うちに写真送ってきちゃったんよ。別嬪《べっぴん》さんで」

「はあ……」

「ただし、ここだけの話じゃけど、誰ぞ同僚のお医者さんと大恋愛で、婚約までしとられたんじゃそうな。それがなんでか知らんが、いけんようなってしもうたらしゅうて。本人も親御さんもエッと気落ちしとってじゃった。まあ、そっちの方は一段落ついたんじゃろうよ。ほいでものう、そがいなことのあった人じゃけぇ、わしも無理にとは言わん。もうひとりの人は、音大《おんだい》出たばっかしじゃ。ピアノ教えよってんじゃと」

「せっかくですが、ご紹介頂いても、今はまだ――」

仕事に専念したいので、と言うか、養ってゆけません、と言うか、二通りの選択肢が考えられる。いずれアヤメかカキツバタ……選びかねているうちに、

「まあ、ゆっくり考えんさい。ほいじゃああした、みんなによろしゅう言うといて」

と、先生は電話を切ってしまわれた。

私は眠くてたまらなかったので、見合いの件はそれっきり忘れて寝床に入った。夜中に一度、誰かとサティの曲を連弾している最中に音を間違えた夢をみて、目が覚めた。

さて、あしたになり、クラス会は実現するだろうかとワクワクしながら学院へ出かけた。だが、青木くんの奮闘むなしく、告別式に参列した旧高ⅢCの生徒は、僅々六名に過ぎなかった。それは偶然にも、かつての夏、共に竜宮城に詣でた仲間たちだった。但し、プリンストンの大学院で博士論文を書いている弓削くんはいない。東京で結婚して四児のパパになっている花小路くんも欠席だった。

「あいつ、式挙げたの去年の五月で！　じゃのに、どうしてもう四人もガキがおるんじゃ？」

訝る上月君に、四ツ児じゃったんじゃ、と津々浦くんが教える。彼は鶴島ホームテレビに入社し、現在は青木くんのお母さんの後任として、新進気鋭のニューズ・ディレクターを忙しく務めている。

「四ツ児！」

と、皆、一斉に感嘆した。

「それも、ぜんぶ女じゃ言ようった。名前は、さくら子、すみれ子、かおる子、たおる子——」

「タオル子？」

「手折《たお》らば手折《たお》れ、の〈たおる〉じゃ」

「女の子ばっかしか。タイヘンじゃのう」

「本人は結構喜んどったで。兄弟もイトコも男、男で、自分も中高と男子校じゃったけぇ、ブチ珍しい言うて」

「今のうちだけじゃいや。いずれ年頃になってみい。嫁入りのたびに家が傾くけえ！」

「何だ、上月。すでに誰か嫁にやったような口きいて」

と言う茶村くんは、最近眼鏡をやめてコンタクトレンズに替えていたので、会った時、わからなかった。遠視用の眼鏡だったから、異様に目が大きいという印象があったのだが、こうして見ると普通サイズだ。C大の法科をトップで出て、なぜか地元の市会議員の秘書をしている。選挙のたびに、私も電話で清き一票を頼まれる。

洲々浜くんは少し遅れて来た。学院時代の愛くるしい顔のまま、コロコロに太っている。彼も産婦人科専攻だから、私の同僚になるわけだが、大学は隣県のO大だった。只今、婚約中である。

「きょうはヨシコさん、一緒に来んかったん？」

「え～？　来るわけないじゃろう、まだ挙式もしとらんのに――」

津々浦くんにからかわれ、洲々浜くんはまんまるな頬をハイジのように赤らめた。

「ほいじゃあ、さしてもらうんは、お菓子の味みだけ？」

「こら、上月！」

告別式にあるまじき陽気さが盛り上がりかけたところで、チャペルの扉が開き、皆様どうぞ中へ、と案内があった。葬式と告別式は別ものだということを、私はこの時初めて意識した。祭壇には、銀襴《ぎんらん》の袋に納めた骨壺らしい包みと故人の遺影、花が供えてあるだけで、棺はない。（私の父の場合なども、すると告別式であったわけだ。）

鶴島学院第n期生一同よりという供花が、壁際に延々と連なっている。純白を基調に、せいぜい薄紫や淡黄などを僅かに交えた花輪の列が、しめやかに続く中、ただ一つ、九割方真っ赤なカーネーションでこしらえた一品があった。しかも、大作である。場所柄もわきまえず、と眉をひそめて送り主を見ると、我々の年度の卒業生よりとなっている。

「花の手配、誰がしたんだろう？」

私は隣の茶村くんにこっそり尋ねてみた。

「青木だよ」

「何でまたあんな、母の日みたいなのを？」

「注文したのが一番遅くってさ。適当な花はみんな他の期の卒業生に買い占められて、今の季節だし、赤いカーネーションしかなかったんだそうだ」

「あとで一言お断わりをしておいた方がいいんじゃないかなあ――喪主は誰だい？」

「たしか、山田先生の長男。今、学院の高二だって」

「え、奥さんじゃないのか？」

「何か事情があるらしいよ」

式は、すっかり銀髪になられたミルフォード師によって執り行われた。塵は塵に、灰は灰に、うらの決まり文句以外は、故人の愛唱した讃美歌を歌うだけの簡素なものだった。終わりには、若い喪主が出席者一同に短かい謝辞を述べた。私はぶしつけな紅一点の花輪が気になってしかたがなかったので、参列客を見送り終えてチャペルの中へ戻ってゆく少年を追って、引き返した。

「君、ちょっとすみません。あのカーネーションのことなんだけど」

祭壇の百合の前で向き合った少年は、ほっそりと小柄で、花よりも蒼い首をしていた。私の言わずもがなの詫び言を愁い顔で聞きながら、茶色の睫毛をしょっちゅうしばたたいた。毛髪も並みよりよほど明るい色で、赤ん坊の髪のようにたよたよと腰《コシ》がなく、亡き山田先生もこんな髪質であったのなら、若くしてその大半を失ってしまわれたことも頷ける。

「――そういうわけで、花屋に白い花が全然なかったんだ。わざとあんなとんでもないものを贈ったんじゃないから、赦してほしい」

「赦すなんて……」

と、少年は可憐な花首をゆらゆらさせた。

「父は、赤いカーネーション、好きだったんです。母が家を出る前に植えていったのが、庭に咲くんです、毎とし……」

露のようなものが一雫、きらりと睫毛にかかって見る見るふくらんでゆく。

「母が来てくれたみたいで――僕、嬉しかったです」

そうか、それはよかった、ではあまり気を落とさないで――というような文句を呟きながら、私は大急ぎで踵《きびす》を返した。（それ以上見ていたら、抱きしめてしまいそうだったので。）出口で振り向くと、山田少年はまだボンヤリ私の方を見ていて、目が合った瞬間、茶色の絹のような頭を下げて一礼した。私は友人たちに追いつこうと、いよいよ足を早めつつも、何かしら胸に迫るものがあって、歩きながら眼鏡をとってハンカチで拭いた。一時はどんどん落ちていた視力が、どういうものか、〇・八まで盛り返したので、これは半分伊達眼鏡である。

すぐ近くで、あっと驚く声がした。

「とお――遠野さん、ですか?」

ためらいがちな女性の声だった。告別式に参列した人々の中には、故人の知己や昔の職員と思われる女の人も混じっていた。たいてい中年以上の年配の婦人だったが、私に呼びかけたのは、まだ半分女学生のようなところのある若い人だった。私よりいくつか年下だろうか。

「失礼ですが、遠野さんでいらっしゃいますか?」

その人は、もう一度丁寧《ていねい》に尋ね直した。

「はい、そうです」

「わたくし、野瀬と申します」

言葉が出ない。

「主人の名代で、山田先生の告別式に参りました」

「それは遠くから……」

懸命に気を取り直そうとするものの、心臓は早鐘を打つようであった。私の間の抜けた応対に、その人は子供のように勢いよくかぶりを振った。

「ほんとは里帰りついでなんです。実家がY県にありますので」

「野瀬さんは――お元気ですか?」

「はい、おかげさまで。荷物の整理もやっとすませまして、来月にはなんとか出発できそうです」

「どこかへ引っ越されるんですか?」

「ハノーファーへ。三年ほど。主人はいずれ、永住する心づもりでおりますけれど」

短かい沈黙があった。私は何か言うべきことを探したが、上がった役者のように、台詞が一つも浮かんでこない。若い野瀬夫人はじっと私の顔を見て、半ばおかしそうに、半ば羞《はにか》んだように視線をそらした。

「いきなり遠野さんて声をおかけして、びっくりなさいませんでした?」

「ええ――」

「学生の頃、主人の部屋を訪ねました時に、学院の卒業アルバムを見せてもらったことがあるんです。主人は197*年度卒なのに、もう一冊、198*度のがありまして――こっちは?って訊いたら、恩師に頼んで送ってもらった、二年下に憧れの後輩がいたんだって言うんです。『憧れの先輩』っていうのは、よく申しますよね? でも、『憧れの後輩』と聞いたのは、わたくしには初めてのことでしたから、つい笑ってしまったんです。ごめんなさい」

「……」

「眼鏡をおとりになって、お顔を拝見して、すぐわかりました。思ったより背がお高いので、ちょっとだけ迷いましたけれど」

私は眼鏡を手にしたまま、茫然と彼女を眺めた。初々しい小さな顔がまたこちらを向いて、澄んだ双眸《ひとみ》がひたすらに見つめていた。その無心な眼差しは、これまで体験したどんな罵言や暴力にも増して、私を深く傷つけた。心のずっと奥でまだ信じていたかった小さな奇跡が、この眼差しに触れて息絶えるのを感じた。私はまた眼鏡をかけた。

「どうぞ――よろしくお伝え下さい。ご渡航、お気をつけて」

「ありがとうございます。申し伝えます。遠野さんも、どうぞお元気で」

ふわりと優しい会釈をして、少女のような足取りで去ってゆく人を、私は薄く色づいたレンズごしに目で追った。落葉松《からまつ》林の向こうに見えなくなるまで。彼女が幸福であればいいと思った。そして、彼女と共に暮らす人も、どうか幸福であるようにと――それは心からの願いだった。にもかかわらず、私は長年覚えのない疼痛のような淋しさが胸を噛むのを感じ、数秒の間とはいえ、何かにすがらなければもう一歩も前へ進めないような気がした。

出会えば必ず別れの時が来る。それはわかっていた。だが、なんと仮借ない別れ方だろう！仲違いしたわけではない。心が冷えたのでもない。一言名を呼ばれれば、きっと何もかも捨てて応《こた》える。愛する心は今もここにあるのに、もう告げてはならないのだ。私がまた恋をするとしても、その相手には絶対にこんな気持ちを味わってほしくない、と思った。私はどう見たって百人力のヘヴィ・デューティではないし、慰めじょうずの歌って踊れる医師でもないけれど、恋人が望むなら、その手をいつでも取れるところにいたい。愛すれば人はみな孤独を知るのだから。

駐車場には、青木くんが一人で私を待っていてくれた。

「みんなは？」

「上月が〈青ひげ〉へ積んで行きょうった。はよう歌いだしとうてたまらんのじゃ」

　私は持ち歌が少ないので、こんなに早くから大会に参加しては夜までもたない。在庫が切れた場合、究極の秘策としては、同じ節で変え歌を歌うという手があるが、私はまだ実行したことがない。

「久しぶりに来たんだ。ちょっと散歩して行くよ」

「ほうか？　ほいじゃあ、わしもつきあうで。上月はノッてきたら最後、自分が歌う間、野郎どうしでもチークを踊れ言う奴じゃけぇのお！」

　私たちは高等部校舎のホールを通り抜け、体育館方面に向かった。櫟《くぬぎ》林は少しも変わっていなかった。が、木造の寮は四棟とも跡形もなく、鉄筋コンクリートの三階建て一つに変身していた。方庭《コート》の片隅で、数名の寮生——見たところ、入寮したての中学生——が、〈ろくむし〉と呼ばれる球技《ボールゲーム》に興じている。これは鶴島学院の伝統遊戯であるらしいが、あとから転校してきた私は、ルールも教わらないまま、卒業までとうとう一度も遊ばずに終わった。

　林を吹きぬける風を愉《たの》しもうと、昔パウロ寮のあったあたりをぶらついている時、青木くんが、ポケットから特大のハンカチを奇術師《マジシャン》のようにするする取り出した。それで鼻の頭を拭いながら、

「こないだ、ミッチから電話もろうてのう」

と言う。

「見合いせんかいうて、勧めてくれちゃったんじゃ」

「あれ、君にも？　僕のとこへもゆうべ、そんな話が来たよ」

「女医さんと、ピアノの先生？」

「そうそう」

二人同時に吹き出し、思いきり笑い合った。三千橋先生は、学院退職後、某短大の学長をしておられる。好むと好まざるにかかわらず、仲人を引き受けられることも多いのだろう。

「で——おまえ、どうする？　どっちかに会《お》うてみる？」

「君は？」

「うむ……わし、実は、会うだけならいっぺん会うてみてもええかのう、思いょうるんじゃ。キラが去年、結婚したじゃろう？　親がうるそうてのう。わしゃあ長男じゃし、行く行くは親の面倒見にゃあと思いょうるし、できたら地元の人がええんじゃがのう……」

陽光がさざめくように木の間を洩れてきた。どちらを見ても明るい初夏の色が眩しい。突然、何かに突き動かされるように、ひとりでに言葉が出た。

「来週、また学会でね。今度は大阪なんだ」

「ほう？」

「すぐ隣の県だし、帰りにでも、ちょっと寄って来られるんじゃないかと思う」

青木くんは若干驚いた顔で私を見上げた。（私は彼より五センチばかり背丈が高くなっていた。）

「おないどしの方か？」

「うん」

とは言ったものの、私は青木くんに劣らずびっくりしていた。今朝の今朝まで、見合いをする気など、さらさらなかったのである。櫟林の精霊《スピリット》にでも取り憑かれたのだろうか？

「美人じゃいうて、ミッチが言ょうったのう」

「美人だから会うんじゃないよ――いや、もちろん、それもないとは言わない。でも、仲人さんの口にかかったら、この世はみんな美人と美男だらけじゃないか」

「ほいじゃあ、なんで？」

なんでだろう、と自分でも思った。が、今度もまた、何かが無理なく私の舌を操った。

「誰カヲ、ココロカラ、好キニナッタコトガアルヒトダカラ――」

ふうむ、と青木くんは唸り、ハンカチの端でまた鼻を撫でた。私は今しがた言ったことを反芻《はんすう》してみた。そして、後悔はしないと思った。それは私の真実の気持ちであった。たぶん、青やかに往《ゆ》き交《か》う風が、意識の深みから、考えるより先に答を呼び起こしてくれたのだ。

全身全霊を捧げて恋をする日々は短かい。ふたりの心に通い合う感情は、すべて測り知れぬ愛と敬いに満ち、ふたりでする何もかもが美しい行為となり、無為の時間はひとときわやすらかに、沈黙は限りなく豊かになる人生の楽園時代を、私は野瀬さんと過ごした一年間に残らず体験したような気がする。いつかまた別の誰かと、別のエデンを逍遙《しょうよう》する日がくるかもしれないけれど、どんな園であれ、私はそこに最初に歩いた森の色を重ねて、木立の蔭をいっそう深くすることだろう。そして息づまるような青葉の熱《いき》れが、風のまにまに流れて私をふと立ち止まらせる時、誓いの言葉が再び萌え出るだろう。きっと忘れない。五月の森の新緑にかけて。

あの頃、私と共に森を巡《めぐ》った人は、きらめく微笑みと軽い歩みと、爽やかに深く感じる心を持っていた。その年初めて目に沁《し》みる早緑《さみどり》の枝のように、少年の日の私の心を鮮やかにとらえた人——私の初恋の人は、彼もまた少年であった。

私たちは落葉松《からまつ》のスロープを越え、楓林荘《メイプルロッジ》の前を過ぎて、再びチャペルに戻ろうとしていた。甃《いしだたみ》に溢れるほど伸び呆けた草を踏み、薬草園を抜けて行くと、足元からしんと冴えた薄荷《はっか》の薫りが立った。私はかがんで嫩葉《わかば》を一ひら摘み、掌で揉みしだいた。一節《ひとふし》の弦楽器の旋律《しらべ》を聞いたような気がして振り返ったが、〈お祈りの部屋〉は静かで、窓はみな閉まっていた。

（完）

著　者
古谷清刀（ふるたに　さやと）

1957年生。国際基督教大学教養
学部人文科学科卒。翻訳家。

君よ知るや五月の森　下

平成16年12月１日　発　行

著　者　古　谷　清　刀（ふるたに　さやと）

発行所　㈱ 溪 水 社
広島市中区小町１―４（〒730－0041）
TEL（082）246－7909／FAX（082）246－7876
E-mail:info@keisui.co.jp
URL:http://www.keisui.co.jp

ISBN4-87440-849-4　C0093